LES AMOURS DE PSYCHÉ ET DE CUPIDON

Collection dirigée par Michel Simonin

LA FONTAINE

Les Amours de Psyché et de Cupidon

ÉDITION CRITIQUE DE MICHEL JEANNERET
AVEC LA COLLABORATION DE
STEFAN SCHOETTKE

LE LIVRE DE POCHE
classique

Michel Jeanneret est professeur de littérature française à l'Université de Genève. Il a travaillé surtout sur la Renaissance : la poésie religieuse, Rabelais, Montaigne (voir notamment *Des Mets et des mots. Banquets et propos de table à la Renaissance*, Corti, 1987). Il a également publié une étude sur l'écriture et la folie dans l'œuvre de Nerval, *La Lettre perdue* (Flammarion, 1978), et a édité le *Voyage en Orient* du même auteur.

Assistant à la Faculté des lettres de Genève, Stefan Schoettke prépare une thèse sur la poétique de La Fontaine.

Introduction

« Tous vergers sont faits parcs »

Un prince charmant construit un palais féerique, des jardins de rêve, pour illustrer son pouvoir et abriter ses amours. Cette histoire n'est pas seulement celle du dieu Cupidon. C'est aussi celle qui se joue à Versailles, dans la splendeur d'un début de règne.

Depuis la mort de Mazarin, en 1661, Louis XIV impose son bon plaisir. Il est jeune et son ardeur, contagieuse. Il a du panache, il a du goût et, parce qu'il aime le luxe et la beauté, s'entoure d'artistes qui répercutent son éclat. L'énergie de l'âge baroque, la vitalité héroïque et la puissance créatrice qui ont irrigué la France pendant la première moitié du XVIIe siècle ne sont pas encore taries. Bientôt sévirons les pesanteurs de la religion et de la morale, la pompe officielle et le conformisme de la raison d'État. Pour le moment, le Roi s'amuse, il entraîne la cour dans une série de réjouissances. Entre bosquets et tréteaux, Molière et Lulli donnent le ton. Et La Fontaine, dans *Les Amours de Psyché*, enregistre cet état de grâce — ou participe à sa construction.

Car cette culture a besoin de mythes ; elle se regarde au miroir d'antiques représentations, que le Monarque utilise pour construire son image idéale. L'un de ces mythes sera celui de l'amour. Une jeune fille plus belle que Vénus, un amant qui est l'Amour même triomphent de tous les obstacles pour atteindre finalement la félicité du couple parfait : à travers le modèle que lui offre la vieille histoire de Psyché, comme à travers beaucoup d'autres, Louis XIV se pose en séducteur — le complément nécessaire au portrait, également en gestation, du héros militaire et du souverain absolu. L'actualité se charge d'ailleurs de confirmer la fiction. Les maîtresses royales se succèdent et, pour elles, on organise des fêtes somptueuses, on monte des carrousels ou des pièces à machines, on danse des ballets où le Roi joue parfois sa partie, berger, empereur ou dieu. Cérémonies et galanteries, toutes les formes du théâtre et du divertissement participent d'un programme où le plaisir et la politique, la bravade de la jeunesse et le calcul de la propagande se donnent la main.

Versailles sert de cadre à ces fastes et en viendra, peu à peu, à incarner symboliquement le prestige du pouvoir. Mais une cour jeune et novatrice, encore itinérante, ne cherche pas à édifier des monuments pour l'éternité. C'est le parc qui, dans la première décennie du règne, accueille les réjouissances royales. Sous la direction de Colbert, une équipe de savants et d'artistes dessine le décor des promenades ou des spectacles, des jeux d'eau ou des feux d'artifice que Louis XIV offre à ses hôtes. Architectes et sculpteurs, ingénieurs et jardiniers combinent leur savoir-faire pour créer ensemble cet espace magique. Des édifices légers, souvent provisoires, des bassins et des grottes, des allées ponctuées de groupes mythologiques jalonnent des itinéraires savamment calculés. La jeunesse du règne et le printemps de Versailles sont solidaires, portés par un élan que la solennité du palais et la rigidité de l'étiquette ne tarderont pas à figer.

Viendra aussi le temps, vers 1680, où un classicisme pur et dur imposera au paysage sa géométrie et sa fixité, assurant le contrôle de l'art sur les caprices de la nature. Pour le moment, le parc cherche sa formule dans un subtil dosage de constructions humaines et de sites sauvages. Dans les zones cultivées, tout un réseau de signes se donne à lire, qui organise l'espace comme un livre et, simultanément, atteste la puissance de la raison et de la technique, capables de transformer le décor naturel. La Fontaine y sera particulièrement sensible : pour manifester que rien ne s'oppose à la volonté du Monarque, les hommes fabriquent un monde artificiel ; ils inscrivent sur un terrain ingrat les marques de leur maîtrise et, à la place d'une forêt, érigent un musée : « Tous parcs estoient vergers du temps de nos Ancestres ; Tous vergers sont faits parcs » (p. 132). Mais les inventeurs de Versailles ne méconnaissent pas le charme des frondaisons ; des parterres tirés au cordeau à la liberté des futaies, ils ménagent des lieux de transition ; ils ouvrent des allées qui conduisent aux zones ombreuses, ils forgent du pittoresque, comme pour déployer, dans le microcosme du château, l'éventail le plus ample, de l'ordre au désordre, de l'apprêt à l'imprévu, de la culture à la nature.

*
* *

Commencé vers 1665, publié en 1669, le récit de La Fontaine fixe l'éclat de cette époque heureuse. Deux grandes descriptions de Versailles dégagent, du parc alors en chantier, les valeurs symboliques et les choix esthétiques. Elles évoquent, dans leurs vers, les silhouettes gracieuses des statues, les entrelacs de la pierre, de l'eau et du feuillage. Elles miment aussi le goût dominant de l'ornementation, la prédilection pour une beauté harmonieuse et équilibrée — une beauté qui échappe cependant à la fadeur grâce au mouvement qui, partout, anime les formes. On découvrira, sur le chemin des promeneurs, cette plastique encore proche du baroque, ces multiples variantes sur le thème de la métamorphose, de même qu'on percevra, dans la diction du poète, comme un écho de ces charmes fluides et vaporeux.

Mais La Fontaine fait plus que moduler une atmosphère ou une esthétique. Il reproduit les signes, plus ou moins cryptés, qui, dans l'enceinte de Versailles, racontent l'histoire du Roi-Soleil. Un programme savant exploite le langage des images — et leur ambiguïté — pour représenter Louis XIV sous les traits d'Apollon ; ce dessein commande la conception du parc et le poète s'en fait le porte-parole.

Quatre amis débarquent un beau matin à Versailles, pour visiter les « nouveaux embellissemens » (p. 60). Ils se dirigent d'abord vers la Grotte de Thétis. Dans une demeure sous-marine en trompe l'œil, le dieu-soleil prend son repos parmi les nymphes. La façade monumentale de l'édifice suggère la solennité de l'événement, tandis que le décor intérieur — rocaille et pénombre — crée la féerie. Fidèle à l'esprit des travaux, La Fontaine célèbre d'emblée la majesté et l'enchantement des lieux. Lorsque les camarades reprennent leur promenade, au milieu du récit, c'est pour déambuler cette fois dans l'Allée Royale, sur l'axe qui conduit du palais au Grand Canal. La description s'arrête sur deux fontaines, scènes de deux autres épisodes de la vie du dieu : sa naissance, dans le Bassin de Latone, et son essor du sein des flots, dans le Bassin d'Apollon. Au soir répond ici le matin, à l'Occident, l'Orient et à l'arrêt, le mouvement. D'un pôle à l'autre du microcosme de Versailles se déploie ainsi symboliquement la trajectoire du soleil ; comme l'univers dont il est l'emblème, le parc apparaît fécondé par les rayons de l'astre royal.

Cette topographie obéit à un projet politique, elle s'insère dans la logique d'un vaste mythe publicitaire — la toute-puissance du Roi-Soleil —, dont quelques images fortes jalonnent *Les Amours de Psyché*. Dans les fragments du *Songe de Vaux*, La Fontaine avait célébré le palais merveilleux de son ancien protecteur, Nicolas Fouquet, entre-temps déchu et emprisonné. S'associerait-il maintenant aux interprètes du mythe solaire, Le Vau, Le Nôtre, Le Brun, Charles Perrault, pour contribuer, par le pouvoir de son art, à la construction de l'absolutisme ?

Effacerait-il *Le Songe de Vaux* par le Songe de Versailles ?
La réponse n'est pas simple.

Isolées du reste du récit, les descriptions semblent vouées à la flatterie — quelques pages de plus au service de la propagande officielle, dans un milieu où le contrôle politique des belles-lettres est la règle. Mais le Versailles des *Amours de Psyché* relève d'une fiction dont toutes les parties sont solidaires. Deux réseaux spatio-temporels communiquent — la Grèce des légendes et la France moderne — qui s'influencent et se modifient réciproquement. Captée dans ce jeu de reflets, la représentation du parc se charge de valeurs nouvelles, bien au-delà du reportage ou de l'opportunisme courtisan.

Au lecteur sagace, la recherche des ressemblances, d'un niveau à l'autre, ainsi que l'interprétation symbolique des lieux ouvrent des pistes intéressantes. Des sites se répondent — les palais, les grottes —, des situations se recoupent, de telle sorte que la scène de la narration et celle de l'histoire narrée s'inscrivent dans un espace homogène et continu. Parce qu'il y trouve, peut-être, l'occasion de se soustraire à un panégyrique trop direct, La Fontaine exploite plusieurs aspects de cette correspondance.

Venus en touristes, les quatre amis se trouvent aussitôt immergés dans un décor enchanté, peuplé de dieux et de prodiges. Par la grâce des statuaires, Apollon et toutes les merveilles de l'Olympe sont là, vivants et intégrés à l'espace familier — non seulement les portraits divinisés du Roi, mais aussi des figures, des parures qui pourraient appartenir au monde de Psyché et Cupidon. Il suffit aux promeneurs de regarder autour d'eux — et à nous d'imaginer le spectacle du parc — pour entrer de plain-pied dans l'univers du conte. Du réel au surnaturel, par la médiation de l'art, le passage est imperceptible. Racontée dans ce cadre, l'histoire de Poliphile sera pour ses auditeurs comme une vision mythologique de plus, un spectacle de rêve surgi parmi les bosquets, un reflet fantastique dans l'eau des bassins. Le jardin royal conduit naturellement à la féerie, tandis que, par un mouvement inverse mais complémentaire, l'univers du mythe, dans la version de Poliphile, se rapproche du quotidien. Avec ses dieux humanisés, son merveilleux rationalisé et ses inflexions burlesques, la légende héroïque prend la tournure d'un drame domestique. Un même espace polymorphe embrasse l'ici et l'ailleurs, assez ambigu pour échapper à la récupération politique.

Les promeneurs de Versailles, et avec eux les lecteurs, subissent encore un autre conditionnement. Les monuments du parc, on l'a dit, se donnent à lire comme une vaste allégorie : sous les signes du mythe apollinien se dissimule un message idéologique. Le discours des images demande donc à être déchiffré, selon un code que possèdent les visiteurs. Ce faisant, ils se préparent à comprendre le récit crypté de Poliphile. Si le texte de l'histoire, comme celui des jardins, recèle un sens caché, la même méthode d'interprétation pourra servir pour l'un et pour l'autre.

*
**

La Fontaine ne se contente pas de détourner la description officielle vers une recherche, plus subtile, sur les rapports du réel et de la fiction. Discrètement, il marque aussi sa distance, si ce n'est sa réprobation, devant la grande machine monarchique. C'est le contraire, au fond, qui eût étonné. Indépendant et instable, souvent marginal, le poète n'est pas de ceux qui vendent volontiers leur plume. Il a eu beaucoup de protecteurs, pendant sa vie, mais a évité, autant que possible, de s'engager ; s'il a fréquenté les milieux de la cour, il n'a pas touché de pension royale. Il s'interdit, certes, la polémique ; sa réserve est toute en nuances, en demi-teintes ironiques. Comme tout le monde, il fait la révérence, mais garde un sourire amusé.

Les splendeurs du palais de Cupidon ressemblent à celles de Versailles ? Sans doute, et le lecteur pressé y reconnaîtra une flatterie parmi d'autres. Mais le double jeu est manifeste, car l'éclat qui éblouit Psyché appelle, on le verra, une sérieuse réprobation morale. Si les lambris dorés de l'histoire sont hostiles à l'amour authentique, que penser des miroitements de la Cour ? D'autres indices inspirent le soupçon. Les amis, au début, s'arrêtent à l'Orangerie et admirent la résistance des « arbres toûjours vers », plus forts, dit encore Acante, que « tel arbre géant, Qui déclare au soleil la guerre » (pp. 61-62). Le texte ne précise pas que ces orangers proviennent de Vaux et sont, à Versailles, comme la trace de Nicolas Fouquet. Dans ce salut adressé, par objet interposé, à la persistance et à la bravoure du faible, il est peut-être permis de voir un hommage indirect au mécène déchu, et une singulière désinvolture à l'égard du Souverain. Pour écouter Poliphile, un peu plus tard, les promeneurs s'installeront dans la Grotte de Thétis d'abord, puis sous une galerie de feuillage, comme s'ils cherchaient à se protéger de l'ardeur du soleil. Leur journée, du reste, obéit à un mouvement étrange, à l'inverse du cycle solaire : elle s'ouvre sur une scène de coucher, passe plus tard à la contemplation du lever, pour en arriver, dans les dernières lignes du récit, au spectacle de la lune, qui servira de guide — étrange pirouette, au moment de prendre congé, devant la majesté du roi des astres !

Il n'est pas facile de mesurer l'ampleur de ces écarts, tant La Fontaine est habile à camoufler son jeu dans l'équivoque et l'ironie. Reste qu'il ne reçut, de Colbert ni du Roi, aucune récompense et que, pour le public, *Psyché* fut un échec. Les raisons de cet insuccès, inattendu après la vogue des *Fables,* sont mal connues. La formule narrative était-elle trop insolite ? Le ton, trop indépendant ? Caprices sur le chantier de Versailles ou variations sur les amours de Psyché, La Fontaine se plaît à dérouter l'attente. Sa version du mythe nous réserve, elle aussi, quelques surprises.

L'âme et l'amour

L'histoire de Psyché appartient à une famille de contes populaires qui remonte à la nuit des temps, traverse les âges et figure au répertoire de multiples traditions orales. Le folkloriste J.-O. Swahn en a relevé, à travers le monde entier, plus de mille versions. Par-delà les transformations se dégage un schéma constant, désigné sous des titres qui eux-mêmes varient : « La Belle et la Bête », « Le Fiancé animal », « La Recherche de l'époux disparu »...

Le modèle peut se subdiviser en six parties qui, en dépit des variantes, relèvent d'une logique unique : 1. Un mariage unit un humain (d'ordinaire la jeune fille) à un partenaire surnaturel qui, frappé d'un mauvais sort, a pris la forme d'un animal ou d'un monstre. 2. Un tabou détermine la vie du couple : la femme (pour prendre cet exemple) ne peut voir son époux, ou en révéler l'identité à autrui ; si elle obtient la permission de retourner dans sa famille, elle doit revenir avant une date fatidique. 3. La jeune fille transgresse l'interdit ou enfreint tel détail du pacte ; le rôle néfaste du tentateur, incarné ou non par les sœurs, intervient souvent. 4. Le mari ayant disparu, l'épouse entreprend une quête, qui correspond à une longue et pénible errance. 5. Pour racheter sa faute, elle se soumet à diverses épreuves, dont elle ne triomphe qu'avec l'aide de telle ou telle puissance magique — des animaux, un ermite, une fée, un talisman... 6. Elle retrouve enfin le mari perdu ; le partenaire frappé du sortilège recouvre sa forme humaine, le charme qui interdisait le mariage est rompu.

Modulé et fantasmé sans relâche, le paradigme de la Belle et la Bête rattache l'histoire de Psyché à l'un des grands archétypes de l'imaginaire collectif. Les anthropologues reconnaissent dans ce scénario l'illustration mythique de deux thèmes fondamentaux : une référence générale aux pratiques initiatiques et aux rituels des religions à mystères ; plus particulièrement, une version narrative de certaines coutumes nuptiales et d'interdits liés au mariage.

12

Dans sa *Psychanalyse des contes de fées,* Bruno Bettelheim propose, du cycle du Fiancé animal, une interprétation qui se fonde, elle aussi, sur les tabous matrimoniaux. La peur du mari monstrueux symbolise le dégoût de l'enfant devant la laideur du sexe ; si la jeune fille ne veut pas quitter sa famille, c'est qu'elle redoute l'abjection d'un mari bestial, qui lui arrachera sa virginité. Le refoulement de la sexualité se cristallise dans une série d'images angoissantes, qui aboutissent au rejet du corps de l'autre. Mais ce stade infantile et narcissique doit être dépassé ; le passage à l'âge adulte implique l'acceptation du partenaire et la substitution de l'amour à l'horreur. Les contes du cycle enseignent précisément aux enfants que leur terreur n'est pas fondée. A qui surmonte sa répulsion et accepte les épreuves de l'initiation, l'époux apparaît finalement comme un prince charmant ; la figure redoutable change de signe et permet d'intégrer le sexe à la vie normale. La persistance du paradigme s'expliquerait ainsi par le rôle pédagogique ou thérapeutique qu'il joue, au niveau de l'inconscient, dans l'accès à une puberté heureuse.

*
* *

La Fontaine a-t-il connu l'une ou l'autre version de cette famille ? A-t-il été conduit à Psyché par la tradition orale ? Le folklore joue-t-il un rôle dans la genèse de son récit ? Rien de solide ne permet de répondre à ces questions. Ce qui par contre est sûr, c'est la source qu'il choisit de citer : Apulée. Il est vrai que cette référence ne fait que renvoyer le problème, puisque l'auteur latin a probablement utilisé un conte archaïque et mis par écrit des données du patrimoine populaire. Mais tout cela relève de la conjecture et peut être négligé, puisque La Fontaine invoque, à travers Apulée, la tradition écrite et savante. Nous disposons là, pour esquisser l'archéologie du thème, d'un terrain plus solide.

L'Ane d'or (ou *Les Métamorphoses*) d'Apulée (IIe siècle après J.-C.) est un des rares romans latins qui nous soient parvenus. Dans les livres IV, 28 à VI, 24, une vieille femme raconte l'histoire de Psyché à une jeune captive. Inscrite dans un récit qui s'organise autour des tribulations de Lucius transformé en âne, cette narration au second degré peut sembler une pure digression. Il n'en est rien. La trajectoire des deux héros obéit en effet au même parcours initiatique : ils succombent chacun à une mauvaise curiosité, perdent l'un sa forme humaine, l'autre son époux, s'engagent dans une errance qui est aussi une quête, s'exposent à des épreuves et accèdent finalement au salut. De même que Lucius redevient homme par la grâce d'Isis, de même Psyché accède à la divinité par la médiation de Cupidon. Récit porteur et récit second moduleraient, chacun à sa manière, les principes du culte d'Isis ou, plus généralement, les grands thèmes de l'initiation dans les religions à mystères, très populaires à l'époque d'Apulée.

La version des *Amours de Psyché* recueillie dans *L'Ane d'or* est la première manifestation écrite du mythe et la seule laissée par l'Antiquité classique. Mais si Apulée lui imprime une tournure romanesque, il n'invente rien d'essentiel. La persistance du modèle est attestée en effet depuis le IVe siècle avant J.-C., dans le monde gréco-latin, par de nombreuses représentations imagées, sculptures, peintures, bas-reliefs, notamment sur des tombeaux. L'iconographie se reconnaît généralement à l'effigie de Psyché comme un personnage ailé, ou sous la forme d'un oiseau, d'un papillon, allégories traditionnelles de l'âme.

L'assimilation de la jeune fille du mythe à une figure de l'âme, le choix corrélatif de son nom, Psyché, et l'identification de l'époux au dieu Éros expliquent probablement la popularité du paradigme dans l'Antiquité. La métaphysique platonicienne, largement diffusée et vulgarisée, avait fondé sa théorie de la destinée de l'âme sur l'idée du désir amoureux et sur le modèle de l'initiation. L'histoire du fiancé invisible offrait justement un moule narratif adéquat pour illustrer cette conception. Elle doit sans doute son succès à ce potentiel allégorique, d'autant plus vraisemblable qu'Apulée, même s'il n'ex-

14

plicite pas la dimension figurée de son récit, était lui-même un représentant notoire de la pensée platonicienne.

Le rapport est facile à établir. *Le Banquet, Phèdre, Phédon, La République* enseignent que l'âme subit l'incarnation comme une chute et un emprisonnement. Elle est désormais séparée de son origine, le monde des essences, mais elle se souvient et aspire à réintégrer la perfection première. L'amour, en tant que désir de ce qui manque, intervient précisément comme l'agent de cette rédemption. Orienté vers le Bien et vers le Beau, il libère l'âme des liens de la matière, il lui apprend à sublimer l'appétit du sensible par la contemplation de l'intelligible. Psyché serait donc l'âme égarée dans l'univers des sens et Cupidon, l'instrument de son retour à l'immortalité.

Devenu porteur d'un message spirituel, fût-il isiaque ou platonicien, le mythe allait bientôt se charger d'autres inflexions métaphysiques. Dans une perspective mystique, Plotin (IIIᵉ siècle après J.-C.) y voit l'allégorie de l'âme qui, après son exil sur la terre, s'affranchit de toute pesanteur et accomplit l'union ineffable avec Dieu. De telles lectures convenaient parfaitement à la pensée chrétienne qui, très tôt dans son histoire, allait, elle aussi, interpréter la destinée de Psyché comme une fable sacrée — figure tantôt de l'élection divine par le sacrifice de soi, tantôt de l'apothéose de la créature par l'intercession de l'Époux céleste. Au VIᵉ siècle après J.-C., l'évêque de Carthage, Fulgence, fournit la première exégèse chrétienne du récit d'Apulée et donne l'exemple d'un déchiffrement systématique, chaque personnage — les protagonistes, mais aussi les parents, les sœurs, Vénus, — étant traité comme symbole d'une instance morale ou psychologique. D'autres commentaires allégoriques allaient suivre, parmi lesquels celui de Boccace, dans sa *Généalogie des dieux,* tandis que des poètes réécrivaient le mythe en lui assignant des valeurs didactiques ou édifiantes — ainsi, tout proches dans le temps de La Fontaine, l'Italien Marino et l'Espagnol Calderon.

***

Qu'en est-il, justement, de La Fontaine ? Il connaissait Platon, il l'admirait et le cite plusieurs fois dans le débat central de *Psyché*. Il n'ignorait probablement pas les interprétations chrétiennes, depuis longtemps greffées sur le mythe et souvent alléguées, ou même renouvelées, autour de lui. Je voudrais montrer d'abord que sa version, conforme, dans une certaine mesure, à la tradition allégorique, contient plusieurs vestiges du traitement moral et métaphysique. Il importera de souligner, dans un second temps, tout ce qui l'en distingue.

La première partie du récit, jusqu'au forfait, peut se lire comme une série de variations sur le thème de l'âme captive de la tyrannie des sens. L'attrait du visible et la séduction des apparences charment Psyché et la rendent aveugle aux joies de l'esprit. Elle est perçue par ses admirateurs et se perçoit elle-même comme une beauté purement physique. Elle contemple avec avidité, dans le palais d'Amour, la splendeur de la décoration, mais tourne aussi sur soi un regard satisfait. Partout, des miroirs, des œuvres d'art lui renvoient sa propre image : elle n'aime qu'elle-même, elle est captive d'un cercle narcissique ; les motifs complémentaires du vêtement, du théâtre confirment le triomphe du spectacle et de l'amour-propre. Comment Psyché, ainsi prisonnière du sensible, pourrait-elle s'élever à la communion spirituelle, dans l'obscurité, que lui propose son époux ? A celui qui veut substituer l'authenticité de l'être au leurre du paraître, elle répond : « Je ne puis appeler présence un bien où les yeux n'ont aucune part » (p. 91). Si le passage de l'héroïne dans un autre monde, au début de l'histoire, symbolise un rite d'initiation, l'épreuve a échoué. Dévorée par le désir de voir, Psyché, au moment de lever sa lampe sur Cupidon, désavoue plus que jamais son nom et sa vocation.

Le second livre raconte au contraire le parcours de l'expiation, selon les étapes d'une trajectoire familière : errance, souffrances, épreuves et purification finale. Un nouvel itinéraire initiatique va réussir, cette fois, à conduire Psyché, à travers une mort symbolique, vers une vie meilleure. Une série de renversements, de la première à la deuxième partie, jalonne sa conversion physique et morale. Les obstacles qui entravaient la progression de l'esprit sont graduellement évacués : abandon des riches habits, perte de la beauté, sacrifice de l'amour-propre. Mais le renoncement et le dépouillement favorisent aussi un apprentissage positif, comme dans l'épisode du vieillard (absent dans Apulée), où l'héroïne découvre les vertus de la solitude et de l'introspection. La reconquête progressive de l'être sur le paraître culmine enfin dans la scène de la grotte qui, inversant celle de la première partie, sanctionne la victoire des vraies valeurs : à Psyché qui se sait laide et se cache, Cupidon promet qu'il l'aimera « éternellement, blanche ou noire, belle ou non belle ; car ce n'estoit pas seulement son corps qui le rendoit amoureux, c'estoit son esprit et son âme pardessus tout » (p. 213). Tout est prêt pour l'apothéose : Psyché découvre enfin le pur amour, l'union des esprits ; affranchie des entraves du corps, elle devient une âme libre et accède à l'immortalité.

*
* *

Le lecteur, pourtant, demeure perplexe. Il reconstitue aisément la logique de l'allégorie mais ressent que le montage de La Fontaine cadre mal avec une lecture sérieuse. Il y a trop de discordances, trop de restes. Les archétypes traditionnels surnagent comme des vestiges, leur valeur symbolique colore vaguement le récit, mais ils ont perdu leur force et ne convainquent pas. Tout se passe comme si La Fontaine à la fois proposait et invalidait la recherche d'un sens édifiant. Il brouille les pistes, il déplace les enjeux, au point que, réécrivant une centième fois une vieille histoire, il en compose une nouvelle.

Est-il si sûr, par exemple, que Cupidon tienne son rôle ordinaire de guide dans l'éducation spirituelle de Psyché ? On le croit, jusqu'au moment où on s'avise qu'il se blesse lui-même à ses propres armes : le récit fausse compagnie à la tradition en présentant Amour frappé d'amour — une passion qui d'ailleurs n'est pas si éthérée que cela. Il suffit d'une inflexion de ce genre et voilà le scénario qui bouge, le projet qui dévie. Plus radicalement, nous aurons à nous demander, dans la suite, si La Fontaine ne détourne pas le mythe vers une réflexion, strictement littéraire, sur des questions de poétique.

Mais il fait plus qu'altérer l'équilibre des thèmes. Il les vide de leur substance et les désacralise, il ébranle la cohésion de l'allégorie pour y substituer un projet essentiellement profane et divertissant. Il le dit lui-même : « il a falu chercher du galant et de la plaisanterie » (p. 54). L'histoire est toujours la même, mais déplacée sur le terrain du jeu et du badinage ; son potentiel symbolique est désamorcé et sa vocation didactique, compromise. Reste une forme vacante, que d'autres valeurs pourront investir. Un changement de ton suffit pour réorienter l'entreprise. C'est surtout le rôle du comique qui, dans le moule traditionnel, injecte une dimension ludique, de manière à humaniser le divin, à domestiquer et rabaisser les affaires de l'esprit. Le burlesque et l'ironie, dont nous reparlerons, travaillent précisément dans ce sens.

Il n'y a qu'à lire de près, et avec soupçon, pour observer comment La Fontaine déconstruit les paradigmes édifiants. Le séjour de Psyché chez le vieillard philosophe semble marquer une étape décisive dans la conquête de la sagesse et du dépouillement. Mais sous la surface austère s'insinue une leçon libertine : le plaisir et l'amour sont des instincts naturels, le désir de plaire n'est pas répréhensible... Deux morales se superposent, dont le désaccord trouble l'économie de la fable. La dissonance n'est pas moins grande dans l'épisode final, de la descente aux enfers jusqu'à l'apothéose. Mort au monde et perte de la beauté, effet néfaste de la curiosité, amour désincarné..., toutes les coordonnées du modèle allégorique semblent réunies. Elles ne sont pas moins subverties par un autre discours, qui plaide pour la légitimité de la coquetterie, reconnaît que l'attrait des corps et le charme de la beauté physique sont des composantes nécessaires de l'amour. Ici aussi, deux doctrines, spiritualiste et naturaliste, se détruisent ou se neutralisent réciproquement. Survient alors l'hymne de la Volupté, comme pour brouiller définitivement les cartes : il célèbre la totalité des plaisirs et, par ses inflexions épicuriennes, porte le coup final au programme platonicien. Le message édifiant n'est plus assumé, il devient un objet qu'on manipule librement, qu'on donne en représentation ; à la plénitude d'un sens nécessaire répond le conflit de deux sens possibles et contingents — des pièces librement déplacées sur l'échiquier, les éléments d'un jeu dans lequel rien, peut-être, n'est à prendre au sérieux.

Outre la fable de Psyché, l'entreprise de démystification touche également un autre modèle, *Le Songe de Poliphile* de Francesco Colonna (1499), grimoire vénérable et savant, perçu, depuis la Renaissance, comme un monument de la littérature initiatique. Que La Fontaine dialogue avec ce livre est visible à plusieurs indices : le choix du nom de Poliphile (orthographié avec un *i*, à l'italienne), un même monde fantastique, où cohabitent les hommes et les dieux, l'idée d'un amour régénérateur, la description d'œuvres d'art, de palais, de jardins... Ici aussi, le moule est reconnaissable, mais vidé de son contenu, voué à l'ornementation, détourné de son propos mystique pour contribuer à l'élégance d'une œuvre malicieuse et foncièrement laïque.

Le transfert de la fiction antique dans le domaine du divertissement et l'esthétisation du mythe correspondent à une tendance commune vers la fin du XVIIᵉ siècle. Faussant compagnie à Racine, La Fontaine et ses contemporains dépouillent la fable païenne de sa valeur éthique ou métaphysique pour l'utiliser comme décoration et signe culturel. Dans le chant III de *L'Art poétique,* Boileau défend, contre ses détracteurs, la légitimité du patrimoine gréco-latin, mais n'en retient que la qualité ornementale, l'utilité comme indice stylistique des genres élevés. Le mythe survit comme une splendide défroque ; sa force heuristique est épuisée. De son côté, Charles Perrault déclare hautement, dans la *Préface* de ses *Contes*, qu'il ne comprend rien à la morale de l'histoire de Psyché :

> Je sais bien que Psyché signifie l'Ame ; mais je ne comprends point ce qu'il faut entendre par l'Amour qui est amoureux de Psyché, c'est-à-dire de l'Ame, et encore moins ce qu'on ajoute, que Psyché devait être heureuse, tant qu'elle ne connaîtrait point celui dont elle était aimée, qui était l'Amour, mais qu'elle serait très malheureuse dès le moment qu'elle viendrait à le connaître : voilà pour moi une énigme impénétrable. Tout ce qu'on peut dire, c'est que cette Fable de même que la plupart de celles qui nous restent des Anciens n'ont été faites que pour plaire sans égard aux bonnes mœurs.

Qu'ils méconnaissent réellement les enjeux du mythe ou qu'ils s'en amusent, Perrault et La Fontaine proclament leur liberté et revendiquent la différence des cultures pour créer du nouveau.

Le détournement du paradigme antique correspond à un geste fondateur de la littérature classique. Une culture qui emprunte la plupart de ses références aux modèles anciens se définit en effet dans l'écart qu'elle creuse entre elle et le passé. La parodie, dans la mesure où elle transforme et transgresse les œuvres canoniques, joue un rôle essentiel. Elle permet à une société de se situer par rapport aux archétypes qui prétendent la structurer ; elle lui permet de mesurer la portée des variations historiques et de prendre conscience de son identité ; elle lui permet enfin d'ébranler ou d'évacuer les stéréotypes scolaires, encore acceptés par les milieux traditionnels, mais déjà désavoués par la sensibilité du moment. Sous ses airs innocents et polis, La Fontaine trahit l'esprit du mythe pour fournir à ses lecteurs un miroir de leur modernité. Son récit n'a rien de passéiste ; il est étroitement mêlé à l'actualité littéraire des dernières décennies du XVIIe siècle et demande maintenant à être interrogé dans ce sens.

Jouer avec le feu

Parmi les thèmes à la mode, dans le domaine narratif, l'étude de la vie intérieure et des finesses du sentiment mobilise l'essentiel des énergies — témoins *La Princesse de Clèves* et l'évolution générale du roman, dans la deuxième moitié du XVIIᵉ siècle, de l'action à l'émotion, du pittoresque à l'abstraction. *Psyché* participe de ce mouvement. La double question de l'analyse psychologique, dans la construction des personnages, et de l'investissement affectif, comme ressort de la lecture, retient longuement le poète, qui, sur ce point aussi, adopte une attitude ambiguë.

La comparaison avec Apulée révèle l'importance accordée par La Fontaine à la représentation des nuances du sentiment. Il ouvre très large l'éventail des passions et, comme ses contemporains, s'applique à affiner la langue du cœur. A travers les étapes mouvementées de son éducation sentimentale, Psyché passe par tous les degrés de l'amour, terrain idéal, bien sûr, pour aiguiser l'analyse des émotions. On peut d'ailleurs penser que la publication conjointe, dans l'édition originale, de *Psyché* et du poème *Adonis* s'explique par la communauté du thème : deux avatars de l'amour, deux séries de modulations, à la limite de la préciosité, sur les voluptés et les souffrances de la passion.

Érigé en absolu, l'amour conduit à tout. Il détermine une série de variations affectives, que La Fontaine se plaît à interroger : l'attirance, la tendresse, la félicité, mais aussi, plus souvent, les passions violentes et tragiques — peur, haine, jalousie, honte, désespoir... Autant les considérations sur la curiosité et la coquetterie des femmes peuvent paraître sommaires, inspirées par une misogynie ou un sexisme qu'on ne cherchera pas à défendre, autant la gamme du désir et la déclinaison du pathétique fournissent l'occasion d'analyses subtiles. Tandis qu'ils font l'apprentissage progressif de l'intériorité, dans la deuxième partie, les caractères de Psyché et de Cupidon s'approfondissent. Le discours indirect libre, le monologue intime sont parmi les moyens mis en œuvre pour explorer les états d'âme et consolider la vraisemblance psychologique des personnages.

Si l'histoire racontée déploie toute l'échelle du sentiment amoureux, la mise en scène de la narration complète le tableau par l'analyse d'une autre série affective : les variations de l'émotion esthétique. Les trois destinataires de Poliphile ont chacun une personnalité et des goûts nettement dessinés, qui entraînent, dans la réception, des conduites contrastées — le rire, la pitié, la mélancolie. La Fontaine thématise ici un problème rhétorique : comment créer tel effet, provoquer telle réaction, compte tenu de la matière à transmettre et des dispositions psychologiques de l'auditoire ? On verra plus bas avec quel doigté Poliphile, par les passions de ses personnages, influence les passions de ses interlocuteurs.

Mais la psychologie de la lecture n'est pas seulement l'affaire, interne à la fiction, des quatre amis. A un degré supérieur, elle implique le dispositif mis en place par La Fontaine pour séduire, toucher, troubler son public. Ici aussi, l'amplitude de la courbe est vaste, du mineur au majeur, des pages intenses ou violentes à d'autres, douces, folâtres ou fades. La volonté d'amuser d'une part, d'attendrir d'autre part, est patente. Mais d'autres registres, pour être camouflés, n'en sont pas moins actifs. Sous ses airs d'ingénuité et de bienséance, le récit contient par exemple une forte charge érotique : les corps nus de Psyché, de Vénus, de Cupidon stimulent d'autant plus l'imagination que la description esquisse, sans l'épuiser, la sensualité du spectacle. D'autres visions, plus perverses, dévoilent le versant noir de l'éros, comme dans la scène de flagellation, ou dans le regard sadique de Cupidon, qui se repaît comme un voyeur des souffrances infligées à l'héroïne : « Je prens un plaisir extrême à vous voir en peine » (p. 92), avoue-t-il à la jeune fille. Il aime ses pleurs, il jouit de la voir trembler ; tout se passe comme si, par dépravation, il entretenait en elle la peur du monstre afin d'attiser son propre désir. Or qui ne voit que sadisme et voyeurisme rebondissent sur le lecteur, lui aussi troublé par ces images, même fugitives, de lasciveté, de cruauté, de bestialité ? Le thème même de la Belle et la Bête en dit long, d'ailleurs, sur les sous-entendus du récit.

*
* *

Des thèmes scabreux, mais qui, justement, ne sont dits qu'à demi, ébauchés ou esquivés. Les tourments de la passion, les dérèglements de l'amour sont à la fois suggérés et neutralisés, comme s'il valait mieux finalement ne pas jouer avec le feu. A l'inverse de Racine, La Fontaine n'entrouvre une porte sur la profondeur que pour la refermer aussitôt. Au nom du plaisir, il atténue les excès, il gomme les incongruités ; on verra plus bas avec quelle malice Poliphile désamorce les bombes qu'il a lui-même posées. Car il est un homme du monde et il sait que les bienséances sont une condition de la sociabilité. Libérer les instincts ou mettre l'art à leur service, ce serait accepter l'animalité de l'homme. *Psyché* est une vaste entreprise de refoulement, un plaidoyer pour les surfaces polies, comme une méditation sur les censures nécessaires pour garantir la dignité de la personne et la civilité dans la vie publique.

Le traitement, ambigu, du thème de la curiosité illustre la double postulation de La Fontaine. Une formidable stratégie du non-dit est mise en place pour attiser la curiosité de Psyché. Cupidon explique même à l'héroïne pourquoi il est essentiel qu'elle ait toujours un manque à combler (p. 92). Le jour où elle cesserait de désirer, elle ne serait plus l'âme. Elle doit donc chercher, et pourtant, elle a tort de chercher ; sa volonté de savoir est coupable et mène à la catastrophe. Le *double bind* est total — et typique. En théorie, la curiosité est un noble mouvement de l'esprit, mais pratiquement, elle découvre ce qui devrait rester caché : la nudité de l'homme, le secret des dieux. Le désir de connaissance, s'il n'est bridé, viole des interdits et débouche sur la mort. La littérature classique ne l'oublie jamais : il faut ruser avec l'ombre, attaquer l'inconnu de biais.

Le motif du monstre et la ligne de défense adoptée par La Fontaine illustrent cette tactique. Psyché craint de coucher avec un monstre : le voile est levé sur l'effroi de la jeune fille, donné en pâture à la compassion, ou au sadisme, du lecteur. Mais il est essentiel, explique la Préface, que ce même lecteur ne partage jamais l'incertitude de l'héroïne. Il joue avec l'image abjecte, mais sans perdre sa sérénité ; il prend part aux passions de Psyché, mais sans quitter la position transcendante qui lui permet d'opérer une *catharsis*. Le récit lui-même rationalise et exorcise la figure du monstre : issu d'un malentendu sur le sens de l'oracle, fiction créée par la jalousie ou par la peur, l'objet redoutable, pour qui sait lire, se réduit à un pur fantasme, un produit du discours. Dans l'une de ses épreuves, Psyché apprivoise un dragon par la finesse d'une ruse et le charme d'une chanson (pp. 189-191) : cette scène de conjuration témoigne pour le livre entier. N'oppose-t-il pas, lui aussi, la grâce du style et les ressources de l'esprit aux forces de l'irrationnel ? La Fontaine a converti un mythe archaïque, par endroits sinistre, en un conte de fées ou un divertissement galant. Les conditions culturelles de cette transformation demandent quelques explications.

*
* *

« Mon principal but est toûjours de plaire : pour en venir là je considère le goust du siècle » (p. 54). Par cet aveu de la Préface, La Fontaine reconnaît sa solidarité avec le public et avec la mode. Il a beau prendre parti pour l'Antiquité, dans la Querelle des Anciens et des Modernes, il n'a pas peur d'être de son temps ; Psyché peut bien être sans âge, elle sera, sous sa plume, résolument actuelle.

Quel est donc le public auquel La Fontaine destine son récit ? Il est alors de bon ton, pour les mondains, de s'intéresser à la littérature. Honnêtes gens et amateurs distingués, dans les salons, se piquent de culture, à condition que celle-ci se mette à leur diapason. Pour les belles-lettres qui, trop souvent, ont été la proie des spécialistes ou des coteries — théoriciens, pédants, précieux, dévots... —, c'est une chance à saisir. La vitalité de l'art passe par un aggiornamento et une vulgarisation sans vulgarité. Écrire pour une élite de dilettantes et de beaux esprits : telle est la carte que joue La Fontaine dans la majeure partie de son œuvre. Mais que demande, au juste, le goût du temps ?

La vogue des romans-fleuves, de *L'Astrée* au *Grand Cyrus*, est révolue. Pour plaire, il faut faire court, vif et léger. On écrira désormais, pour accéder à la bibliothèque des gens du monde, des nouvelles, des contes, des romans par lettres. Les genres brefs s'étendent d'ailleurs au-delà du narratif : c'est l'époque des maximes, des portraits, des pensées ou, proches de *Psyché*, des dialogues — les dialogues où l'on débat d'une question théorique sur le mode de la conversation, comme pour soustraire le privilège de la pensée à la pesanteur des traités et à la technique des gens de métier.

Car s'il faut aller vite, il importe aussi de rester simple, ni trop grave ni trop savant. Le pire serait de verser dans le pédantisme, le didactisme, de sacrifier le plaisir à quelque doctrine que ce soit. Non que la sagesse ou le savoir soient bannis ; il suffit qu'ils se cachent entre les lignes, comme un potentiel mis à la disposition du lecteur. Tout comme il a enlevé les *Fables* à la pédagogie et à la morale, La Fontaine enlève *Psyché* à l'archéologie et à l'allégorie. Pour marquer sa rupture avec la tradition sérieuse, il utilise le burlesque — non certes le gros burlesque à la Scarron, trop bouffon pour agréer à la délicatesse des salons, mais juste assez de dérision, juste assez de discordance, pour signaler le choix du jeu. Un *Ballet de Psyché*, sur des vers de Benserade et une musique de Lulli, avait été dansé en 1656, divertissement galant où les vestiges du mythe se vaporisaient dans la gaieté d'une fête. C'est parmi les réjouissances mondaines de ce genre que La Fontaine cherche la tonalité de son récit. Un peu après lui, Perrault, Mme d'Aulnoy et d'autres écriront eux aussi des histoires effroyables ou prodigieuses sur un ton ingénu. Sans le savoir, La Fontaine aura devancé d'une vingtaine d'années la mode des contes de fées.

Pour définir le ton de l'œuvre et le goût du public, la Préface utilise trois notions : le galant, la plaisanterie, la badinerie. Il y a profit à consulter les dictionnaires de l'époque — Furetière, Richelet ou l'Académie — pour saisir, dans sa finesse et sa précision, la terminologie abstraite de La Fontaine. L'esthétique et la famille littéraires qu'il désigne ici sont faciles à identifier : il s'associe à l'école du badinage et de la bagatelle illustrée un peu auparavant par Voiture et Sarasin, continuée par un Ménage, un Pellisson, tous poètes mondains, spécialistes du mot d'esprit, de l'épigramme gracieuse et piquante. Leur idéal peut paraître un peu court : contre le style sublime et les grandes idées, ils veulent restaurer la délicatesse de Térence, la gaieté d'Horace, la légèreté et l'humour de Marot. Le ton doit être enjoué, ici pointu, là relâché. Il faut affecter le naturel, pratiquer l'allusion et adopter un air intelligent, astucieux, à condition d'exercer toujours son esprit sur de petites choses.

Cette poétique, La Fontaine s'y rallie pleinement dans les *Contes*. Elle se combine, dans *Psyché*, avec d'autres voix, mais aura contribué puissamment à acclimater le mythe dans le milieu mondain. L'amplitude de l'ouvrage n'en ressort que mieux : il pactise avec la plus parfaite frivolité, sans étouffer la vibration des passions ni sacrifier la lointaine résonance des archétypes. La Fontaine s'adresse au « goust du siècle » ? Sans doute, mais, comme nous allons le voir, il aimerait encore mieux flatter *tous* les goûts.

L'atelier du récit

« Diversité, c'est ma devise » (*Contes*, IV, 11, 4), proclame La Fontaine. Et encore, à la fin de *Psyché*, ce bel aveu d'éclectisme : « J'ayme le Jeu, l'Amour, les Livres, la Musique, La Ville et la Campagne, enfin tout, il n'est rien Qui ne me soit souverain bien » (p. 220). L'homme est insaisissable et son œuvre, variée jusqu'à la disparate. Après avoir réuni, dans le tome I des *Œuvres complètes* à la Pléiade, les *Fables* et les *Contes*, l'éditeur débite tout le reste, malaisément classé, dans le tome II, sous le titre *Œuvres diverses*. Diverses, et combien ! Du théâtre à la lettre, de la poésie héroïque à la pochade de circonstance, il n'y a guère de genre, guère de thème ni de style dont La Fontaine n'ait fait l'expérience.

Cette inclination pour la variété, cette impatience des cloisons s'expriment de multiples manières et, souvent, jusqu'à l'intérieur d'un texte particulier. *Clymène* aligne neuf pastiches de styles poétiques nettement typés, comme pour tester la spécificité de chacun d'eux. Si le goût du bricolage atteint ici une limite, La Fontaine se plaît, un peu partout, à exposer, et intégrer à la fiction, les ficelles du métier. Sans relâche, il interroge la géographie des genres littéraires, leurs propriétés, leurs intersections, leurs combinaisons. *Psyché* participe de cette recherche en rassemblant des matériaux extrêmement divers, afin d'en éprouver la compatibilité. A travers le récit résonnent des échos de la plupart des autres ouvrages du poète : les *Contes*, pour le badinage et la galanterie, les *Fables*, pour le rapport ambigu à la morale, *Le Songe de Vaux*, pour le décor, *Adonis*, pour l'amour tendre et pathétique..., la liste pourrait s'allonger. La Fontaine chercherait, par jeu, à réaliser la synthèse de son œuvre antérieure qu'il ne s'y prendrait pas autrement. Pareille désinvolture à l'égard de la division canonique des genres situe *Les Amours de Psyché* dans la mouvance du baroque et leur donne un air de *sprezzatura* — la nonchalance des Italiens, leur penchant à la facilité, la grâce et la feinte improvisation. Ne serait-ce que pour l'épisode de Psyché, La Fontaine connaissait probablement l'*Adone* de Marino (1623), un vaste collage poétique qui, poussant à son comble l'hétérogénéité des genres et des styles, a pu lui servir d'exemple.

Reste pourtant que l'exigence d'unité et d'harmonie

internes — l'un des piliers de l'esthétique classique — s'était, en France, plus ou moins imposée et qu'un montage trop disparate, en 1669, aurait déplu. Toute l'évolution du roman, depuis environ 1660, est dominée par les principes d'économie et de cohésion. Entre sa disposition naturelle à la diversité et la tendance de l'époque à l'unitaire et à l'homogène, La Fontaine va donc devoir chercher un équilibre. Il nous ouvre son atelier et déploie devant nous les forces en présence. Regardons par-dessus son épaule.

*
* *

D'un côté, une foison de matériaux hétérogènes. La définition du roman par Bakhtine, une structure protéiforme et composite, trouverait dans *Psyché* une belle illustration. Des bribes de diverses provenances, de diverses tonalités, normalement affectées à des genres distincts, cherchent une difficile symbiose. A chaque page, la mémoire culturelle est sollicitée et, docte ou novice, saisit des échos, capte, plus ou moins précisément, des allusions, des références savantes. On pourrait dresser, pour identifier les voix qui entrent dans cette polyphonie, une longue liste de toutes les composantes reconnaissables, du conte merveilleux au dialogue philosophique, du sublime au burlesque... Le relevé serait toujours incomplet et le découpage, discutable, tant la combinatoire est fine et l'intégration des morceaux, accomplie. De ce vaste réseau, on dégagera cependant quelques lignes.

Le moderne dialogue avec l'ancien. L'assemblage le plus visible est aussi, peut-être, le plus acrobatique, par la dissemblance des deux sphères. D'un côté, quatre beaux esprits des années 1660, immergés dans l'actualité artistique et littéraire, soucieux des derniers progrès du chantier de Versailles. De l'autre, la Grèce primitive, ou plutôt le milieu sans âge du mythe et du merveilleux. Deux espaces, deux temps et bien sûr deux ensembles thématiques fortement contrastés se font face. La juxta-position de ces deux mondes coïncide en outre avec le dédoublement du foyer de l'énonciation. Deux narrateurs se relaient, qui, traitant d'objets distincts, risquent d'utiliser un vocabulaire et des effets de langue dissemblables. Ajoutons à cela les trois amis qui, eux aussi, prennent la parole : tout paraît favoriser le brassage, et le dérapage, des styles.

Sur la volonté de diversification, un indice, en tout cas, ne trompe pas : ce sont les poèmes qui, à chacun des niveaux de la narration, rompent la continuité graphique et rythmique de la prose pour y introduire des accents plus recherchés. Des poèmes qui d'ailleurs ne se ressemblent pas : longues pièces en alexandrins à rimes plates ou morceaux brefs et irréguliers, le récit s'essaie à toute sorte de formules prosodiques, qui entraînent, à leur tour, des niveaux de style différents. La technique du prosimètre n'est certes pas nouvelle, mais elle manifeste avec force la vocation polyphonique de *Psyché*, ainsi que l'aptitude du roman à se transformer et se réinventer à l'infini.

La Fontaine ne se contente pas de déployer son matériel horizontalement. Il lui arrive aussi de jouer sur les ambiguïtés sémantiques pour superposer deux messages. Un signe unique, par exemple, peut avoir simultanément une valeur référentielle et une valeur réflexive. Le récit à la fois raconte et se raconte, parle du monde tout en analysant ses propres mécanismes — production et réception, limites du représentable, ressources langagières... Le thème de la curiosité s'applique bien sûr à Psyché, mais se rapporte aussi au lecteur dans sa relation à l'histoire ; les développements sur la beauté et la grâce ont une fonction dans l'intrigue, mais peuvent être lus aussi comme autant de commentaires sur les choix stylistiques de l'auteur. Ces effets de double registre sont fréquents et nous donnent l'impression de lire deux textes à la fois. Le burlesque — un énoncé comique qui se greffe sur une référence sérieuse — y contribue, de même que l'ironie — une voix patente et trompeuse, une autre, latente et véridique. L'inventaire pourrait continuer : que le texte étale sa mosaïque en surface ou qu'il opère par stratification d'échos implicites, il reste que différentes voix se croisent, dans un texte délibérément composite et dialogique.

*
* *

La rhapsodie risque de tourner à la cacophonie. Comment faire pour garder la variété sans sacrifier l'harmonie ? « J'ay trouvé de plus grandes difficultez dans cet Ouvrage qu'en aucun autre qui soit sorti de ma plume » (p. 53), avoue La Fontaine dès le début de sa Préface. Choisir un style singulier — celui de l'histoire, du roman ou de la poésie —, ce serait réduire indûment la richesse de la matière, ou risquer de déplaire à une partie du public. Mais les conserver tous et simplement les juxtaposer, ce serait tomber dans un bariolage, une incohérence contraires au bon goût : « l'uniformité de stile est la règle la plus étroite que nous ayons » (pp. 53-54). Il va donc falloir trouver une formule mixte.

La solution passe par le mélange : un style nouveau qui contienne plusieurs voix, mais soigneusement orchestrées. La Fontaine utilise ici le terme de « tempérament » (p. 54). Le mot appartient au vocabulaire de la musique — altération des intervalles pour éviter les dissonances — et à la langue de la médecine — composition, dans le corps, des quatre liquides élémentaires. L'analogie est claire : de même qu'en physiologie, l'organisme réalise le mixage et l'équilibrage des tendances adverses, ainsi en littérature, un sujet normalement varié demande un style composite, qui pondère et fusionne les données disparates.

L'œuvre prend donc modèle sur la nature qui, à la fois une et diverse, intègre des forces hétéroclites sans pourtant les annuler. Le mélange harmonieux n'est pas seulement un procédé de l'art de plaire ; il détermine la texture même des choses vivantes. Dans la dernière page de *Psyché*, un paysage de soleil couchant vient apporter comme une caution naturelle à l'esthétique de la variété : « Dans un nuage bigarré Il se coucha cette soirée. L'air estoit peint de cent couleurs : Jamais parterre plein de fleurs N'eut tant de sortes de nuances » (p. 221). Le récit qui, affranchi de l'artificielle pureté des genres, conserve les traces de cette luxuriance ne fait que se ranger à la consigne des arts poétiques : imiter la nature. Dans l'univers comme dans le livre, le système idéal est une *discordia concors* : ni une cohésion factice, ni l'anarchie, mais l'union des contraires.

L'application de ce programme se vérifie dans chacun des domaines exposés à une discordance. Prenons l'alternance de prose et de vers. Quelques-uns des poèmes, c'est vrai, surgissent comme des corps étrangers. D'autres marquent une délicate gradation de l'émotion. Beaucoup s'ingénient à atténuer les marques de poéticité — structure prosodique, rimes, figures —, de manière à poursuivre sans cassure le mouvement de la prose — une prose qui adopte volontiers d'ailleurs des accents poétiques et vient ainsi à la rencontre des vers. Sur cet axe comme sur beaucoup d'autres, on observera la technique, très habile, des transitions ; partout, des raccords conjurent la menace de discontinuité. D'un passage à l'autre, le glissement est si fluide que le changement de registre, souvent, est à peine sensible.

Narrateurs et locuteurs, on l'a dit, pourraient avoir chacun son style propre. Si quelques menues différences sont perceptibles, il est pourtant clair que La Fontaine évite les singularités langagières. Ce qui aurait pu être un bariolage à plusieurs voix se réduit à quelques fines oscillations. Ni vraiment polyphonique ni totalement monodique, la partition des différents discours est, elle aussi, bien tempérée.

Où qu'on regarde, des dissonances menacent, qui sont finalement amorties. Le brassage intertextuel auquel se livre La Fontaine nous fournira un dernier exemple. *Psyché* est saturé de souvenirs de lecture ; toute une documentation latente gît entre les lignes, mais si bien absorbée, justement, qu'elle est imperceptible. Un Rabelais, un Scarron auraient joué sur les disparates, exhibé les ruptures. La Fontaine, lui, a si bien digéré ses sources qu'il n'y paraît plus. Le triomphe de l'uniformité se répète d'ailleurs dans le dialogue du texte avec lui-même ; les images et les épisodes dans lesquels le récit thématise son propre fonctionnement ne se détachent pas de la cohérence de l'histoire. Toute une poétique accompagne l'intrigue, mais si discrète, si solidaire de la fiction, que les deux perspectives se confondent.

*

Il est vrai que l'un des chapitres de cette réflexion théorique jouit d'un statut distinct. Le débat central des quatre amis et, çà et là, leurs interventions critiques reprennent explicitement la question du « tempérament ». La Fontaine revalorise ainsi le dispositif du cadre narratif, familier dans les recueils de contes depuis *Le Décaméron*, en y développant, en abîme, le thème central de son esthétique.

Parmi les trois auditeurs de Poliphile, deux affichent des goûts contraires : Ariste plaide pour le plaisir des larmes et la noblesse de la compassion, tandis que Gélaste préfère le rire ; ils s'opposent en défendant les mérites respectifs de la tragédie et de la comédie. Acante est moins dogmatique et sa position littéraire, plus nuancée ; il aime les beaux paysages, il a l'âme tendre et mélancolique ; on peut l'associer à l'élégie ou à la pastorale. Ils incarnent ainsi trois piliers de la littérature classique et, par leurs divergences, illustrent la manie des distinctions et des classements qui domine alors le travail des théoriciens. Simultanément, ils représentent trois puissances du récit et le choix auquel Poliphile, alias La Fontaine, est confronté.

Acante, Ariste et Gélaste réduiraient volontiers la littérature à un genre spécifique. Mais Poliphile, qui « aimoit toutes choses » (p. 60), est un artiste du mixage, un équilibriste consommé, qui entend plaire à tous et réaliser la synthèse des forces opposées. Supposons un instant qu'il partage la narration avec ses camarades : des blocs de style hétérogène se heurteraient en un bariolage

32

discordant ; comme dans la tradition comique, des voix centrifuges morcelleraient le récit. Il est vrai que Poliphile ne cherche pas à gommer la disparité de ses matériaux. Mais, au nom des vertus modératrices du « tempérament », il veille à réduire les écarts, il soigne les transitions. Virtuose de la fusion, il dispose, pour uniformiser son discours, de différentes méthodes. Un seul exemple suffira. Psyché connaît des aventures palpitantes, des passions intenses, si bien que le récit aurait tôt fait de verser dans le pathétique ou le tragique. C'est justement pour atténuer cette tendance que Poliphile prodigue galanteries et badinages. Le léger alterne avec le grave, un passage sublime débouche sur une raillerie, une gradation finit sur une pirouette. Rieurs et pleureurs, amateurs de toute obédience, il y en a pour tous les goûts.

**

Une constante traverse *Les Amours de Psyché*, dont la mise en scène des quatre amis n'est que la manifestation la plus visible : le récit met à jour les mécanismes de sa fabrication, il donne la chose littéraire en représentation. Il est vrai que La Fontaine a l'habitude de semer, un peu partout dans son œuvre, des fragments d'art poétique. On attendait un discours sur l'âme, on trouve un discours sur l'art.

Les amis n'incarnent pas seulement le débat des genres ; ils jouent aussi les rôles de l'auteur, des lecteurs et illustrent l'importance décisive du public dans la genèse de l'œuvre. A travers l'éclectisme de Poliphile, à travers son dialogue avec ses destinataires, La Fontaine esquisse, avant la lettre, une théorie de la réception. Comment soulever et maintenir l'intérêt, que dire et ne pas dire, comment contrôler les affects, comment choisir le décor de l'échange..., ces questions postulent qu'une œuvre est toujours en situation et que sa production dépend étroitement de paramètres extérieurs. La Fontaine s'écarte ici des catégories atemporelles de la poétique pour adopter la perspective pragmatique et circonstancielle de la rhétorique.

Les promeneurs admirent les beautés de Versailles et Psyché, comme dans un miroir, regarde des temples, des palais, des statues. Des descriptions d'architectures et de jardins, d'images peintes, sculptées ou tissées jalonnent l'histoire. Il est vrai que ce procédé — l'*ekphrasis* — était alors à la mode, mais La Fontaine l'allège et le fonctionnalise. Fidèle à la logique de son projet réflexif, il installe ses personnages dans un monde qui, par moments, ressemble à un musée, et multiplie l'évocation d'œuvres d'art, comme pour exhiber, par métaphore, le statut même du récit : lui aussi, une construction artificielle, une fiction qui existe par l'assentiment d'un auteur et d'un public.

L'écrivain qui entraîne ainsi son lecteur dans les coulisses et le fait réfléchir aux conditions de la représentation adopte une tactique qui découle normalement de la pratique, centrale dans la tradition classique, de l'imitation littéraire.

« Venons aux inventions. Presque toutes sont d'Apulée ; j'entends les principales et les meilleures » (p. 54). Pas plus que Racine dans ses tragédies ni Ronsard dans ses poèmes, La Fontaine ne revendique la nouveauté de son sujet. Que ce soit par la source latine ou par telle autre version du mythe, le public, de toute façon, connaît les grandes lignes de l'intrigue. Le poète ne mise donc pas sur la tension narrative ; il travaille plutôt à la dénouer, on l'a vu à propos du monstre. Les partenaires du pacte littéraire sont d'accord : il n'y a pas lieu de remplacer les archétypes qui, parce qu'ils sont fondamentaux, sont toujours d'actualité et s'adaptent à des situations nouvelles. La matière demeure, c'est la manière qui change. Dans une esthétique régie par l'imitation, l'auteur s'investit moins dans l'*invention*, comme dit La Fontaine, que dans la mise en œuvre et le lecteur, de son côté, exerce sa critique sur les écarts par rapport au modèle connu.

Les effets de miroir et la représentation de la fabrique

de l'œuvre prennent alors tout leur sens. Le texte doit se montrer, sans relâche, comme produit de l'art, afin que le public, à aucun moment, ne puisse oublier que l'objet de son plaisir est d'abord un objet esthétique. Dévoiler les trucs du métier, rappeler que l'histoire n'est au fond que le produit des mots, c'est obliger le lecteur à demeurer distant et lucide. La Fontaine, ici encore, opère un dosage subtil : il favorise la participation émotive, laisse agir la magie du conte, mais à l'instant où le sortilège menace d'obnubiler le jugement, il casse le processus d'identification. Le bon lecteur est un esprit clairvoyant, qui sait déjouer les pièges de l'affectif, pour diriger son attention sur la qualité de l'écriture — l'ingéniosité des amplifications, le bonheur des rythmes et des sonorités... La Fontaine est un artisan pour qui les plus hautes idées ne valent pas la beauté d'un tour de phrase. Ce qu'il a à dire, dans *Psyché*, il le dit par la grâce de la diction, par la justesse des mots et l'attrait des figures. Valéry le rappelait à propos d'*Adonis* : « Les principaux personnages d'un poème, ce sont toujours la douceur et la vigueur des vers. »

Le je ne sais quoi

Le plaisir réside dans l'élégance des formes, mais à condition que la recherche soit masquée. Si l'effet apparaît trop calculé, il perd son charme. Sur ce plan aussi, La Fontaine réalise un prodige d'équilibre. Il expose les moyens et les fins de l'art, il façonne son style avec un soin extrême, mais camoufle l'effort, comme si la perfection allait de soi. Parce que tout mouvement dans le sens du travail doit être compensé par un mouvement inverse vers la liberté, il feint d'improviser, il affecte la facilité. Nul mieux que lui ne sait comment créer l'illusion du naturel.

Comme l'arbre qui porte des pommes est un pommier, La Fontaine est un fablier, disait la duchesse de Bouillon. Tel est l'idéal du naturel : que la phrase accomplie semble naître sous la plume de l'écrivain comme la pomme pousse sur la branche. Le plaisir esthétique ne tient pas seulement à l'analyse, mais aussi à l'impression libératrice que la beauté coule de source, qu'elle est une structure innée de l'esprit. L'autoportrait de La Fontaine en rêveur et en paresseux n'est pas innocent. S'il affiche la nonchalance, c'est pour consolider le mythe de la création spontanée et le trompe-l'œil de l'art naturel.

Plus l'ouvrage est soigné, plus il faut feindre de parler avec insouciance ou naïveté ; plus on dit de choses doctes ou graves, plus il importe de simuler l'ignorance. Cela est vrai aussi du travail du style. La syntaxe des phrases, comme l'architecture du récit, procède d'une construction rigoureuse ; les masses sont soigneusement distribuées et les liaisons, solidement agencées. Mais La Fontaine est de ceux qui veulent prendre l'éloquence et lui tordre le cou. Il efface les structures trop voyantes et fait en sorte que le texte semble se déplier librement, négligemment, au hasard d'une humeur capricieuse. Les savants équilibrages effectués au nom du « tempérament » prennent eux aussi l'allure du jeu et sont si bien naturalisés dans la trame du récit qu'ils paraissent spontanés. Le vers irrégulier — celui des *Fables* et de plusieurs poèmes, dans *Psyché* — illustre cette prétendue désinvolture. Il semble facile et arbitraire, comme un sous-produit de la grande poésie. En fait, rien de moins libre que cette apparente liberté, rien de moins improvisé que cette dérive précise et contrôlée. La Fontaine est un virtuose de la simplicité affectée, de l'ignorance savante. L'habileté est d'autant plus grande qu'il fait coup double : il sollicite l'intelligence et il délasse, il ruse avec les uns et musarde avec les autres.

L'attrait du naturel et le charme de l'abandon trouvent dans le récit une série d'illustrations, comme cette vision de Cupidon, au moment où Psyché lève sa lampe : « Il dormoit à la manière d'un Dieu, c'est à dire profondément, panché nonchalamment sur un oreiller, un bras sur sa teste, l'autre bras tombant sur les bords du lit, couvert à demy d'un voile de gaze, ainsi que sa mère en use, et les Nymphes aussi, et quelquefois les Bergères » (pp. 115-

116). La grâce et la délicate flexion du corps détendu, la douce mollesse de la pose semblent mimées par le déroulement harmonieux de la phrase, qui s'écoule à un rythme lent et nonchalant. Ici les contours flous du bel ou de la belle endormi(e), ailleurs les enlacements de l'amour, les caresses du vent, les formes incurvées et accueillantes, toutes ces images oscillent entre la tendresse et l'érotisme, pour suggérer le bonheur de l'indolence, la volupté de l'abandon. Le fondu des lignes rappelle les figures vaporeuses de Corrège et annonce les poses alanguies de Watteau, les rondeurs sensuelles de Boucher.

Un vieux débat, dans l'esthétique classique, oppose la beauté et la grâce. L'antinomie est simple et le choix de La Fontaine, évident. La beauté réside dans l'harmonie et la proportion des formes. Fondée sur des règles et des calculs, elle crée le plaisir par des qualités rationnelles : la distribution rigoureuse des masses, la symétrie, la clarté du plan. Les ordonnances solennelles de Mansart ainsi que les périodes strictement balancées d'un Malherbe, d'un Corneille illustrent cet idéal — un idéal que des canons étroits menacent de raideur et d'académisme. La grâce, « plus belle encor que la beauté » (*Adonis*), adopte des voies plus mystérieuses. A la régularité, elle préfère la surprise, à la stabilité, le mouvement, à la majesté, l'agrément. Elle simule l'aisance, elle voile autant qu'elle montre et, plutôt que l'esprit, touche le cœur. Dans les arts visuels comme dans ceux du langage, son attrait est indéfinissable ; elle relève de l'intuition ou, dans les termes du XVIIᵉ siècle, de l'esprit de finesse, du je ne sais quoi.

L'esthétique de la grâce rejoint ainsi le naturel, la négligence savante, mais elle implique aussi un certain ton, qui est celui de la gaieté, de l'enjouement. Le simulacre de spontanéité s'exprime dans la liberté de l'artiste qui semble s'abandonner à sa fantaisie, s'amuse avec les idées, joue avec les formes. La Fontaine s'explique dans l'une des préfaces (1668) des *Fables* : « Je n'appelle pas gaieté ce qui excite le rire, mais un certain charme, un air agréable, qu'on peut donner à toutes sortes

de sujets, même les plus sérieux. » L'essentiel de *Psyché*
baigne dans ce climat d'humour léger, de désinvolture
aimable. Il ne s'agit pas de se moquer, mais d'imprimer
à toutes choses, jusqu'aux plus hautes, une allure plai-
sante, une bonhomie heureuse. Le style pénétré de gaieté
se déprend des règles, bouscule gentiment les hiérarchies
et, au nom d'une certaine idée de la nature, exploite les
séductions de l'imprévu.

**
*

L'épisode de Myrtis et Mégano reflète en abîme l'opposition de la beauté et de la grâce. Mégano avait « les
traits de visage très-beaux, et si bien proportionnez qu'on
n'y trouvoit que reprendre » ; mais tant de perfection « ne
touchoit point, faute de Vénus qui donnast le sel à ces
choses » (p. 178). Elle est belle, mais pas assez jolie pour
inspirer l'amour. Myrtis, au contraire, n'a pas des lignes
aussi harmonieuses, et pourtant, elle a le charme qui
plaît : ce je ne sais quoi qui fait toute la différence.

La grâce a peut-être des formes imparfaites, mais ce
qui lui manque est justement ce qui détermine son attrait.
Elle laisse quelque chose à deviner et, comme une
esquisse, ouvre un espace à l'imagination. Tandis que la
beauté, comblant l'attente, l'abolit, la grâce, donnant à
rêver, multiplie le désir. L'incomplétude est le ressort qui
anime la vie de l'esprit et stimule l'appétit des sens. Cette
idée est si centrale, dans *Psyché*, qu'elle commande aussi
bien l'expérience amoureuse que l'expérience esthétique.

Amour, disait Platon, est le fils de Poros, l'expédient,
et de Pénia, la pauvreté. Mû par le désir, il libère toute
son énergie pour conquérir l'objet idéal. Ce principe,
surtout repris dans la pensée néo-platonicienne, sous-
tend la théorie de la grâce et, de loin, inspire *Psyché*.
Invisible et aussitôt vu qu'à nouveau perdu, Cupidon se
dérobe afin d'entretenir l'amour de la jeune fille. Mais
celle-ci fait l'erreur de vouloir satisfaire toute sa curiosité,
au risque de bloquer le progrès de l'âme. A l'élan du je

ne sais quoi, elle préfère, à tort, la saturation du tout-savoir.

Il est vrai que tout, à la fin, lui sera donné et que le manque paraît définitivement comblé. Il n'en est rien. Du mariage naît Volupté, « une fille qui attira les Dieux et les hommes dès qu'on la vid » (p. 219). Le poème qui suit précise la vocation de cette nouvelle figure : « Aymant universel de tous les animaux, Que tu sçais attirer avecque violence ! Par toy tout se meut icy bas : C'est pour toy, c'est pour tes appas Que nous courons après la peine » (p. 219). Parce qu'elle attise le désir, la Volupté entretient à son tour le sentiment d'une absence et inculque aux hommes l'envie, qui est aussi la vie. La fille relaie le père et fera en sorte que l'humanité, pour son bien, ne soit jamais en repos.

« Du moment que vous n'aurez plus rien à souhaiter vous vous cnnuyerez » (p. 92), explique Cupidon à Psyché. Poliphile dit à peu près la même chose à ses amis : « Si j'entreprenois de décrire seulement la quatrième partie de ces merveilles, je me rendrois sans doute importun ; car à la fin on s'ennuye de tout, et des belles choses comme du reste » (p. 83). Il sait, lui aussi, que pour dynamiser la lecture et soutenir l'intérêt du public, il faut laisser toujours un vide à combler. L'amour et la lecture sont l'un et l'autre des actes de désir, les deux faces d'une même expérience érotique. Dans ce récit qui réfléchit constamment sur la chose littéraire, il est permis de voir en Cupidon une figure de l'auteur et en Psyché, une image du lecteur. La relation esthétique est un mode de la relation amoureuse. Éducation sentimentale et initiation artistique sont solidaires.

***

L'érotisme montre et cache à la fois. Poliphile ne fait pas autrement. Comme Cupidon, il éveille la curiosité et déçoit l'attente ; il découvre son thème à demi, mais laisse planer des zones d'ombre, au point que l'attrait majeur de son récit tient souvent à ce qu'il ne dit pas.

L'érotisation de la lecture passe par une technique très précise de l'allusion et de l'estompage. La narration soulève des voiles, suggère maintes beautés désirables, mais les passages les plus efficaces, dans la stratégie du séducteur, sont ceux qui réservent une part de leur secret.

La Fontaine a souvent revendiqué ce stratagème : « Mais les ouvrages les plus courts Sont toujours les meilleurs. (...) Il faut laisser Dans les plus beaux sujets quelque chose à penser » (*Fables* X, 14). A travers les omissions de Poliphile, il met en œuvre le ressort essentiel de son art de plaire : en dire trop peu et laisser entendre qu'il y a des restes, faire en sorte que l'idée soit à la fois présente et absente. La rhétorique connaît l'efficacité de cette ruse et, dans son répertoire des figures, en distingue plusieurs formes, que Poliphile ne manque pas d'exploiter, soit à l'état pur, soit diversement combinées : l'ellipse, ou la solution radicale du non-dit ; la litote, qui atténue l'expression, mais en dit moins pour suggérer davantage ; la prétérition, qui dit qu'elle ne dira pas tout en disant ; la réticence, qui s'interrompt à mi-chemin pour dire qu'elle ne peut pas dire... La liste pourrait s'allonger : l'ironie, l'allusion, l'équivoque...

La théorie de la réception a montré naguère l'importance des vides dans la dynamisation de la lecture. Un peu partout, dans la trame de son récit, Poliphile laisse des blancs ou esquisse une information, qu'il appartient au lecteur de compléter. « Suppléez à mon impuissance » (p. 115), dit-il à ses amis. Une partie du travail créateur reste à faire ; grâce à ses ombres et à ses trous, *Psyché* est une œuvre en quête d'auteurs.

Il se pourrait que les descriptions de Versailles illustrent cette stratégie. Au moment où La Fontaine écrit son livre, le parc, la Grotte de Thétis et les bassins sont inachevés. Mais il n'y paraît pas. Le poète construit une représentation définitive, il donne à voir Versailles au futur, tel que probablement il sera « dans deux ans » (p. 57). Il remplit lui-même les vides, fait d'un chantier une œuvre accomplie. Sa prospective, sans doute, n'est pas arbitraire ; il a dû avoir accès à des plans et savait où trouver l'information. Reste que sa lecture de Versailles actualise ce qui n'est encore qu'ébauché. Elle démontre comment l'imagination, stimulée par des lacunes, donne forme au possible et, au moment de mettre *Psyché* entre les mains du lecteur, lui signale peut-être, de la sorte, l'ampleur du faisable.

Le statut des images de Versailles, dans le texte, est donc ambigu : elles pourraient être tout à fait vraies, ou tout à fait fausses, mais appartiennent à une zone intermédiaire et floue : le probable. Cette indétermination, dans le récit, est fréquente. Sous ses airs de simplicité et de transparence, La Fontaine brouille la netteté de la vision. Les identités sont souvent incertaines, les formes bougent, des lignes vaporeuses se dérobent à la saisie. Tout se passe comme si le poète, par combinaisons et superpositions d'objets, imaginait un monde capable de se transformer au gré d'affinités imprévues. Nous touchons là une manifestation ultime de l'esthétique de la grâce, un avatar de plus dans l'indécision calculée du je ne sais quoi.

Le parc de Versailles gravite dans un espace-temps indéfini, à la pointe de la nouveauté, mais immergé dans le monde antique. La Grèce de Psyché, de son côté, oscille entre l'univers des archétypes, à l'aube de la culture, et la fine fleur de la galanterie. La perspective glisse constamment d'une représentation à l'autre, permute leurs propriétés, à tel point que l'inscription historique de l'événement devient par moments indécidable. L'hésitation frappe également les personnages, essences volatiles qui, eux aussi, traversent les barrières du temps — et celles de la psychologie. Psyché et ses sœurs, Vénus et les déesses relèvent-elles du code mythologique ou de la typologie du roman précieux ? La stratification des profils est si désinvolte que les caractères sont insaisissables — figures amphibies d'un monde enchanté.

Le flottement qui trouble la matière narrée affecte aussi la manière de raconter. La Fontaine crée une série d'attentes, et ne les réalise qu'à demi. Quelle est la portée du projet moral ? Où s'arrête le dessein allégorique et où commence le divertissement ? Par quelle étrange alliance le sérieux et la gaieté peuvent-ils coïncider ? À peine le récit s'est-il établi à un certain registre qu'il dévie vers un autre, comme si le style, dans ses mutations, n'avait pas plus de consistance que les choses représentées. Comment départager la poésie et la prose, l'ironie et l'émotion ? Le texte flotte entre deux territoires, toujours légèrement décalé par rapport aux solutions simples. Si le « tempérament » est une recherche d'harmonie et de synthèse, il se réalise à travers des glissements, des dérapages contrôlés ; il travaille sur des matières fluides, qui s'interpénètrent et composent d'étranges métissages. La Fontaine lui-même se représente en Poliphile, mais il n'a pas moins d'affinités avec Acante, brouillant ainsi les cartes jusque dans l'image qu'il donne de soi.

Sous nos yeux, les lignes se déplacent, les identités se superposent, des formes vacantes adoptent divers visages. Ce monde de métamorphoses ressemble à celui du rêve : les figures s'y dessinent nettement, puis s'estompent ou se transforment, selon une logique qui nous échappe. Pris dans une série de fondus enchaînés, les êtres et les choses fluctuent, comme s'ils étaient encore en gestation. Ils défient les certitudes et échappent ainsi à toute détermination réductrice. Ils hantent l'espace du possible et, de nuances en muances, s'offrent à d'autres lectures, à d'autres rêves.

M. J.

Note sur le texte

Nous reproduisons, à quelques corrections près, le texte de l'édition originale, parue en 1669 chez Claude Barbin. Ce texte se présente d'une manière compacte, sans paragraphe (exception faite pour la préface, dont nous avons gardé la disposition) et sans distinction des différents niveaux de discours. On trouve cependant un alinéa après chacun des poèmes enchâssés.

Les modifications que nous avons apportées à ce texte sont les suivantes :
— introduction de paragraphes ;
— introduction de signes diacritiques pour marquer les dialogues ;
— introduction et rétablissement des accents selon l'usage moderne ;
— nous avons corrigé la ponctuation dans quelques cas exceptionnels, lorsqu'elle nous a semblé gênante pour la compréhension ;
— sur le plan de l'orthographe, nous nous sommes limités à remplacer, le cas échéant, les *i* par des *j*, les *v* par des *u* et à corriger quelques coquilles, signalées dans le texte par des crochets.

En bas de page, nous indiquons les variantes manuscrites d'un exemplaire de *Psyché* qui se trouve actuellement à la British Library. Nous les avons empruntées à la transcription de Hermann Oelsner (« Änderungen von La Fontaines Hand an seinen *Amours de Psyché et de Cupidon* », dans *Archiv für das Studium der neueren Sprachen und Litteraturen*, 99 (1897), pp. 389-394). L'hypothèse d'Oelsner, selon laquelle ces variantes seraient de la main de La Fontaine, a été remise en cause depuis, notamment par Pierre Clarac qui les a également reproduites dans son édition de *Psyché* (*Œuvres complètes*, Bibliothèque de La Pléiade, II, pp. 824-826).

Les variations orthographiques constatées sont celles observées dans l'édition originale ; elles ont été respectées.

LES AMOURS

DE

PSICHE'

ET DE

CUPIDON.

Par M. DE LA FONTAINE.

A PARIS,

Chez CLAUDE BARBIN, au Palais
sur le Perron de la Sainte Chapelle.

M. DC. LXIX.
AVEC PRIVILEGE DV ROY.

Extrait du Privilège du Roy

EPISTRE

A MADAME
LA DUCHESSE
DE
BOUILLON[1]

Madame,

C'est avec quelque sorte de confiance que je Vous dédie cet Ouvrage; non qu'il n'ait assurément des défauts, et que le présent que je Vous fais, soit d'un tel mérite qu'il ne me donne sujet de craindre; mais comme VOSTRE ALTESSE est équitable, elle agréra du moins mon intention. Ce qui doit toucher les Grands, ce n'est pas le prix des dons qu'on leur fait; c'est le zèle qui accompagne ces mesmes dons, et qui, pour en mieux parler, fait leur véritable prix auprès d'une âme comme la Vostre. Mais, MADAME, j'ay tort d'appeler présent ce qui n'est qu'une simple reconnoissance. Il y a long-temps que Monseigneur le Duc de Boüillon me comble de grâces, d'autant plus grandes que je les mérite moins. Je ne suis pas nay pour le suivre dans les dangers: cet honneur est réservé à des destinées plus illustres que la mienne. Ce que je puis, est de faire des vœux pour sa gloire, et d'y prendre part en mon cabinet, pendant qu'il remplit les Provinces les plus éloignées des témoignages de sa Valeur, et qu'il suit les traces de son Oncle et de ses Ancestres sur ce Théâtre où ils ont paru avec tant d'éclat, et qui retentira long-temps de leur Nom et de leurs exploits. Je me figure l'héritier de tous ces Héros cherchant les périls dans le mesme temps que je joüis d'une oisiveté que les seules Muses interrompent. Certes c'est un bonheur extraordinaire pour moy, qu'un Prince qui a tant de passion pour la guerre, tellement ennemi du repos et de la mollesse*, me voye d'un œil aussi favorable, et me donne autant de marques de bien-veillance, que si j'avois exposé ma vie pour son service. J'avoüe, MADAME, que je suis sensible à ces choses, heureux que Sa MAJESTÉ m'ayt donné un Maistre qu'on ne sçauroit trop aymer, malheureux de luy estre si inutile. J'ay cru que VOSTRE ALTESSE seroit bien-aise que je la fisse entrer en société de loüanges avec un Époux qui luy est si cher. L'union vous rend vos avantages communs, et en multiplie la gloire, pour ainsi dire. Pendant que Vous écoutez avec transport le récit de ses belles actions, il n'a pas moins de ravissement d'entendre ce que toute la France publie de la beauté de vostre âme, de la vivacité de vostre esprit, de vostre humeur bien-faisante, de l'amitié que vous avez contractée avecque les Grâces ; Elle est telle qu'on ne croit pas que vous puissiez jamais vous séparer. Ce n'est là qu'une partie des loüanges que l'on Vous donne. Je voudrois avoir un amas de paroles assez précieuses pour achever cet Éloge, et pour Vous témoigner plus parfaitement que je n'ay fait jusqu'icy, avec combien de passion et de zèle je suis

MADAME,

De VOSTRE ALTESSE

Le très-humble et très-
obéïssant serviteur
DE LA FONTAINE.

Les mots signalés par un astérisque figurent dans le *Glossaire* (p. 303).

Préface

J'ay trouvé de plus grandes difficultez dans cet Ouvrage qu'en aucun autre qui soit sorti de ma plume. Cela surprendra sans doute ceux qui le liront. On ne s'imaginera jamais qu'une Fable*² contée en Prose m'ait tant emporté de loisir. Car pour le principal poinct qui est la conduite*, j'avois mon guide ; il m'estoit impossible de m'égarer : Apulée me fournissoit la matière³ ; il ne restoit que la forme, c'est à dire les paroles : et d'amener de la Prose à quelque poinct de perfection, il ne semble pas que ce soit une chose fort mal-aisée : c'est la langue naturelle de tous les hommes⁴. Avec cela* je confesse qu'elle me couste autant que les Vers. Que si jamais elle m'a cousté, c'est dans cet Ouvrage. Je ne sçavois quel caractère* choisir : celuy de l'Histoire est trop simple ; celuy du Roman n'est pas encore assez orné ; et celuy du Poëme l'est plus qu'il ne faut⁵. Mes Personnages me demandoient quelque chose de galant ; leurs avantures estant pleines de merveilleux en beaucoup d'endroits, me demandoient quelque chose d'héroïque et de relevé⁶. D'employer l'un en un endroit, et l'autre en un autre, il n'est pas permis ; l'uniformité de stile est la règle la plus étroite* que nous ayons[7]. J'avois donc besoin d'un caractère* nouveau, et qui fust meslé de tous ceux-là : il me le faloit réduire dans un juste tempérament*[8] : j'ay cherché ce tempérament* avec un grand soin : que je l'aye ou non rencontré, c'est ce que le public m'apprendra.

Mon principal but est toûjours de plaire : pour en venir là je considère le goust du siècle[9] : or après plusieurs expériences il m'a semblé que ce goust se porte au galant et à la plaisanterie[10] : non que l'on méprise les passions*[11] ; bien loin de cela, quand on ne les trouve pas dans un Roman, dans un Poëme, dans une pièce de théâtre, on se plaint de leur absence ; mais dans un conte comme celuy-cy, qui est plein de merveilleux à la vérité, mais d'un merveilleux accompagné de badineries, et propre à amuser des enfans, il a falu badiner depuis le commencement jusqu'à la fin ; il a falu chercher du galant et de la plaisanterie[12] : quand il ne l'auroit pas falu, mon inclination m'y portoit, et peut-estre y suis-je tombé en beaucoup d'endroits contre la raison et la bien-séance.

Voilà assez raisonné sur le genre d'écrire que j'ay choisi : venons aux inventions[13]. Presque toutes sont d'Apulée ; j'entends les principales et les meilleures. Il y a quelques Épisodes de moy, comme l'avanture de la Grotte, le Vieillard et les deux Bergères, le temple de Vénus et son origine, la description des enfers, et tout ce qui arrive à Psiché pendant le voyage qu'elle y fait, et à son retour jusqu'à la conclusion de l'Ouvrage. La manière de conter est aussi de moy, et les circonstances, et ce que disent les Personnages. Enfin ce que j'ay pris de mon Auteur, est la conduite* et la Fable* ; et c'est en effet le principal, le plus ingénieux, et le meilleur de beaucoup. Avec cela* j'y ay changé quantité d'endroits, selon la liberté ordinaire que je me donne[14]. Apulée fait servir Psiché par des voix dans un lieu où rien ne doit manquer à ses plaisirs, c'est à dire qu'il luy fait gouster ces plaisirs sans que personne paroisse. Premièrement cette solitude est ennuyeuse ; outre cela elle est effroyable. Où est l'Avanturier* et le Brave qui toucheroit à des viandes* lesquelles viendroient d'elles mesmes se présenter ? Si un luth joüoit tout seul, il me feroit füir, moy qui ayme extrêmement la musique[15]. Je fais donc servir Psiché par des Nymphes qui ont soin de l'habiller, qui l'entretiennent de choses agréables, qui luy donnent des Comédies* et des divertissemens de toutes les sortes.

Il seroit long, et mesme inutile, d'examiner les endroits où j'ay quitté mon Original, et pourquoy je l'ay quitté. Ce n'est pas à force de raisonnement qu'on fait entrer le plaisir dans l'âme de ceux qui lisent : leur sentiment me justifiera, quelque téméraire que j'aye esté, ou me rendra condamnable quelque raison qui me justifie[16]. Pour bien faire il faut considérer mon Ouvrage sans relation à ce qu'a fait Apulée, et ce qu'a fait Apulée sans relation à mon livre, et là-dessus s'abandonner à son goust. Au reste j'avoüe qu'au lieu de rectifier l'Oracle dont il se sert au commencement des avantures de Psiché, et qui fait en partie le nœud de la Fable*, j'en ay augmenté l'inconvénient, faute d'avoir rendu cet Oracle ambigu et court, qui sont les deux qualitez que les réponses des Dieux doivent avoir, et qu'il m'a esté impossible de bien observer. Je me suis assez mal tiré de la dernière en disant que cet Oracle contenoit aussi la glose des Prestres ; car les Prestres n'entendent pas ce que le Dieu leur fait dire ; toutefois il peut leur avoir inspiré la paraphrase aussi bien qu'il leur a inspiré le texte, et je me sauveray encore par là. Mais sans que je cherche ces petites subtilitez, quiconque fera réflexion sur la chose, trouvera que ny Apulée ny moy nous n'avons failli. Je conviens qu'il faut tenir l'esprit en suspens dans ces sortes de narrations, comme dans les pièces de Théâtre. On ne doit jamais découvrir la fin des événemens ; on doit bien les préparer, mais on ne doit pas les prévenir.

Je conviens encore qu'il faut que Psiché appréhende que son mary ne soit un Monstre. Tout cela est apparemment contraire à l'Oracle dont il s'agit, et ne l'est pas en effet* : car premièrement la suspension des esprits et l'artifice de cette Fable* ne consistent pas à empescher que le lecteur ne s'apperçoive de la véritable qualité du mary qu'on donne à Psiché : il suffit que Psiché ignore qui est celuy qu'elle a épousé, et que l'on soit en attente de sçavoir si elle verra cet époux, par quels moyens elle le verra, et quelles seront les agitations de son âme après qu'elle l'aura veu. En un mot le plaisir que doit donner cette Fable* à ceux qui la lisent, ce n'est pas leur incertitude à l'égard de la qualité de ce mary, c'est l'incertitude de Psiché seule : il ne faut pas que l'on croye un seul moment qu'une si aymable personne ait esté livrée à la passion d'un Monstre, ny mesme qu'elle s'en tienne assurée ; ce seroit un trop grand sujet d'indignation au lecteur : cette Belle doit trouver de la douceur dans la conversation* et dans les caresses de son mary, et de fois à autres appréhender que ce ne soit un démon* ou un enchanteur : mais le moins de temps que cette pensée luy peut durer jusqu'à ce qu'il soit besoin de préparer la catastrophe, c'est assurément le plus à propos[17]. Qu'on ne dise point que l'Oracle l'empesche bien de l'avoir. Je confesse que cet Oracle est très-clair pour nous ; mais il pouvoit ne l'estre pas pour Psiché : elle vivoit dans un siècle si innocent, que les gens d'alors pouvoient ne pas connoistre l'amour, sous toutes les formes que l'on luy donne. C'est à quoy on doit prendre garde, et par ce moyen il n'y a plus d'objection à me faire pour ce poinct-là.

Assez d'autres fautes me seront reprochées sans doute ; j'en demeureray d'accord, et ne prétens pas que mon ouvrage soit accompli* : j'ay tasché seulement de faire en sorte qu'il plust, et que mesme on y trouvast du solide aussi bien que de l'agréable. C'est pour cela que j'y ay enchâssé des Vers en beaucoup d'endroits[18], et quelques autres enrichissemens, comme le voyage des quatre amis, leur dialogue touchant la Compassion et le Rire, la description des enfers, celle d'une partie de Versailles. Cette dernière n'est pas tout à fait conforme à l'estat présent des lieux ; je les ay décrits en celuy où dans deux ans on les pourra voir[19]. Il se peut faire que mon ouvrage ne vivra pas si long-temps[20] ; mais quelque peu d'assurance qu'ayt un auteur qu'il entretiendra un jour la postérité ; il doit toûjours se la proposer autant qu'il luy est possible, et essayer de faire les choses pour son usage.

PSICHÉ

LIVRE PREMIER

Quatre amis dont la connoissance avoit commencé par le Parnasse[21] lièrent une espèce de société que j'appellerois Académie, si leur nombre eust esté plus grand, et qu'ils eussent autant regardé les Muses que le plaisir. La première chose qu'ils firent ce fut de bannir d'entre eux les conversations réglées, et tout ce qui sent sa conférence* Académique. Quand ils se trouvoient ensemble, et qu'ils avoient bien parlé de leurs divertissemens, si le hazard les faisoit tomber sur quelque point de science* ou de belles lettres, ils profitoient de l'occasion : c'estoit toutefois sans s'arrester trop long-temps à une mesme matière, voltigeant de propos en autre comme des abeilles qui rencontreroient en leur chemin diverses sortes de fleurs[22]. L'envie, la malignité, ny la cabale n'avoient de voix parmy eux. Ils adoroient les ouvrages des anciens, ne refusoient point à ceux des modernes les loüanges qui leur sont deuës[23], parloient des leur[s] avec modestie, et se donnoient des avis sincères lorsque quelqu'un d'eux tomboit dans la maladie du siècle, et faisoit un livre, ce qui arrivoit rarement. Poliphile[24] y estoit le plus sujet (c'est le nom que je donneray à l'un de ces quatre amis), les avantures de Psiché luy avoient semblé fort propres pour estre contées agréablement. Il y travailla long-temps sans en parler à personne. Enfin il communiqua son dessein à ses trois amis ; non pas pour leur demander s'il continûroit, mais comment ils trouvoient à propos qu'il continüast. L'un luy donna un avis, l'autre un autre : de tout cela il ne prit que ce qu'il luy plût. Quand l'ouvrage fut achevé, il demanda jour et rendez-vous pour le lire. Acante[25] ne manqua pas selon sa coustume de proposer une promenade[26] en quelque lieu hors la ville qui fust éloigné, et où peu de gens entrassent. On ne les viendroit point interrompre ; ils écouteroient cette lecture avec moins de bruit et plus de plaisir. Il aimoit extrêmement les jardins, les fleurs, les ombrages. Poliphile luy ressembloit en cela : mais on peut dire que celuy-cy aimoit toutes choses. Ces passions* qui leur remplissoient le cœur d'une certaine tendresse*, se répandoient jusqu'en leurs écrits, et en formoient le principal caractère*. Ils panchoient tous deux vers le Lyrique ; avec cette différence qu'Acante avoit quelque chose de plus touchant, Poliphile de plus fleury. Des deux autres amis que j'appelleray Ariste et Gélaste[27], le premier estoit sérieux sans estre incommode ; l'autre estoit fort guay.

La proposition d'Acante fut approuvée. Ariste dit qu'il y avoit de nouveaux embellissemens à Versailles[28] : il faloit les aller voir, et partir matin, afin d'avoir le loisir de se promener, après qu'ils auroient entendu les avantures de Psiché. La partie* fut incontinent* concluë : dès le lendemain ils l'exécutèrent. Les jours estoient encore assez longs, et la saison belle : c'estoit pendant le dernier Automne. Nos quatre amis estant arrivez à Versailles de fort bonne heure, voulurent voir avant le disné* la ménagerie[29] : c'est un lieu remply de plusieurs sortes de volatilles, et de quadrupèdes, la pluspart très rares, et de païs éloignez. Ils admirèrent en combien d'espèces une seule espèce d'oiseaux se multiplioit, et loüèrent l'artifice et les diverses imaginations* de la nature qui se joüe dans les animaux, comme elle fait dans les fleurs. Ce qui leur plût davantage ce furent les Demoiselles de Numidie*, et certains oiseaux pescheurs qui ont un bec extrêmement long, avec une peau au dessous qui leur sert de poche. Leur plumage est blanc, mais d'un blanc plus clair que celuy des cignes : mesme de près il paroist carné, et tire sur le couleur[30] de rose vers la racine. On ne peut rien voir de plus beau. Ce sont espèce de Cormorans.

Comme nos gens avoient encor du loisir, ils firent un tour à l'Orangerie[31]. La beauté et le nombre des orangers et des autres plantes qu'on y conserve, ne se sçauroient exprimer. Il y a tel de ces arbres qui a résisté aux attaques de cent hyvers[32]. Acante ne voyant personne autour de luy que ses trois amis (celuy qui les conduisoit estoit éloigné) Acante, dis-je, ne se pût tenir de réciter certains couplets de Poësie que les autres se souvinrent d'avoir veus dans un ouvrage de sa façon[33].

Sommes-nous, dit-il, *en Provence ?*
Quel amas d'arbres toûjours vers
Triomphe icy de l'inclémence
Des Aquilons et des hyvers ?

Jasmins dont un air doux s'exhale,
Fleurs que les vents n'ont pû ternir,
Aminte[34] en blancheur vous égale ;
Et vous m'en faites souvenir,

Orangers, arbres que j'adore,
Que vos parfums me semblent doux !
Est-il dans l'empire de Flore
Rien d'agréable comme vous ?

Vos fruits aux écorces solides
Sont un véritable trésor ;
Et le jardin des Hespérides
N'avoit point d'autres pommes d'or[35].

Lorsque vostre Automne s'avance
On void encor vostre Printemps :
L'espoir avec la jouyssance
Logent chez-vous en mesme temps.

Vos fleurs ont embaumé tout l'air que je respire.
Toûjours un aymable Zéphire
Autour de vous se va joüant.
Vous estes nains ; mais tel arbre géant,
Qui déclare au soleil la guerre,
Ne vous vaut pas ;
Bien qu'il couvre un arpent de terre
Avec ses bras.

La nécessité de manger fit sortir nos gens de ce lieu si délicieux. Tout leur disné* se passa à s'entretenir des choses qu'ils avoient veuës, et à parler du Monarque pour qui on a assemblé tant de beaux objets. Après avoir loüé ses principales vertus, les lumières de son esprit, ses qualitez héroïques, la science de commander ; après, dis-je, l'avoir loüé fort long-temps ils revinrent à leur premier entretien, et dirent que Jupiter seul peut continuellement s'appliquer à la conduite de l'Univers : les hommes ont besoin de quelque relasche. Alexandre faisoit la débauche ; Auguste joüoit ; Scipion et Laelius s'amusoient souvent à jetter des pierres plates sur l'eau[36] ; Nostre Monarque se divertit à faire bâtir des Palais ; cela est digne d'un Roy. Il y a mesme une utilité générale ; car par ce moyen les sujets peuvent prendre part aux plaisirs du Prince, et voir avec admiration ce qui n'est pas fait pour eux. Tant de beaux jardins et de somptueux édifices sont la gloire de leur païs. Et que ne disent point les étrangers ? Que ne dira point la postérité quand elle verra ces chefs-d'œuvre de tous les arts ?

Les réflexions de nos quatre amis finirent avec leur repas. Ils retournèrent au Chasteau ; virent les dedans que je ne décriray point ; ce seroit une œuvre infinie. Entre autres beautez ils s'arrestèrent long-temps à considérer le lit, la tapisserie, et les sièges, dont on a meublé la chambre et le cabinet* du Roy. C'est un tissu de la Chine plein de figures qui contiennent toute la religion de ce pays-là. Fautc de Brachmane[a][37], nos quatre amis n'y comprirent rien.

Du chasteau ils passèrent dans les jardins ; et prièrent celuy qui les conduisoit de les laisser dans la Grote[38], jusqu'à ce que la chaleur fust adoucie (ils avoient fait apporter des sièges), leur billet* venoit de si bonne part qu'on leur accorda ce qu'ils demandoient. Mesme afin de rendre le lieu plus frais, on en fit joüer les eaux[39]. La face de cette Grote est composée en dehors, de trois arcades qui font autant de portes grillées. Au milieu d'une des arcades est un Soleil de qui les rayons servent de barreaux aux portes. Il ne s'est jamais rien inventé de si à propos, ny de si plein d'art. Au dessus sont trois bas reliefs.

Dans l'un le Dieu du jour[40] achève sa carrière.
Le sculpteur a marqué ces longs traits de lumière,
Ces rayons dont l'éclat dans les airs s'épanchant
Peint d'un si riche émail les portes du Couchant.

---

a. Var. B.L. : Le correcteur avait d'abord remplacé « brachmàne » par « prestre chinois », puis a finalement barré cette correction.

On void aux deux costez le peuple d'Amatonte[41]
Préparer le chemin sur les Dauphins qu'il monte.
Chaque Amour à l'envi semble se réjoüir[a]
De l'approche du Dieu dont Thétis va joüir.
Des troupes de Zéphirs dans les airs se promènent ;
Les Tritons empressez sur les flots vont et viennent.
Le dedans de la Grote est tel que les regards
Incertains de leur choix courent de toutes parts.
Tant d'ornemens divers, tous capables de plaire,
Font accorder le prix tantost au Statuaire,
Et tantost à celuy dont l'art industrieux
Des trésors d'Amphitrite a revestu ces lieux[42].
La voûte et le pavé sont d'un rare assemblage.
Ces cailloux que la mer pousse sur son rivage,
Ou qu'enferme en son sein le terrestre élément
Différens en couleur font maint compartiment*.
Au haut de six pilliers d'une égale structure,
Six masques de rocaille, à crotesque figure[43],
Songes de l'art, Démons* bizarrement forgez
Au dessus d'une niche en face sont rangez.
De mille raretez la niche est toute pleine.
Un Triton d'un costé, de l'autre une Sirène,
Ont chacun une conque en leurs mains de rocher.
Leur souffle pousse un jet qui va loin s'épancher.
Au haut de chaque niche un bassin répand l'onde :
Le Masque la vomit de sa gorge profonde.
Elle retombe en nappe, et compose un tissu
Qu'un autre bassin rend si-tost qu'il l'a receu.
Le bruit, l'éclat de l'eau, sa blancheur transparente,
D'un voile de cristal alors peu différente,
Font gouster un plaisir de cent plaisirs meslé.
Quand l'eau cesse, et qu'on void son cristal écoulé,
Le nacre et le corail en réparent l'absence :
Morceaux pétrefiez, coquillage, croissance*,

a. Var. B.L. : *On void aux deux costez le peuple d'Amatonte.*
Le chemin se prépare et chacun le surmonte.
Les Amours à l'envi semblent se réjoüir.

Caprices infinis du hazard et des eaux,
Reparoissent aux yeux plus brillans et plus beaux.
Dans le fond de la Grote une arcade est remplie
De marbres à qui l'art a donné de la vie.
Le Dieu de ces rochers sur une urne panché
Gouste un morne repos en son antre couché[44].
L'urne verse un torrent ; tout l'antre s'en abreuve.
L'eau retombe en glacis, et fait un large fleuve.
J'ay pû jusqu'à présent exprimer quelques traits
De ceux que l'on admire en ce moite Palais.
Le reste est au dessus de mon foible génie :
Toy qui luy peux donner une force infinie,
Dieu des vers et du jour, Phœbus inspire moy :
Aussi bien désormais faut-il parler de toy.
Quand le Soleil est las, et qu'il a fait sa tasche,
Il descend chez Thétis ; et prend quelque relasche.
C'est ainsi que Louis s'en va se délasser
D'un soin que tous les jours il faut recommencer.
Si j'estois plus savant en l'art de bien écrire,
Je peindrois ce Monarque étendant son Empire.
Il lanceroit la foudre ; on verroit à ses piez
Des peuples abatus, d'autres humiliez.
Je laisse ces sujets aux maistres du Parnasse :
Et pendant que Louis peint en Dieu de la Thrace[45]
Fera bruire en leurs vers tout le sacré valon,
Je le célébreray sous le nom d'Apollon.
Ce Dieu se reposant sous ces voûtes humides
Est assis au milieu d'un chœur de Néréides[46].
Toutes sont des Vénus de qui l'air gracieux
N'entre point dans son cœur, et s'arreste à ses yeux.
Il n'ayme que Thétis, et Thétis les surpasse.
Chacune en le servant fait office de grâce.
Doris[47] verse de l'eau sur la main qu'il luy tend.
Chloé dans un bassin reçoit l'eau qu'il répand.
A luy laver les pieds Mélicerte s'applique.
Delphire entre ses bras tient un vase à l'antique.
Climène auprès du Dieu pousse en vain des soûpirs :
Hélas, c'est un tribut qu'elle envoye aux Zéphirs[48].

Elle rougit parfois, parfois baisse la veüe[a],
(Rougit, autant que peut rougir une statuë :
Ce sont des mouvemens qu'au défaut* du sculpteur
Je veux faire passer dans l'esprit du Lecteur[49].)
Parmy tant de beautez Apollon est sans flâme.
Celle qu'il s'en va voir seule occupe son âme.
Il songe au doux moment où libre et sans témoins
Il reverra l'objet qui dissipe ses soins.
O qui pourroit décrire en langue du Parnasse
La Majesté du Dieu, son port si plein de grâce,
Cet air que l'on n'a point chez nous autres mortels,
Et pour qui l'âge d'or inventa les Autels !
Les coursiers de Phœbus, aux flambantes narines,
Respirent l'Ambroisie en des Grotes voisines.
Les Tritons en ont soin : l'ouvrage est si parfait
Qu'ils semblent panteler du chemin qu'ils ont fait.
Aux deux bouts de la Grote et dans deux enfonçures
Le Sculpteur a placé deux charmantes figures.
L'une est le jeune Atis aussi beau que le jour.
Les accords de sa fluste inspirent de l'amour.
Debout contre le roc, une jambe croisée,
Il semble par ses sons attirer Galatée[50] :
Par ses sons ; et peut estre aussi par sa beauté.
Le long de ces lambris un doux charme est porté.
Les oyseaux envieux d'une telle harmonie
Épuisent ce qu'ils ont et d'art et de génie.
Philomèle à son tour veut s'entendre loüer :
Et chante par ressorts que l'onde fait joüer[51].
Écho mesme répond ; Écho toûjours hôtesse
D'une voûte ou d'un roc témoin de sa tristesse.
L'onde tient sa partie : il se forme un concert
Où Philomèle, l'eau, la fluste, enfin tout sert[b52].
Deux lustres de rocher de ces voûtes descendent.
En liquide cristal leurs branches se répandent.
L'onde sert de flambeaux ; usage tout nouveau.

a. Var. B.L. : *Elle rougit souvent, souvent baisse la veüe.*
b. Var. B.L. : *Où parmi les lambris aucun son ne se perd.*

L'art en mille façons a sceu prodiguer l'eau.
D'une table de Jaspe un jet part en fusée ;
Puis en perles retombe, en vapeur, en rosée.
L'effort impétueux dont il va s'élançant
Fait frapper le lambris au cristal jalissant.
Telle et moins violente est la bale* enflâmée.
L'onde malgré son poids dans le plomb renfermée
Sort avec un fracas qui marque son dépit,
Et plaist aux écoutans plus il les étourdit[53]
Mille jets, dont la pluye à l'entour se partage
Moüillent également l'imprudent et le Sage.
Craindre ou ne craindre pas à chacun est égal :
Chacun se trouve en bute au liquide cristal.
Plus les jets sont confus, plus leur beauté se montre.
L'eau se croise, se joint, s'écarte, se rencontre,
Se rompt, se précipite à travers les rochers,
Et fait comme alambiqs distiller leurs planchers*[54]
Niches, enfoncemens, rien ne sert de refuge.
Ma Muse est impuissante à peindre ce déluge.
Quand d'une voix de fer je fraperois les Cieux
Je ne pourrois nombrer* les charmes de ces lieux.

Les quatre amis ne voulurent point estre moüillez.
Ils prièrent celuy qui leur faisoit voir la Grote de
réserver ce plaisir pour le Bourgeois ou pour l'Alle-
man[55] ; et de les placer en quelque coin où ils fussent
à couvert de l'eau. Ils furent traitez comme ils souhai-
toient. Quand leur Conducteur les eut quittez, ils
s'assirent à l'entour de Poliphile qui prit son cahier ;
et ayant toussé pour se nettoyer la voix, il commença
par ces Vers.

Le Dieu qu'on nomme Amour n'est pas exempt
A son flambeau quelquesfois il se brusle :   [d'aymer.
Et si ses traits* ont eu la force d'entamer
        Les cœurs de Pluton et d'Hercule,
        Il n'est pas inconvénient*
Qu'estant aveugle, étourdi, téméraire,

67

> *Il se blesse en les maniant ;*
> *Je n'y vois rien qui ne se puisse faire :*
> *Témoin Psiché dont je vous veux conter*
> *La gloire et les malheurs chantez par Apulée.*
> *Cela vaut bien la peine d'écouter,*
> *L'avanture en est signalée*[56].*

Poliphile toussa encore une fois après cet Exorde : puis chacun s'estant préparé de nouveau pour luy donner plus d'attention, il commença ainsi son histoire.

Lorsque les villes de la Grèce estoient encore soûmises à des Roys, il y en eut un qui régnant avec beaucoup de bon-heur se vid non seulement aymé de son peuple, mais aussi recherché de tous ses voisins[57]. C'estoit à qui gagneroit son amitié ; c'estoit à qui vivroit avec luy dans une parfaite correspondance* ; et cela parce qu'il avoit trois filles à marier. Toutes trois estoient plus considérables par leurs attraits que par les Estats de leur Père. Les deux aisnées eussent pû passer pour les plus belles filles du monde si elles n'eussent point eu de cadette : mais véritablement* cette cadette leur nuisoit fort. Elles n'avoient que ce défaut là, défaut qui estoit grand à n'en point mentir ; car Psiché (c'est ainsi que leur jeune sœur s'appelloit) Psiché, dis-je, possédoit tous les appas que l'imagination peut se figurer, et ceux où l'imagination mesme ne peut atteindre. Je ne m'amuseray point à chercher des comparaisons jusque dans les Astres pour vous la représenter assez dignement : C'estoit quelque chose au dessus de tout cela, et qui ne se sçauroit exprimer par les lys, les roses, l'yvoire, ny le corail[58]. Elle estoit telle enfin que le meilleur Poëte auroit de la peine à en faire une pareille. En cet estat il ne se faut pas estonner si la Reine de Cythère[59] en devint jalouse. Cette Déesse appréhendoit, et non sans raison, qu'il ne luy falust renoncer à l'Empire de la beauté, et que Psiché ne la déthronast. Car comme on est toûjours amoureux de choses nouvelles, chacun couroit à cette nouvelle Vénus. Cythérée se voyoit réduite aux seules isles de son domaine : encore une bonne partie des Amours, anciens habitans de ces Isles bienheureuses, la quittoient-ils pour se mettre au service de sa rivale. L'herbe croissoit dans ses Temples qu'elle avoit veus n'aguère si fréquentez : plus d'offrandes, plus de dévots, plus de pèlerinages pour l'honorer. Enfin la chose passa si avant[60] qu'elle en fit ses plaintes à son fils, et luy représenta que le désordre iroit jusqu'à luy.

« *Mon fils,* dit-elle, *en luy baisant les yeux,*
La fille d'un mortel en veut à ma puissance.
        Elle a juré de me chasser des lieux
                Où l'on me rend obéyssance :
                Et qui sçait si son insolence
N'ira pas jusqu'au poinct de me vouloir oster
Le rang que dans les Cieux je pense mériter ?

        Paphos n'est plus qu'un séjour importun :
Des grâces et des Ris la troupe m'abandonne :
        Tous les Amours, sans en excepter un,
                S'en vont servir cette personne.
                Si Psiché veut nostre couronne,
Il faut la luy donner ; elle seule aussi bien[61]
Fait en Grèce à présent vostre office et le mien.

        L'un de ces jours je luy vois pour époux
Le plus beau, le mieux fait de tout l'humain lignage ;
        Sans le tenir de vos traits* ny de vous ;
                Sans vous en rendre aucun hommage.
                Il naistra de leur mariage
Un autre Cupidon qui d'un de ses regards
Fera plus mille fois que vous avec vos dards.

        Prenez-y garde ; il vous y faut songer,
Rendez la malheureuse ; et que cette cadette
        Malgré les siens épouse un estranger

Qui ne sçache où trouver retraite ;
Qui soit laid, et qui la mal-traite :
La fasse consumer en regrets superflus,
Tant que* ny vous ny moy nous ne la craignions plus. »

Ces extrémitez où s'emporta la Déesse marquent merveilleusement bien le naturel* et l'esprit des femmes : rarement se pardonnent-elles l'avantage de la beauté : et je diray en passant que l'offense la plus irrémissible parmy ce sexe, c'est quand l'une d'elles en défait une autre en pleine assemblée ; cela se vange ordinairement comme les assassinats et les trahisons. Pour revenir à Vénus, son fils luy promit qu'il la vangeroit. Sur cette asseurance elle s'en alla à Cythère en équipage* de triomphante. Au lieu de passer par les airs, et de se servir de son char et de ses pigeons, elle entra dans une conque de Nacre attelée de deux Dauphins. La Cour de Neptune l'accompagna. Cecy est proprement matière de Poësie : il ne siéroit guère bien à la Prose de décrire une cavalcate de Dieux marins : d'ailleurs je ne pense pas qu'on pust exprimer avec le langage ordinaire ce que la Déesse parut alors[62].

C'est pourquoy nous dirons en langage rimé,
Que l'Empire flotant en demeura charmé.
Cent Tritons la suivant jusqu'au port de Cythère
Par leurs divers emplois s'efforcent de luy plaire.
L'un nage à l'entour d'elle ; et l'autre au fond des eaux
Luy cherche du corail, et des trésors nouveaux :
L'un luy tient un miroir fait de cristal de roche ;
Aux rayons du soleil l'autre en défend l'approche.
Palémon qui la guide, évite les rochers :
Glauque de son cornet fait retentir les Mers[63] :
Thétis luy fait oüir un concert de Sirènes :
Tous les vents attentifs retiennent leurs haleines :
Le seul Zéphire est libre, et d'un soufle amoureux
Il carresse Vénus, se joüe à ses cheveux ;

Contre ses vestemens par fois[a] il se courrouce.
L'onde pour la toucher à longs flots s'entrepousse ;
Et d'une égale ardeur chaque flot à son tour
S'en vient baiser les pieds de la Mère d'Amour.

« Cela devoit estre beau, dit Gélaste ; mais j'ayme-rois mieux avoir veu vostre Déesse au milieu d'un bois, habillée comme elle estoit, quand elle plaida sa cause devant un berger[64]. » Chacun soûrit de ce qu'avoit dit Gélaste ; puis Poliphile continua en ces termes[b] :

A peine Vénus eut fait un mois de séjour à Cythère, qu'elle sceut que les sœurs de son ennemie estoient mariées ; que leurs maris qui estoient deux Roys leurs voisins les traitoient avec beaucoup de douceur et de témoignages d'affection ; enfin qu'elles avoient sujet de se croire heureuses. Quant à leur cadete, il ne luy estoit resté pas un seul Amant*, elle qui en avoit eu une telle foule que l'on en sçavoit à peine le nombre. Ils s'estoient retirez comme par miracle ; soit que ce fust le vouloir des Dieux, soit par une vengeance particulière de Cupidon. On avoit encore de la vénération, du respect, de l'admiration pour elle si vous voulez ; mais on n'avoit plus de ce qu'on appelle Amour : Cependant c'est la véritable pierre de touche à quoy l'on juge ordinairement des charmes de ce beau sexe. Cette solitude de soupirans près d'une personne du mérite de Psiché fut regardée comme un prodige, et fit craindre aux peuples de la Grèce, qu'il ne leur arrivast quelque chose de fort sinistre. En effet il y avoit dequoy s'étonner : de tout temps l'Empire de Cupidon aussi bien que celuy des Flots[65] a esté sujet à des changemens ; mais jamais il n'en estoit arrivé de semblable ; au moins n'y en avoit-il point

---

a. Var. B.L. : *souvent*.
b. Var. B.L. : Le correcteur a biffé le passage de « Cela devoit » jusqu'à « en ces termes » et a écrit dans la marge : « Oster cela dans une réimpression. »

d'exemples dans ces païs. Si Psiché n'eust esté que belle, on ne l'eust pas trouvé si étrange ; mais comme j'ay dit, outre la beauté qu'elle possédoit en un souverain degré de perfection, il ne luy manquoit aucune des grâces nécessaires pour se faire aymer : on luy voyoit un million d'Amours et pas un Amant*[66]. Après que chacun eut bien raisonné sur ce miracle, Vénus déclara qu'elle en estoit cause ; qu'elle s'estoit ainsi vangée par le moyen de son fils ; que les parens de Psiché n'avoient qu'à se préparer à d'autres malheurs, parce que son indignation dureroit autant que la vie ou du moins autant que la beauté de leur fille ; qu'ils auroient beau s'humilier devant ses Autels, et que les sacrifices qu'ils luy feroient, seroient inutiles à moins que de luy sacrifier Psiché mesme. C'est ce qu'on n'estoit pas résolu de faire : loin de cela quelques personnes dirent à la Belle que la jalousie de Vénus luy estoit un témoignage bien glorieux, et que ce n'estoit pas estre trop malheureuse que de donner de l'envie à une Déesse, et à une Déesse telle que celle-là.

Psiché eust voulu que ces fleurettes luy eussent esté dites par un Amant*. Bien que sa fierté l'empeschast de témoigner aucun déplaisir, elle ne laissoit* pas de verser des pleurs en secret. « Qu'ay-je fait au fils de Vénus ? disoit-elle souvent en soy-mesme ; et que luy ont fait mes sœurs qui sont si contentes ? Elles ont eu des Amans* de reste ; moy qui croyois estre la plus aymable, je n'en ay plus. Dequoy me sert ma beauté ? Les Dieux en me la donnant ne m'ont pas fait un si grand présent que l'on s'imagine : je leur en rends la meilleure part : qu'ils me laissent au moins un Amant* : il n'y a fille si misérable qui n'en ait un : la seule Psiché ne sçauroit rendre personne heureux : les cœurs que le hazard luy a donnez, son peu de mérite les luy fait perdre : comment mē puis-je montrer après cet affront ? Va Psiché, va te cacher au fond de quelque désert* ; les Dieux ne t'ont pas faite pour estre veuë, puisqu'ils ne t'ont pas faite pour estre aymée. »

Tandis qu'elle se plaignoit ainsi, ses parens ne s'afligeoient pas moins de leur part, et ne pouvant se résoudre à la laisser sans mary, ils furent contraints de recourir à l'Oracle. Voicy la réponse qui leur fut faite, avec la glose que les Prestres y ajoûtèrent.

L'époux que les Destins gardent à vostre fille
Est un monstre cruel qui déchire les cœurs,
Qui trouble maint estat, détruit mainte famille[a],
Se nourrit de soûpirs, se baigne dans les pleurs.

A l'Univers entier il déclare la guerre,
Courant de bout en bout un flambeau dans la main :
On le craint dans les Cieux, on le craint sur la Terre,
Le Styx n'a pû borner son pouvoir souverain.

C'est un empoisonneur, c'est un incendiaire,
Un Tyran qui de fers charge jeunes et vieux[67].
Qu'on luy livre Psiché ; qu'elle tasche à luy plaire :
Tel est l'arrest du Sort, de l'Amour et des Dieux.

Menez-la sur un Roc, au haut d'une montagne,
En des lieux où l'attend le Monstre son époux.
Qu'une pompe funèbre en ces lieux l'accompagne,
Car elle doit mourir pour ses sœurs et pour vous[68].

Je laisse à juger l'estonnement* et l'affliction que cette réponse causa. Livrer Psiché aux désirs d'un monstre ! Y avoit-il de la justice à cela ? Aussi les parens de la Belle doutèrent long-temps s'ils obéy-roient. D'ailleurs le lieu où il la faloit conduire n'avoit point esté spécifié par l'Oracle. De quel mont les Dieux vouloient-ils parler ? estoit-il voisin de la Grèce

a. Var. B.L. : *Détruit plus d'un estat, et plus d'une famille.*

ou de la Scythie ? Estoit-il situé sous l'Ourse ou dans les climats* brûlans de l'Afrique ? (Car on dit que dans cette terre il y a toutes sortes de monstres.) Le moyen de se résoudre à laisser une beauté délicate sur un rocher, entre des montagnes et des précipices, à la mercy de tout ce qu'il y a de plus épouventable dans la nature ? Enfin comment rencontrer cet endroit fatal ? C'est ainsi que les bonnes gens* cherchoient des raisons pour garder leur fille : mais elle mesme leur représenta la nécessité de suivre l'Oracle.

« Je dois mourir, dit-elle à son père, et il n'est pas juste qu'une simple mortelle comme je suis, entre en parallèle avec la mère de Cupidon. Que gagneriez-vous à lui résister ? Vostre désobéyssance nous attire-roit une peine encore plus grande. Quelle que puisse estre mon avanture*, j'auray lieu de me consoler quand je ne vous seray plus un sujet de larmes. Défaites-vous de cette Psiché sans qui vostre vieillesse seroit heureuse : souffrez que le Ciel punisse une ingrate pour qui vous n'avez eu que trop de tendresse, et qui vous récompense si mal des inquiétudes et des soins que son enfance vous a donnez. »

Tandis que Psiché parloit à son père de cette sorte, le vieillard la regardoit en pleurant, et ne luy répondoit que par des soûpirs. Mais ce n'estoit rien en compa-raison du désespoir où estoit la mère. Quelquefois elle couroit par les Temples toute échevelée : d'autres-fois elle s'emportoit en blasphèmes contre Vénus ; puis tenant sa fille embrassée protestoit* de mourir plûtost que de souffrir qu'on la luy ostast pour l'abandonner à un Monstre. Il falut pourtant obéïr : en ce temps-là les Oracles estoient maistres de toutes choses : on couroit au devant de son malheur propre de crainte qu'ils ne fussent trouvez menteurs, tant la superstition avoit de pouvoir sur les premiers hommes[69]. La difficulté n'estoit donc plus que de sçavoir sur quelle montagne il faloit conduire Psiché. L'infortunée fille éclaircit encore ce doute. « Qu'on me mette, dit-elle, sur un chariot, sans cocher ny guide ; et qu'on laisse aller les chevaux à leur fantaisie ; le Sort les guidera infailliblement au lieu ordonné. »

Je ne veux pas dire que cette Belle trouvant à tout des expédiens fust de l'humeur de beaucoup de filles qui ayment mieux avoir un méchant mary que de n'en point avoir du tout. Il y a de l'apparence* que le désespoir[a] plûtost qu'autre chose luy faisoit chercher ces facilitez*.

Quoy que ce soit, on se résout à partir. On fait dresser un appareil de pompe funèbre pour satisfaire à chaque point de l'Oracle. On part enfin ; et Psiché se met en chemin sous la conduite de ses parens. La voilà sur un char d'ébène, une urne auprès d'elle, la teste panchée sur sa mère, son père marchant à costé du char, et faisant autant de soûpirs qu'il faisoit de pas : force gens à la suite vestus de deüil ; force ministres* de funérailles ; force sacrificateurs portans de longs vases et de longs cornets dont ils entonnoient des sons fort lugubres. Les peuples voisins étonnez de la nouveauté d'un tel appareil, ne sçavoient que conjecturer. Ceux chez qui le convoy passoit l'accompagnoient par honneur jusqu'aux limites de leur territoire, chantant des hymnes à la loüange de Psiché leur jeune Déesse, et jonchant de roses tout le chemin, bien que les maistres des cérémonies leur criassent que c'estoit offenser Vénus : mais quoy, les bonnes gens* ne pouvoient retenir leur zèle.

Après une traite de plusieurs jours, lorsque l'on commençoit à douter de la vérité de l'Oracle, on fut étonné, qu'en costoyant une montagne fort élevée, les chevaux bien qu'ils fussent frais et nouveau repûs s'arrestèrent court, et quoy qu'on pust faire, ils ne voulurent point passer outre. Ce fut là que se renouvellèrent les cris ; car on jugea bien que c'estoit le

---

a. Var. B.L. : le dépit.

mont qu'entendoit l'Oracle. Psiché décendit du char, et s'estant mise entre l'un et l'autre de ses parens, suivie de la troupe, elle passa par dedans un bois assez agréable, mais qui n'estoit pas de longue estenduë. A peine eurent-ils fait quelque mille pas, toûjours en montant, qu'ils se trouvèrent entre des rochers habitez par des dragons de toutes espèces. A ces hostes près, le lieu se pouvoit bien dire une solitude, et la plus effroyable qu'on pust trouver. Pas un seul arbre, pas un brin d'herbe, point d'autre couvert que ces rocs, dont quelques-uns avoient des pointes qui avançoient en forme de voûte, et qui ne tenant presque à rien faisoient appréhender à nos voyageurs qu'elles ne tombassent sur eux : d'autres se trouvoient creusez en beaucoup d'endroits par la chûte des torrens ; ceux-cy servoient de retraite aux Hydres, animal fort familier* en cette contrée[70]. Chacun demeura si surpris d'horreur, que sans la nécessité d'obéïr au Sort, on s'en fust retourné tout court. Il falut donc gagner le sommet malgré qu'on en eust. Plus on alloit en avant, plus le chemin estoit escarpé. Enfin après beaucoup de détours on se trouva au pied d'un rocher d'énorme grandeur, lequel estoit au faiste de la montagne, et où l'on jugea qu'il faloit laisser l'infortunée fille. De représenter à quel point l'affliction se trouva montée, c'est ce qui surpasse mes forces.

*L'Éloquence elle mesme impuissante à le dire,
Confesse que cecy n'est point de son Empire.
C'est au silence seul d'exprimer les adieux
Des parens de la Belle au partir* de ces lieux[71].
Je ne décriray point, ny leur douleur amère,
Ny les pleurs de Psiché, ny les cris de sa mère,
Qui du fond des rochers renvoyez dans les airs,
Firent de bout en bout retentir ces déserts*.
Elle plaint de son sang[72] la cruelle avanture* ;
Implore le Soleil, les Astres, la Nature ;
Croit fléchir par ses cris les Auteurs du destin :*

Il luy faut arracher sa fille de son sein.
Après mille sanglots enfin l'on les sépare.
Le Soleil las de voir ce spectacle barbare
Précipite sa course, et passant sous les eaux
Va porter la clarté chez des peuples nouveaux.
L'horreur de ces déserts* s'accroist par son absence :
La nuit vient sur un char conduit par le silence :
Il ameine avec luy la crainte en l'Univers.

La part qu'en eut Psiché ne fut pas des moindres. Représentez-vous une fille qu'on a laissée seule en des déserts* effroyables, et pendant la nuit. Il n'y a point de conte d'apparitions et d'esprits qui ne luy revienne dans la mémoire. A peine ose-t-elle ouvrir la bouche afin de se plaindre. En cet estat, et mourant presque d'appréhension, elle se sentit enlever dans l'air. D'abord elle se tint pour perduë, et crût qu'un Démon* l'alloit emporter en des lieux d'où jamais on ne la verroit revenir. Cependant c'estoit le Zéphire, qui incontinent* la tira de peine, et luy dit l'ordre qu'il avoit de l'enlever de la sorte, et de la mener à cet époux dont parloit l'Oracle, et au service duquel il estoit. Psiché se laissa flater à ce que luy dit le Zéphire ; car c'est un Dieu des plus agréables. Ce ministre* aussi fidelle que diligent des volontez de son maistre, la porta au haut du rocher. Après qu'il luy eut fait traverser les airs avec un plaisir qu'elle auroit mieux gousté dans un autre temps, elle se trouva dans la cour d'un Palais superbe. Nostre Héroïne qui commençoit à s'accoustumer aux avantures* extraordinaires, eut bien l'assurance de contempler ce Palais à la clarté des flambeaux qui l'environnoient : toutes les fenestres en estoient bordées : le Firmament qui est la demeure des Dieux ne parut jamais si bien éclairé.

Tandis que Psiché considéroit ces merveilles, une troupe de Nymphes la vint recevoir jusque par delà le perron ; et après une inclination très-profonde, la plus apparente* luy fit une espèce de compliment, à quoy la Belle ne s'estoit nullement attenduë. Elle s'en tira pourtant assez bien. La première chose fut de s'enquérir[a] du nom de celuy à qui appartenoient des lieux si charmans, et il est à croire qu'elle demanda de le voir ; on ne luy répondit là-dessus que confusément : puis ces Nymphes la conduisirent en un vestibule, d'où l'on pouvoit découvrir, d'un costé les cours, et de l'autre costé les jardins. Psiché le trouva proportionné à la richesse de l'édifice. De ce vestibule on la fit passer en des salles que la magnificence, elle mesme, avoit pris la peine d'orner, et dont la dernière enchérissoit toûjours sur la précédente. Enfin cette Belle entra dans un cabinet où on luy avoit préparé un bain. Aussi-tost ces Nymphes se mirent en devoir de la déshabiller et de la servir. Elle fit d'abord quelque résistance, et puis leur abandonna toute sa personne. Au sortir du bain on la revestit d'habits nuptiaux : je laisse à penser quels ils pouvoient estre, et si l'on y avoit épargné les diamans et les pierreries : il est vray que c'estoit ouvrage de Fée[73], lequel d'ordinaire ne couste rien. Ce ne fut pas une petite joye pour Psiché de se voir si brave*, et de se regarder dans les miroirs dont le cabinet estoit plein[74].

Cependant on avoit mis le couvert dans la salle la plus prochaine. Il y fut servy de l'Ambrosie en toutes les sortes. Quant au[b] Nectar les Amours en furent les échansons. Psiché mangea peu. Après le repas une musique de luths et de voix se fit entendre à l'un des coins du platfonds, sans qu'on vist ny chantres ny instrumens ; musique aussi douce et aussi charmante que si Orphée et Amphion en eussent esté les conducteurs[75]. Parmi les Airs qui furent chantez il y en eut un qui plût particulièrement à Psiché. Je vais vous en

a. Var. B.L. : Le correcteur a d'abord remplacé « s'enquérir du » par « demander le », puis par « s'informer du ».

b. Var. B.L. : Pour le.

dire les paroles, que j'ai mises en nostre langue au mieux que j'ay pû[76].

Tout l'Univers obéït à l'Amour ;
Belle Psiché soûmettez luy vostre âme.
Les autres Dieux à ce Dieu font la cour,
Et leur pouvoir est moins doux que sa flâme.
Des jeunes cœurs c'est le suprême bien :
Aymez, aymez, tout le reste n'est rien.

Sans cet amour tant d'objets ravissans,
Lambris dorez, bois, jardins, et fontaines,
N'ont point d'appas qui ne soient languissans,
Et leurs plaisirs sont moins doux que ses peines[77].
Des jeunes cœurs c'est le suprême bien :
Aymez, aymez, tout le reste n'est rien.

Dès que la musique eut cessé, on dit à Psiché qu'il estoit temps de se reposer. Il luy prit alors une petite inquiétude accompagnée de crainte, et telle que les filles l'ont d'ordinaire le jour de leurs nopces sans sçavoir pourquoy. La Belle fit toutesfois ce que l'on voulut. On la met au lit, et on se retire. Un moment après, celuy qui en devoit estre le possesseur arriva, et s'approcha d'elle. On n'a jamais sceu ce qu'ils se dirent, ny mesme d'autres circonstances bien plus importantes que celles-là : seulement a-t-on remarqué que le lendemain les Nymphes rioient entre-elles, et que Psiché rougissoit en les voyant rire. La Belle ne s'en mit pas fort en peine, et n'en parut pas plus triste qu'à l'ordinaire.

Pour revenir à la première nuit de ses nopces, la seule chose qui l'embarassoit, estoit que son mary l'avoit quittée devant qu*'il fust jour, et luy avoit dit que pour beaucoup de raisons il ne vouloit pas estre connu d'elle, et qu'il la prioit de renoncer à la curiosité de le voir. Ce fut ce qui luy en donna davantage. « Quelles peuvent estre ces raisons ? disoit en soy-mesme la jeune épouse, et pourquoy se cache-t-il avec tant de soin ? Asseurément l'Oracle nous a dit vray, quand il nous l'a peint comme quelque chose de fort terrible : si est-ce qu'*au toucher et au son de voix il ne m'a semblé nullement que ce fust un monstre. Toutefois les Dieux ne sont pas menteurs ; il faut que mon mary ait quelque défaut remarquable : si cela estoit je serois bien malheureuse. » Ces réflexions tempérèrent pour quelques momens la joye de Psiché. Enfin elle trouva à propos de n'y plus penser, et de ne point corrompre elle-mesme les douceurs de son mariage.

Dès que son époux l'eut quitée, elle tira les rideaux. A peine le jour commençoit à poindre. En l'attendant nostre Héroïne se mit à resver à ses avantures, particulièrement à celles de cette nuit. Ce n'estoient pas véritablement* les plus estranges qu'elle eust couruës ; mais elle en revenoit toûjours à ce mary qui ne vouloit point estre veu. Psiché s'enfonça si avant en ces resveries qu'elle en oublia ses ennuis* passez, les frayeurs du jour précédent, les adieux de ses parens, et ses parens mesme, et là-dessus elle s'endormit. Aussi-tost le songe luy représente son mary sous la forme d'un jouvenceau de quinze à seize ans, beau comme l'amour, et qui avoit toute l'apparence d'un Dieu[a]. Transportée de joye, la Belle l'embrasse ; il veut s'échaper, elle crie ; mais personne n'accourt au bruit. « Qui que vous soyez, dit-elle, et vous ne sçauriez estre qu'un Dieu, je vous tiens ô charmant époux, et je vous verray tant qu'il me plaira. » L'émotion l'ayant éveillée, il ne luy demeura que le souvenir d'une illusion agréable, et au lieu d'un jeune mary la pauvre Psiché ne voyant en cette chambre que des dorures, ce qui n'estoit pas ce qu'elle cherchoit, ses

---

a. Var. B.L. : ... son mary sous la forme d'un Dieu de quinze à seize ans, beau comme l'Amour, et qui avoit l'apparence toute divine.

inquiétudes recommencèrent. Le sommeil eut encore une fois pitié d'elle ; il la replongea dans les charmes de ses pavots : et la Belle acheva ainsi la première nuit de ses nopces.

Comme il estoit déjà tard, les Nymphes entrèrent, et la trouvèrent encore tout endormie. Pas une ne luy en demanda la raison, ny comment elle avoit passé la nuit, mais bien[a], si elle se vouloit lever, et de quelle façon il luy plaisoit que l'on l'habillast. En disant cela on luy montre cent sortes d'habits, la pluspart très-riches. Elle choisit le plus simple, se lève, se fait habiller avec précipitation, et témoigne aux Nymphes une impatience de voir les raretez de ce beau séjour. On la meine donc en toutes les chambres : il n'y a point de cabinet ny d'arrière-cabinet qu'elle ne visite, et où elle ne trouve un nouveau sujet d'admiration. Delà elle passe sur des balcons, et de ces balcons les Nymphes luy font remarquer l'architecture de l'édifice, autant qu'une fille est capable de la conçevoir. Elle se souvient qu'elle n'a pas assez regardé de certaines tapisseries. Elle rentre donc comme une jeune personne qui voudroit tout voir à la fois, et qui ne sçait à quoy s'attacher. Les Nymphes avoient assez de peine à la suivre, l'avidité de ses yeux la faisant courir sans cesse de chambre en chambre, et considérer à la haste les merveilles de ce Palais[78], o[ù] par un enchantement Prophétique, ce qui n'estoit pas encore et ce qui ne devoit jamais estre se rencontroit[b].

On fit ses murs d'un marbre aussi blanc que l'albastre.
Les dedans sont ornez d'un Porphire luisant.
Ces ordres dont les Grecs nous ont fait un présent,
Le Dorique sans fard, l'élégant Ionique,
Et le Corintien superbe et magnifique,

a. Var. B.L. : mais seulement.
b. Var. B.L. : ... par un enchantement Prophétique tout ce qui devoit arriver se lisoit selon les temps et la suite des avantures.

L'un sur l'autre placez[79] *élèvent jusqu'aux Cieux*
Ce pompeux édifice où tout charme les yeux.
Pour servir d'ornement à ses divers estages,
L'Architecte y posa les vivantes images
De ces objets divins, Cléopâtres, Phrinez,
Par qui sont les Héros en triomphe menez.
Ces fameuses beautez dont la Grèce se vante,
Celles que le Parnasse en ses fables nous chante,*
Ou de qui nos Romans font de si beaux portraits,
A l'envy sur le marbre étaloient leurs attraits.
L'enchanteresse Armide, Héroïne du Tasse,
A côté d'Angélique avoit trouvé sa place[80].
On y voyoit sur tout Hélène au cœur léger
Qui causa tant de maux pour un Prince berger[81].
Psiché dans le milieu void aussi sa statuë,
De ces Reynes des cœurs pour Reyne reconnuë.
La Belle à cet aspect s'applaudit en secret,
Et n'en peut détacher ses beaux yeux qu'à regret.
Mais on luy montre encor d'autres marques de gloire :
Là ses traits sont de marbre, ailleurs ils sont d'yvoire :
Les disciples d'Arachne[82] *à l'envy des* pinceaux*
En ont aussi formé de différens tableaux.
Dans l'un on void les Ris divertir cette Belle :
Dans l'autre les Amours dansent à l'entour d'elle :
Et sur cette autre toile Euphrosine et ses sœurs[83]
Ornent ses blonds cheveux de guirlandes de fleurs.
Enfin, soit aux couleurs, ou bien dans la sculpture,
Psiché dans mille endroits rencontre sa figure :
Sans parler des miroirs et du cristal des eaux,
Que ses traits imprimez font paroistre plus beaux.

Les endroits où la Belle s'arresta le plus ce furent les galeries. Là les raretez, les tableaux, les bustes, non de la main des Apelles et des Phidias, mais de la main mesme des Fées, qui ont été les maistresses de ces grands hommes, composoient un amas d'objets qui éblouïssoit la veuë, et qui ne laissoit* pas de luy plaire, de la charmer, de luy causer des ravissemens, des

82

extases ; en sorte que Psiché passant d'une extrémité en une autre, demeura long-tems immobile, et parut la plus belle statuë de ces lieux. Des galeries elle repasse encore dans les chambres, afin d'en considérer les richesses, les précieux meubles, les tapisseries de toutes les sortes, et d'autres ouvrages conduits par la fille de Jupiter[84] : sur tout, on voyoit une grande variété[85] dans ces choses, et dans l'ordonnance de chaque chambre ; colomnes de Porphire aux alcôves (ne vous étonnez pas de ce mot d'alcôve, c'est une invention moderne, je vous l'avouë[86], mais ne pouvoit-elle pas estre dèslors en l'esprit des Fées ? Et ne seroit-ce point de quelque description de ce Palais que les Espagnols, les Arabes, si vous voulez, l'auroient prise ?). Les chapiteaux de ces colomnes estoient d'airain de Corinthe pour la pluspart. Ajoûtez à cela les balustres d'or. Quant aux[a] lits, ou, c'estoit broderie de perles, ou, c'estoit un travail si beau que l'étoffe n'en devoit pas estre considérée*. Je n'oublieray pas, comme on peut penser, les cabinets*, et les tables de pierreries ; vases singuliers, et par leur matière, et par l'artifice de leur graveure ; enfin dequoy surpasser en prix l'Univers entier. Si j'entreprenois de décrire seulement la quatrième partie de ces merveilles, je me rendrois sans doute importun ; car à la fin on s'ennuye de tout, et des belles choses comme du reste[87]. Je me contenteray donc de parler d'une tapisserie relevée d'or, laquelle on fit remarquer principalement à Psiché, non tant pour l'ouvrage, quoy qu'il fust rare, que pour le sujet[88]. La tenture estoit composée de six pièces.

Dans la première on voyoit un Chaos[89],
Masse confuse, et de qui l'assemblage
Faisoit luter contre l'orgueil des flots
Des Tourbillons d'une flâme volage.

---

a. Var. B.L. : Pour les (le correcteur a, en outre, supprimé la virgule après chacun des deux « ou » de la même phrase).

Non loin de là dans un mesme monceau
L'air gémissoit sous le poids de la terre :
Ainsi le feu, l'air, la terre, avec l'eau,
Entretenoient une cruelle guerre.

Que fait l'Amour ? volant de bout en bout
Ce jeune enfant sans beaucoup de mystère
En badinant vous débroüille le tout,
Mille fois mieux qu'un Sage n'eust sceu faire[90].

Dans la seconde un Cyclope amoureux,
Pour plaire aux yeux d'une Nymphe jolie,
Se démesloit la barbe et les cheveux ;
Ce qu'il n'avoit encor fait de sa vie.

En se moquant la Nymphe s'enfuyoit.
Amour l'attaint ; et l'on voyoit la Belle,
Qui dans un bois le Cyclope prioit
Qu'il l'excusast d'avoir esté rebelle[91].

Dans la troisième, Cupidon paraissoit assis sur un char tiré par des Tigres. Derrière ce char un petit Amour menoit en lesse* quatre grands Dieux, Jupiter, Hercule, Mars, et Pluton ; tandis que[a] d'autres enfans les chassoient, et les faisoient marcher à leur fantaisie. La quatrième et la cinquième représentoient en d'autres manières la puissance de Cupidon. Et dans la sixième ce Dieu, quoy qu'il eust sujet d'estre fier des dépoüilles de l'Univers, s'inclinoit devant une personne de taille parfaitement belle, et qui témoignoit à son air une très-grande jeunesse. C'est tout ce qu'on en pouvoit juger ; car on ne luy voyoit point le visage ; et elle avoit alors la teste tournée, comme si elle eust voulu se débarrasser d'un nombre infiny d'Amours qui l'environnoient. L'ouvrier avoit peint le Dieu dans un

a. Var. B.L. : pendant que.

grand respect ; tandis que[a] les jeux et les Ris qu'il avoit amenez à sa suite se moquoient de luy en cachette, et se faisoient signe du doit que leur maistre estoit attrapé. Les bordures de cette tapisserie estoient toutes pleines d'enfans qui se joüoient avec des massuës, des foudres, et des Tridens ; et l'on voyoit en beaucoup d'endroits pendre pour trophées force brasselets et autres ornemens de femmes.

Parmy cette diversité d'objets rien ne plût tant à la Belle que de rencontrer par tout son portrait, ou bien sa statuë, ou quelque autre ouvrage de cette nature. Il sembloit que ce Palais fust un temple, et Psiché la Déesse à qui il estoit consacré. Mais de peur que le mesme objet se présentant si souvent à elle ne luy devinst ennuyeux, les Fées l'avoient diversifié, comme vous sçavez que leur imagination est féconde. Dans une chambre elle estoit représentée en Amazone, dans une autre en Nymphe, en bergère, en chasseresse, en Grecque, en Persane, en mille façons différentes et si agréables que cette Belle eut la curiosité de les éprouver, un jour l'une, un autre jour l'autre ; plus par divertissement et par jeu que pour en tirer aucun avantage, sa beauté se soûtenant assez d'elle-mesme. Cela se passoit toûjours avec beaucoup de satisfaction de sa part, force loüanges de la part des Nymphes, un plaisir extrême de la part du monstre, c'est à dire de son époux, qui avoit mille moyens de la contempler sans qu'il se montrast. Psiché se fit donc Impératrice, simple bergère, ce qu'il luy plût. Ce ne fut pas sans que les Nymphes luy dissent qu'elle estoit belle en toutes sortes d'habits, et sans qu'elle mesme se le dist aussi. « Ah si mon mary me voyoit parée de la sorte ! » s'écrioit-elle souvent estant seule. En ce moment là son mary la voyoit peut-estre de quelque endroit d'où il ne pouvoit estre veu ; et outre le plaisir de la voir il

a. Var. B.L. : pendant que.

avoit celuy d'apprendre ses plus secrètes pensées, et de luy entendre faire un souhait où l'amour avoit pour le moins autant de part que la bonne opinion de soy-mesme. Enfin il ne se passa presque point de jour que Psiché ne changeast d'ajustement.

« Changer d'ajustement tous les jours ! s'écria Acante, je ne voudrois point d'autre Paradis[a] pour nos Dames. » On avoüa qu'il avoit raison, et il n'y en eut pas un dans la compagnie qui ne souhaitast un pareil bonheur à quelque femme de sa connoissance. Cette réflexion estant faite, Poliphile reprit ainsi.

Nostre Héroïne passa presque tout ce premier jour à voir le logis : sur le soir elle s'alla promener dans les cours et dans les jardins, d'où elle considéra quelque temps les diverses faces de l'édifice ; sa majesté, ses enrichissemens et ses grâces ; la proportion, le bel ordre, et la correspondance* de ses parties. Je vous en ferois la description, si j'estois plus sçavant dans l'Architecture que je ne suis. A ce défaut vous aurez recours au Palais d'Apollidon[92], ou bien à celuy d'Armide ; ce m'est tout un. Quant aux jardins, voyez ceux de Falerine[93] ; ils vous pourront donner quelque idée des lieux que j'ay à décrire.

> *Assemblez sans aller si loin*
> *Vaux, Liencourt, et leurs Nayades[94] ;*
> *Y joignant en cas de besoin*
> *Ruël avecque ses cascades[b95].*
> *Cela fait, de tous les costez*
> *Placez en ces lieux enchantez*
> *Force jets affrontans la nuë,*

---

a. Var. B.L. : « Paradis » a d'abord été remplacé par « ciel », puis par « empyrée », enfin par « félicité ».

b. Var. B.L. : *Assemblez sans aller si loin*
   Et nos jardins et leurs nayades,
   Y joignant en cas de besoin
   Et des canaux et des cascades.

> *Des canaux à perte de veuë.*
> *Bordez les d'Orangers, de Myrtes, de Jasmins,*
> *Qui soient aussi géants que les nostres sont nains.*
> > *Entassez-en des pépinières :*
> > *Plantez-en des forests entières ;*
> > *Des forests où chante en tout tems*
> > *Philomèle honneur des bocages,*
> > *De qui le règne en nos ombrages*
> > *Naist et meurt avec le Printemps.*
> > *Meslez y les soins éclatans*
> *De tout ce que les bois ont d'agréables Chantres.*
> *Chassez de ces forests les sinistres oyseaux ;*
> > *Que les fleurs bordent leurs ruisseaux :*
> > *Que l'Amour habite leurs antres.*
> > *N'y laissez entrer toutefois*
> > *Aucune hostesse de ces bois*
> > *Qu'avec un paisible Zéphire,*
> > *Et jamais avec un Satire.*
> > *Point de tels Amans dans ces lieux ;*
> > *Psiché s'en tiendroit offensée :*
> > *Ne les offrez point à ses yeux,*
> > *Et moins encore à sa pensée.*
> > *Qu'en ce canton délicieux*
> > *Flore et Pomone à qui mieux mieux*
> > *Fassent montre de leurs richesses ;*
> > *Et que ce couple de Déesses*
> > *Y renouvelle ses présens*
> > *Quatre fois au moins tous les ans.*
> > *Que tout y naisse sans culture.*
> > *Toûjours fraischeur, toûjours verdure,*
> > *Toûjours l'haleine et les soûpirs*
> > *D'une brigade de Zéphirs.*

Psiché ne se promenoit au commencement que dans les jardins, n'osant se fier aux bois ; bien qu'on l'assurast qu'elle n'y rencontreroit que les Dryades[96], et pas un seul Faune. Avec le temps elle devint plus hardie. Un jour que la beauté d'un ruisseau l'avoit attirée, elle se laissa conduire insensiblement aux replis de l'onde. Après bien des tours elle parvint à sa source. C'estoit une Grote assez spacieuse, où dans un bassin taillé par les seules mains de la nature couloit le long d'un rocher une eau argentée, et qui par son bruit invitoit à un doux sommeil. Psiché ne se pût tenir d'entrer dans la Grotte. Comme elle en visitoit les recoins, la clarté qui alloit toûjours en diminuant luy faillit enfin tout à coup. Il y avoit certainement dequoy avoir peur ; mais elle n'en eut pas le loisir. Une voix qui luy estoit familière l'assura* d'abord* : c'estoit celle de son époux. Il s'approcha d'elle, la fit asseoir sur un siège couvert de mousse, se mit à ses pieds, et après luy avoir baisé la main, il luy dit en soûpirant : « Faut-il que je doive à la beauté d'un ruisseau une si agréable rencontre ? pourquoy n'est-ce pas à l'Amour ? Ah Psiché, Psiché, je vois bien que cette passion et vos jeunes ans n'ont encore guère de commerce* ensemble. Si vous aimiez vous chercheriez le silence et la solitude avec plus de soin que vous ne les évitez maintenant. Vous chercheriez les antres sauvages[97], et auriez bien-tost appris que de tous les lieux où on sacrifie au Dieu des Amans, ceux qui luy plaisent le plus ce sont ceux où on peut luy sacrifier en secret : mais vous n'aymez-point.

— Que voulez-vous que j'ayme ? répondit Psiché.

— Un mary, dit-il, que vous vous figurerez à vostre mode, et à qui vous donnerez telle sorte de beauté qu'il vous plaira.

— Ouy mais, repartit la Belle, je ne me rencontreray peut-estre pas avec la nature : car il y a bien de la fantaisie en cela. J'ai ouy dire que non seulement chaque Nation avoit son goust, mais chaque personne aussi. Une Amazone se proposeroit un mary dont les grâces feroient trembler ; un mary ressemblant à Mars : moy je m'en proposeray un semblable à l'Amour. Une personne mélancolique ne manqueroit pas de donner à ce mary un air sérieux : moy qui suis guaye, je luy en donnerai un enjoüé. Enfin je croiray vous faire plaisir en vous attribuant une beauté délicate, et peut-estre vous feray-je tort.

— Quoy que c'en soit, dit le mary, vous n'avez pas attendu jusqu'à présent à vous forger une image de vostre époux : je vous prie de me dire quelle elle est.

— Vous avez dans mon esprit, poursuivit la Belle, une mine aussi douce que trompeuse ; tous les traits fins ; l'œil riant et fort éveillé ; de l'embonpoint* et de la jeunesse, on ne sçauroit se tromper à ces deux poincts là : mais je ne sçay si vous estes Éthiopien ou Grec : et quand je me suis fait une idée de vous la plus belle qu'il m'est possible, vostre qualité de monstre vient tout gaster. C'est pourquoy le plus court et le meilleur, selon mon avis, c'est de permettre que je vous voye. »

Son mary luy serra la main, et luy dit avec beaucoup de douceur : « C'est une chose qui ne se peut pour des raisons que je ne sçaurois mesme vous dire.

— Je ne sçaurois donc vous aimer », reprit-elle assez brusquement. Elle en eut regret, d'autant plus qu'elle avoit dit cela contre sa pensée. Mais quoy la faute estoit faite. En vain elle voulut la réparer par quelques caresses. Son mary avoit le cœur si serré qu'il fut un temps assez long sans pouvoir parler. Il rompit à la fin son silence par un soûpir, que Psiché n'eut pas plûtost entendu qu'elle y répondit, bien qu'avec quelque sorte de défiance. Les paroles de l'Oracle luy revenoient en l'esprit. Le moyen de les accorder avec cette douceur passionnée que son époux luy faisoit paroistre ? Celuy qui empoisonnoit, qui brûloit, qui faisoit ses jeux des tortures, soûpirer pour un simple mot ! cela sembloit tout à fait estrange à nostre Héroïne : et à dire vray tant de tendresse* en un monstre estoit une chose assez nouvelle. Des soûpirs il en vint aux pleurs, et des pleurs aux plaintes. Tout cela plût extrêmement à la Belle : mais comme il disoit des choses trop pitoyables*, elle ne pût souffrir qu'il continuast, et luy mit premièrement la main sur la bouche, puis la bouche mesme ; et par un baiser bien mieux qu'elle n'auroit fait avec toutes les paroles du monde elle l'assura que tout invisible et tout monstre qu'il vouloit estre, elle ne laissoit* pas de l'aymer. Ainsi se passa l'avanture de la Grotte. Il leur en arriva beaucoup de pareilles.

Nostre Héroïne ne perdit pas la mémoire de ce que luy avoit dit son époux. Ses resveries la menoient souvent jusqu'aux lieux les plus écartez de ce beau séjour ; et faisoient si bien que la nuit la surprenoit devant qu*'elle pût gagner le logis. Aussi-tost son mary la venoit trouver sur un char environné de ténèbres, et plaçant à costé de luy nostre jeune épouse, ils se promenoient au bruit des fontaines[98]. Je laisse à penser si les protestations*, les sermens, les entretiens pleins de passion se renouvelloient ; et de fois à autres aussi les baisers ; non point de mary à femme, il n'y a rien de plus insipide, mais de maistresse à amant*[99], et pour ainsi dire de gens qui n'en seroient encore qu'à l'espérance. Quelque chose manquoit pourtant à la satisfaction de Psiché. Vous voyez bien que j'entends parler de la fantaisie de son mary, c'est à dire de cette opiniastreté à demeurer invisible. Toute la postérité s'en est estonnée. Pourquoy une résolution si extravagante[100] ? Il se peut trouver des personnes laides qui affectent de se montrer ; la rencontre n'en est pas rare : mais que ceux qui sont beaux se cachent, c'est un prodige dans la nature ; et peut-estre n'y avoit-il que cela de monstrueux en la personne de nostre époux. Après en avoir cherché la raison, voicy ce que j'ay trouvé dans un manuscrit qui est venu depuis peu à ma connoissance[101].

Nos Amans s'entretenoient à leur ordinaire ; et la jeune épouse qui ne songeoit qu'aux moyens de voir son mary, ne perdoit pas une seule occasion de luy en parler. De discours en autre ils vinrent[a] aux merveilles de ce séjour. Après que la Belle eut fait une longue énumération des plaisirs qu'elle y rencontroit, disoit-elle, de tous costez, il se trouva qu'à son compte le principal poinct y manquoit. Son mary ne voyoit que trop où elle avoit dessein d'en venir ; mais comme entre Amans les contestations sont quelquefois bonnes à plus d'une chose, il voulut qu'elle s'expliquast, et luy demanda ce que pouvoit estre ce poinct d'une si grande importance, veu qu'il avoit donné ordre aux Fées que rien ne manquast.

« Je n'ay que faire des Fées pour cela, repartit la Belle : voulez-vous me rendre tout à fait heureuse ? Je vous en enseigneray un moyen bien court. Il ne faut... Mais je vous l'ay dit tant de fois inutilement que je n'oserois plus vous le dire.

— Non, non, reprit le mary, n'appréhendez pas de m'estre importune : je veux bien que vous me traitiez comme on fait les Dieux ; ils prennent plaisir à se faire demander cent fois une mesme chose : qui vous a dit que je ne suis pas de leur naturel ? »

Nostre Héroïne encouragée par ces paroles luy repartit : « Puisque vous me le permettez, je vous diray franchement que tous vos Palais, tous vos meubles, tous vos jardins ne sçauroient me récompenser* d'un moment de vostre présence, et vous voulez que j'en sois tout à fait privée : car je ne puis appeler présence un bien où les yeux n'ont aucune part.

— Quoy je ne suis pas maintenant de corps auprès de vous ? reprit le mary, et vous ne me touchez pas ?

— Je vous touche, repartit-elle, et sens bien que vous avez une bouche, un nez, des yeux, un visage ; tout cela proportionné comme il faut, et, selon que je m'imagine, assorti de traits qui n'ont pas leurs pareils au monde ; mais jusqu'à ce que j'en sois assurée, cette

---

a. Var. B.L. : ils en vinrent.

présence de corps dont vous me parlez est présence d'esprit pour moy.

— Présence d'esprit ! » repartit l'époux. Psiché l'empescha de continuer, et luy dit en l'interrompant : « Apprenez-moi du moins les raisons qui vous rendent si opiniastre.

— Je ne vous les diray pas toutes, reprit l'époux ; mais afin de vous contenter en quelque façon, examinez la chose en vous mesme, vous serez contrainte de m'avoüer qu'il est à propos pour l'un et pour l'autre de demeurer en l'estat où nous nous trouvons. Premièrement tenez-vous certaine que du moment que vous n'aurez plus rien à souhaiter vous vous ennuyerez ; et comment ne vous ennuyeriez-vous pas ? les Dieux s'ennuyent bien : ils sont contraints de se faire de temps en temps des sujets de désir et d'inquiétude, tant il est vray que l'entière satisfaction et le dégoust se tiennent la main. Pour ce qui me touche, je prens un plaisir extrême à vous voir en peine ; d'autant plus que votre imagination ne se forge guère de monstres (j'entends d'images de ma personne) qui ne soient très-agréables. Et pour vous dire une raison plus particulière, vous ne doutez pas qu'il n'y ait quelque chose en moy de surnaturel. Nécessairement je suis Dieu, ou je suis Démon*, ou bien enchanteur. Si vous trouvez que je sois Démon* vous me hayrez : et si je suis Dieu vous cesserez de m'aymer, ou du moins vous ne m'aymerez plus avec tant d'ardeur, car il s'en faut bien qu'on ayme les Dieux aussi violemment que les hommes. Quant au troisième, il y a des enchanteurs agréables, je puis estre de ceux-là ; et possible* suis-je tous les trois ensemble. Ainsi le meilleur pour vous est l'incertitude, et qu'après la possession vous ayez toûjours dequoy désirer : c'est un secret dont on ne s'estoit pas encore avisé[102], demeurons-en là, si vous m'en croyez : je sçais ce que c'est d'amour, et le dois sçavoir. »

Psiché se paya de ces raisons ; ou si elle ne s'en

paya, elle fit semblant de s'en payer. Cependant elle inventoit mille jeux pour se divertir. Les parterres estoient dépoüillez, l'herbe des prairies foulée. Ce n'étoient que danses et combats de Nymphes qui se séparoient souvent en deux troupes, et distinguées par des écharpes de fleurs, comme par des ordres de Chevalerie, se jettoient en suite tout ce que Flore leur présentoit ; puis le party victorieux dressoit un trophée, et dansoit autour, couronné d'œillets et de roses. D'autresfois Psiché se divertissoit à entendre un défi de rossignols, ou à voir un combat naval de Cignes, des tournois et des joustes de poissons. Son plus grand plaisir estoit de présenter un appast à ces animaux, et après les avoir pris de les rendre à leur élément. Les Nymphes suivoient en cela son exemple. Il y avoit tous les soirs gageure à qui en prendroit davantage. La plus heureuse en sa pesche obtenoit quelque faveur de nostre Héroïne : la plus malheureuse était condamnée à quelque peine, comme de faire un bouquet ou une guirlande à chacune de ses compagnes. Ces spectacles se terminoient par le coucher du Soleil[103].

> Il estoit témoin de la feste,
> Paré d'un magnifique atour,
> Et caché le reste du jour ;
> Sur le soir il monstroit sa teste.

Mais comment la monstroit-il ? Environnée d'un diadème d'or et de pourpre, et avec toute la magnificence et la pompe qu'un Roy des Astres peut étaler.

Le logis fournissoit pareillement ses plaisirs, qui n'estoient tantost que de simples jeux, et tantost des divertissemens plus solides. Psiché commençoit à ne plus agir en enfant. On luy racontoit les Amours des Dieux, et les changemens de forme qu'a causez cette passion source de bien et de mal[104]. Le sçavoir des Fées avoit mis en tapisseries les malheurs de Troye, bien qu'ils ne fussent pas encore arrivez. Psiché se les faisoit expliquer. Mais voicy un merveilleux effet de l'enchantement. Les hommes, comme vous sçavez, ignoroient alors ce bel art que nous appellons Comédie* : il n'estoit pas mesme encore dans son enfance : cependant on le fit voir à la Belle dans la plus grande perfection, et tel que Ménandre et Sophocle nous l'ont laissé. Jugez si on y épargnoit les machines*, les musiciens, les beaux habits, les Balets des anciens et les nostres[105]. Psiché ne se contenta pas de la Fable* ; il falut y joindre l'Histoire, et l'entretenir des diverses façons d'aymer qui sont en usage chez chaque peuple ; quelles sont les beautez des Scithes, quelles celles des Indiens, et tout ce qui est contenu sur ce poinct dans les archives de l'Univers, soit pour le passé, soit pour l'avenir, à l'exception de son avanture qu'on lui cacha, quelque prière qu'elle fist aux Nymphes de la luy apprendre. Enfin sans qu'elle bougeast de son Palais toutes les affaires qu'Amour a dans les quatre parties du monde luy passèrent devant les yeux. Que vous diray-je davantage ? On luy enseigna jusqu'aux secrets de la Poësie. Cette corruptrice des cœurs acheva de gaster celuy de nostre Héroïne, et la fit tomber dans un mal que les Médecins appellent glucomorie*, qui luy pervertit tous les sens, et la ravit comme à elle mesme. Elle parloit estant seule,

> *Ainsi qu'en usent les Amans*
> *Dans les vers et dans les Romans ;*

alloit resver au bord des fontaines, se plaindre aux rochers, consulter les antres sauvages : c'estoit où son mary l'attendoit. Il n'y eut chose dans la nature qu'elle n'entretinst de sa passion. « Hélas, disoit-elle aux arbres, je ne sçaurois graver sur vostre écorce que mon nom seul, car je ne sçais pas celuy de la personne que j'ayme. » Après les arbres, elle s'adressoit aux ruisseaux : ceux-cy estoient ses principaux confidens, à cause de l'avanture que je vous ai dite. S'imaginant que leur rencontre luy estoit heureuse, il n'y en cut pas un auquel elle ne s'arrestast, jusqu'à espérer qu'elle attraperoit sur leurs bords son Mary dormant, et qu'après il seroit inutile au Monstre de se cacher. Dans cette pensée elle leur disoit à peu près les choses que je vais vous dire, et les leur disoit en vers aussi bien que moy.

Ruisseaux, enseignez-moy l'objet de mon amour ;
Guidez vers luy mes pas, vous dont l'onde est si pure.
Ne dormiroit-il point en ce sombre séjour,
Payant un doux tribut à vostre doux murmure ?

En vain pour le sçavoir Psiché vous fait la cour :
En vain elle vous vient conter son avanture.
Vous n'osez déceler* cet ennemy du jour,
Qui rit en quelque coin du tourment que j'endure.

Il s'envole avec l'ombre, et me laisse appeller.
Hélas j'use au hazard de ce mot d'envoler ;
Car je ne sçais pas mesme encor s'il a des aisles.

J'ay beau suivre vos bords, et chercher en tous lieux :
Les antres seulement m'en disent des nouvelles ;
Et ce que je chéris n'est pas fait pour mes yeux.

Ne doutez point que ces peines dont parloit Psiché n'eussent leurs plaisirs : elle les passoit souvent sans s'appercevoir de la durée, je ne diray pas des heures, mais des Soleils : de sorte que l'on peut dire que ce qui manquoit à sa joye faisoit une partie des douceurs qu'elle goustoit en aymant ; mille fois heureuse si elle eust suivy les conseils de son époux, et qu'elle eust compris l'avantage et le bien que c'est de ne pas atteindre à la suprême félicité ; car si-tost que l'on en est là, il est force que l'on descende, la fortune n'estant pas d'humeur à laisser reposer sa roüe. Elle est femme, et Psiché l'estoit aussi, c'est à dire incapable de demeurer en un mesme état. Nostre Héroïne le fit bien voir par la suite.

Son mary qui sentoit approcher ce moment fatal ne la venoit plus visiter avec sa gayeté ordinaire. Cela fit craindre à la jeune épouse quelque refroidissement. Pour s'en éclaircir (comme nous voulons tout sçavoir jusqu'aux choses qui nous déplaisent) elle dit à son époux : « D'où vient la tristesse que je remarque depuis quelque temps dans tous vos discours ? Rien ne vous manque, et vous soûpirez. Que feriez-vous donc si vous estiez en ma place ? N'est-ce point que vous commencez à vous dégouster ? En vérité je le crains ; non pas que je sois devenuë moins belle ; mais, comme vous dites vous mesme, je suis plus vostre que je n'estois. Seroit-il possible après tant de cajolleries et de sermens que j'eusse perdu vostre amour ? Si ce malheur là m'est arrivé je ne veux plus vivre. » A peine eut elle achevé ces paroles que le Monstre fit un soûpir, soit qu'il fust touché des choses qu'elle avoit dites, soit qu'il eust un pressentiment de ce qui devoit arriver. Il se mit en suite à pleurer, mais fort tendrement ; puis cédant à la douleur, il se laissa mollement aller sur le sein de la jeune épouse qui de son costé, pour mesler ses larmes avec celles de son mary, pancha doucement la teste, de sorte que leurs bouches se rencontrèrent, et nos Amans n'ayant pas le courage de les séparer, demeurèrent long-temps sans rien dire. Toutes ces circonstances sont déduites* au long dans le manuscrit dont je vous ay parlé tantost[106]. Il faut que je vous l'avoüe ; je ne lis jamais cet endroit que je ne me sente émeu.

« En effet, dit alors Gélaste, qui n'auroit pitié de ces pauvres gens ? Perdre la parole ! il faut croire que leurs bouches s'estoient bien malheureusement rencontrées : Cela me semble tout à fait digne de compassion.

— Vous en rirez tant qu'il vous plaira, reprit Poliphile ; mais pour moy je plains deux Amans de qui les caresses sont meslées de crainte et d'inquiétude.

Si dans une ville assiégée ou dans un vaisseau menacé de la tempeste deux personnes s'embrassoient ainsi, les tiendriez-vous heureuses ?

— Ouy vrayment, repartit Gélaste, car en tout ce que vous dites-là le péril est encore bien éloigné. Mais veu l'intérest que vous prenez à la satisfaction de ces deux époux, et la pitié que vous avez d'eux, vous ne vous hastez guère de les tirer de ce misérable estat où vous les avez laissez. Ils mourront si vous ne leur rendez la parole.

— Rendons-la leur donc », continua Poliphile.

Au sortir de cet extase la première chose que fit Psiché, ce fut de passer sa main sur les yeux de son époux, afin de sentir s'ils estoient humides, car elle craignoit que ce ne fust feinte. Les ayant trouvez en bon état, et comme elle les demandoit, c'est à dire moüillez de larmes, elle condamna ses soupçons, et fit scrupule* de démentir un témoignage de passion beaucoup plus certain que toutes les assurances de bouche, sermens et autres. Cela luy fit attribuer le chagrin de son mary à quelque défaut de tempérament, ou bien à des choses qui ne la regardoient point. Quant à elle, après tant de preuves, la puissance de ses appas lui sembla trop bien établie, et le Monstre trop amoureux, pour faire qu'elle craignist aucun changement. Luy au contraire auroit souhaité qu'elle appréhendast ; car c'estoit l'unique moyen de la rendre sage, et de mettre un frein à sa curiosité. Il luy dit beaucoup de choses sur ce sujet, moitié sérieusement et moitié avec raillerie ; à quoy Psiché repartoit fort bien : et le mary déclamoit toûjours contre les femmes trop curieuses.

« Que vous estes estrange avec vostre curiosité ! luy dit son épouse. Est-ce vous désobliger que de souhaiter de vous voir, puisque vous dites vous mesme que vous estes si agréable ? Hé bien, quand j'auray tasché de me satisfaire qu'en sera-t-il ?

— Je vous quiteray, dit le Mary.

— Et moy je vous retiendray, repartit la Belle.

— Mais si j'ay juré par le Styx ? continua son époux.

— Qui est-il ce Styx[107] ? dit nostre Héroïne. Je vous demanderois volontiers s'il est plus puissant que ce qu'on appelle Beauté. Quand il le seroit, pourriez-vous souffrir que j'errasse par l'univers ? et que Psiché se plaignist d'estre abandonnée de son mary sur un prétexte de curiosité, et pour ne pas manquer de parole au Styx ? Je ne vous puis croire si déraisonnable. Et le scandale et la honte ?

— Il paroist bien que vous ne me connoissez pas, repartit l'époux, de m'alléguer le scandale et la honte : ce sont choses dont je ne me mets guère en peine. Quant à vos plaintes, qui vous écoutera ? et que direz-vous ? Je voudrois bien que quelqu'un des Dieux fust si téméraire que de vous accorder sa protection. Voyez-vous, Psiché, cecy n'est point une raillerie : je vous ayme autant que l'on peut aymer : mais ne me comptez plus pour amy dès le moment que vous m'aurez veu. Je sçais bien que vous n'en parlez que par raillerie, et non pas avec un véritable dessein de me causer un tel déplaisir : Cependant j'ay sujet de craindre qu'on ne vous conseille de l'entreprendre. Ce ne sont pas les Nymphes : elles n'ont garde de* me trahir, ny de vous rendre ce mauvais office*. Leur qualité de demy-Déesses les empesche d'estre envieuses : puis je les tiens toutes par des engagemens trop particuliers. Défiez-vous du dehors. Il y a déjà deux personnes au pied de ce mont qui vous viennent rendre visite. Vous et moy nous nous passerions fort bien de ce témoignage de bien-veillance. Je les chasserois, car elles me choquent, si le destin qui est maistre de toutes choses me le permettoit. Je ne vous nommeray point ces personnes. Elles vous appellent de tous costez. S'il arrive que le destin porte leur voix jusqu'à vous, ce que je ne sçaurois empescher, ne descendez pas, laissez les crier, et qu'elles viennent comme elles pourront. » Là dessus il la quitta sans vouloir luy dire quelles personnes c'estoient ; quoy que la Belle promist avec grands sermens de ne pas les aller trouver, et encore moins de les croire.

Voilà Psiché fort embarrassée comme vous voyez. Deux curiositez à la fois ! y a-t-il femme qui y résistast ? elle épuisa sur ce dernier poinct tout ce qu'elle avoit de lumières et de conjectures. « Cette visite m'estonne, disoit-elle en se promenant un peu loin des Nymphes. Ne seroit-ce point mes parens ? Hélas, mon mary est bien cruel d'envier* à deux personnes qui n'en peuvent plus la satisfaction de me voir. Si les bonnes gens* vivent encore, ils ne sçauroient estre fort éloignez du dernier moment de leur course. Quelle consolation pour eux que d'apprendre combien je suis pourveuë richement, et si avant que d'entrer dans la tombe ils voyoient au moins un échantillon des douceurs et des avantages dont je joüis, afin d'en emporter quelque souvenir chez les Morts ! mais si ce sont eux, pourquoy mon mary se met-il en peine ? ils ne m'ont jamais inspiré que l'obéyssance. Vous verrez que ce sont mes sœurs. Il ne doit pas non plus les appréhender. Les pauvres femmes n'ont autre soin que de contenter leurs maris. O Dieux ! je serois ravie de les mener en tous les endroits de ce beau séjour, et sur tout de leur faire voir la Comédie* et ma garderobe. Elles doivent avoir des enfans, si la mort ne les a privées depuis mon départ de ces doux fruits de leur mariage : qu'elles seroient aises de leur reporter mille menus affiquets et joyaux de prix dont je ne tiens compte, et que les Nymphes et moy nous foulons aux pieds, tant ce logis en est plein ! »

Ainsi raisonnoit Psiché, sans qu'il luy fust possible d'asseoir aucun jugement certain sur ces deux personnes : il y avoit mesme des intervalles où elle croyoit que ce pouvoient estre quelques-uns de ses Amans*. Dans cette pensée elle disoit quelque peu plus bas :

« Ne vas point en prendre l'alarme, charmant époux ; laisse-les venir ; je te les sacrifieray de la plus cruelle manière dont jamais femme se soit avisée ; et tu en auras le plaisir ; fussent-ils enfans de Roy. »

Ces réflexions furent interrompuës par le Zéphire qu'elle vid venir à grands pas et fort échauffé. Il s'approcha d'elle avec le respect ordinaire ; luy dit que ses sœurs estoient au pied de cette montagne ; qu'elles avoient plusieurs fois traversé le petit bois sans qu'il leur eust esté possible de passer outre, les Dragons les arrestant avec grand'frayeur ; qu'au reste c'estoit pitié que de les oüir appeller ; qu'elles n'avoient tantost plus de voix, et que les Échos n'estoient occupez qu'à répéter le nom de Psiché. Le pauvre Zéphire pensoit bien faire. Son maistre qui avoit défendu aux Nymphes de donner ce funeste avis, ne s'estoit pas souvenu de luy en parler : Psiché le remercia agréablement, comme toutes choses ; et luy dit qu'on auroit peut-estre besoin de son ministère.

Il ne fut pas sitost retiré que la Belle mettant à part les menaces de son époux ne songea plus qu'aux moyens d'obtenir de luy que ses sœurs seroient enlevées comme elle à la cime de ce rocher. Elle médita une harangue pour ce sujet, ne manqua pas de s'en servir, et de bien prendre son temps*, et d'entremesler le tout de caresses ; faites vostre compte qu*'elle n'omit rien de ce qui pouvoit contribuer à sa perte. Je voudrois m'estre souvenu des termes de cette harangue ; vous y trouveriez une éloquence, non pas véritablement* d'Orateur, ny aussi* d'une personne qui n'auroit fait toute sa vie qu'écouter. La Belle représenta entre autres choses que son bon-heur seroit imparfait tant qu'il demeureroit inconnu. A quoy bon tant d'habits superbes ? il sçavoit très-bien qu'elle avoit de quoy s'en passer : s'il avoit cru à propos de luy en faire un présent, ce devoit estre plûtost pour la monstre que pour le besoin. Pourquoy les raretez de ce séjour si on ne luy permettoit de s'en faire honneur ? car à son égard ce n'estoit plus raretez : l'émail des parterres, celuy des prez, et celuy des pierreries commençoient à luy estre égaux ; leur différence ne dépendoit plus que des yeux d'autrui. Il ne faloit pas blasmer une ambition dont elle avoit pour exemple tout ce qu'il y a de plus grand au monde. Les Roys se plaisent à étaler leurs richesses, et à se montrer quelquefois avec l'éclat et la gloire dont ils joüissent. Il n'est pas jusqu'à Jupiter qui n'en fasse autant. Quant à elle, cela luy estoit interdit, bien qu'elle en eût plus de besoin qu'aucun autre : car après les paroles de l'Oracle quelle croyance pouvoit-on avoir de l'estat de sa fortune ? point d'autre sinon qu'elle vivoit enfermée dans quelque repaire, où elle se nourrissoit de la proye que luy apportoit son mary, devenuë compagne des Ours : pourveu qu'encore ce mesme mary eust attendu jusques-là à la dévorer. Qu'il avoit intérest pour son propre honneur de détruire cette croyance, et qu'elle luy en parloit beaucoup plus pour luy que pour elle : quoy qu'à dire la vérité il luy fust fâcheux de passer pour un objet de pitié après avoir esté un objet d'envie. Et que sçavoit elle si ses parens n'en estoient point morts, ou n'en mourroient point de douleur ? si ses sœurs l'aymoient, pourquoy leur laisser ce déplaisir ? et si elles avoient d'autres sentimens, y avoit-il un meilleur moyen de les punir que de les rendre témoins de sa gloire ? C'est en substance ce que dit Psiché.

Son époux lui repartit : « Voilà les meilleures raisons du monde ; mais elles ne me persuaderoient pas s'il m'estoit libre d'y résister. Vous estes tombée justement dans les trois défauts qui ont le plus accoustumé de nuire aux personnes de vostre sexe ; la curiosité, la vanité, et le trop d'esprit. Je ne répons pas à vos argumens, ils sont trop subtils : et puisque vous voulez vostre perte, et que le destin la[a] veut aussi, je vas y

---

a. Var. B.L. : Le correcteur avait dans un premier temps remplacé « la » par « le », avant de rétablir la version primitive.

mettre ordre, et commander au Zéphire de vous apporter vos sœurs. Plûst au Sort qu'il les laissast tomber en chemin !

— Non, non, reprit Psiché quelque peu piquée, puisque leur visite vous déplaist tant, ne vous en mettez plus en peine : je vous ayme trop pour vous vouloir obliger à ces complaisances.

— Vous m'aymez trop ? repartit l'époux : vous Psiché, vous m'aymez trop ? et comment voulez-vous que je le croye ? sçachez que les vrais Amans ne se soucient que de leur amour. Que le monde parle, raisonne, croye ce qu'il voudra ; qu'on les plaigne, qu'on les envie ; tout leur est égal, c'est à dire indifférent. »

Psiché l'assura qu'elle estoit dans ces sentimens, mais il faloit pardonner quelque chose à sa jeunesse, outre l'amitié qu'elle avoit toûjours euë pour ses sœurs : non qu'elle insistast davantage sur la liberté de les voir. En disant qu'elle ne la demandoit pas, ses caresses la demandoient, et l'obtinrent enfin. Son époux luy dit qu'elle possédast à son aise ces sœurs si chéries ; qu'afin de luy en donner le loisir il demeureroit quelques jours sans la venir voir. Et sur ce que nostre Héroïne luy demanda s'il trouveroit bon qu'elle les régalast de quelques présens : « Non seulement elles, luy dit l'époux, mais leur famille, leur parenté. Divertissez-les comme il vous plaira ; donnez-leur diamans et perles, donnez-leur tout, puisque tout vous appartient. C'est assez pour moy que vous vous gardiez de les croire. » Psiché le promit et ne le tint pas.

Le Monstre partit, et quita sa femme plus matin que de coustume ; si bien qu'y ayant encore beaucoup de chemin à faire jusqu'à l'Aurore, nostre Héroïne en acheva une partie en resvant à la visite qu'elle estoit preste de recevoir, une autre partie en dormant. Et à son lever elle fut toute estonnée que les Nymphes luy amenèrent ses sœurs. La joye de Psiché ne fut pas moindre que sa surprise : elle en donna mille marques, mille baisers que ses sœurs receurent au moins mal qui leur fut possible, et avec toute la dissimulation dont elles se trouvèrent capables. Déjà l'envie s'estoit emparée du cœur de ces deux personnes. Comment ! on les avoit fait attendre que leur sœur fust éveillée ! Estoit-elle d'un autre sang, avoit-elle plus de mérite que ses aisnées ? leur cadete estre une Déesse, et elles de chétives* Reynes ! la moindre chambre de ce Palais valoit dix royaumes comme ceux de leurs maris ! passe encore pour des richesses ; mais de la divinité, c'estoit trop. Hé quoy les mortelles n'estoient pas dignes de la servir ? on voyoit une douzaine de Nymphes à l'entour d'une toilette*, à l'entour d'un brodequin ! mais quel brodequin ? qui valoit autant que tout ce qu'elles avoient cousté en habits depuis qu'elles estoient au monde. C'est ce qui rouloit au cœur de ces femmes, ou pour mieux dire de ces furies ; je ne devrois plus les appeller autrement.

Cette première entrevuë se passa pourtant comme il faut, grâces à la franchise de Psiché et à la dissimulation de ses sœurs. Leur cadete ne s'habilla qu'à demy, tant il tardoit à la Belle de leur montrer sa béatitude. Elle commença par le poinct le plus important, c'est à dire par les habits, et par l'attirail que le sexe traisne après luy. Il estoit rangé dans des magazins dont à peine on voyait le bout ; vous sçavez que cet attirail est une chose infinie. Là se rencontroit avec abondance ce qui contribuë non-seulement à la propreté*, mais à la délicatesse ; équipage* de jour et de nuit, vases et baignoires d'or cizelé, instrumens du luxe, laboratoires ; non pour les fards ; dequoy eussent-ils servy à Psiché ? puis l'usage en estoit alors inconnu. L'artifice et le mensonge ne régnoient pas comme ils font en ce siècle-cy. On n'avoit point encore veu de ces femmes qui ont trouvé le secret de devenir vieilles à vingt ans, et de paroistre jeunes à soixante ; et qui moyennant trois ou quatre boistes, l'une d'embonpoint*, l'autre de fraischeur, et la troisième de vermillon, font subsister leurs charmes comme elles peuvent. Certainement l'amour leur est obligé de la peine qu'elles se donnent. Les laboratoires dont il s'agit n'estoient donc que pour les parfums. Il y en avoit en eaux, en essences, en poudres, en pastilles, et en mille espèces dont je ne sçais pas les noms, et qui n'en eurent possible* jamais. Quand tout l'Empire de Flore, avec les deux Arabies, et les lieux où naist le baume[108] seroient distilez, on n'en feroit pas un assortiment de senteurs comme celuy-là. Dans un autre endroit estoient des piles de joyaux, ornemens et chaisnes de pierreries, brasselets, colliers, et autres machines qui se fabriquent à Cythère. On étala les filets de perles : on déploya les habits chamarrez de diamans : il y avoit dequoy armer un million de Belles de toutes pièces. Non que Psiché ne se pust passer de ces choses, comme je l'ay déjà dit : elle n'estoit pas de ces Conquérantes à qui il faut un peu d'ayde : mais pour la grandeur et pour la forme son mary le vouloit ainsi.

Ses sœurs soupiroient à la veuë de ces objets ; c'estoient autant de serpens qui leur rongeoient l'âme. Au sortir de cet arcenal, elles furent menées dans les chambres, puis dans les jardins, et par tout elles avaloient un nouveau poison. Une des choses qui leur causa le plus de dépit fut qu'en leur présence nostre Héroïne ordonna aux Zéphirs de redoubler la fraischeur ordinaire de ce séjour, de pénétrer jusqu'au fond des bois, d'avertir les rossignols qu'ils se tinssent prests, et que ses sœurs se promèneroient sur le soir en un tel endroit. « Il ne luy reste, se dirent les sœurs à l'oreille, que de commander aux saisons et aux élémens. »

Cependant les Nymphes n'estoient pas inutiles. Elles préparoient les autres plaisirs, chacune selon son office ; celles-là les collations, celles-cy la simphonie, d'autres les divertissements de théâtre. Psiché trouva bon que ces dernières missent son avanture en

Comédie*. On y joüa les plus considérables de ses Amans*, à l'exception du mary qui ne parut point sur la Scène. Les Nymphes estoient trop bien averties pour le donner à connoistre. Mais comme il faloit une conclusion à la pièce, et que cette conclusion ne pouvoit estre autre qu'un mariage[109], on fit épouser la Belle par Ambassadeurs, et ces Ambassadeurs furent les Jeux et les Ris : mais on ne nomma point le mary.

Ce fut le premier sujet qu'eurent les deux sœurs de douter des charmes de cet époux. Elles s'estoient malicieusement informées de ses qualitez, s'imaginant que ce seroit un vieux Roy qui ne pouvant mieux, amusoit sa femme avec des bijoux. Mais Psiché leur en avoit dit des merveilles : Qu'il n'estoit guère plus âgé que la plus jeune d'entre-elles deux ; qu'il avoit la mine d'un Mars, et pourtant beaucoup de douceur en son procédé ; les traits de visage agréables ; galant sur tout. Elles en seroient juges elles-mesmes : non de ce voyage : il estoit absent : les affaires de son Estat le retenoient en une Province dont elle avoit oublié le nom. Au reste qu'elles se gardassent bien d'interpréter l'Oracle à la lettre. Ces qualitez d'incendiaire et d'empoisonneur n'estoient autre chose qu'une énigme qu'elle leur expliqueroit quelque jour[110], quand les affaires de son époux le luy permettroient. Les deux sœurs écoutoient ces choses avec un chagrin* qui alloit jusqu'au désespoir. Il falut pourtant se contraindre pour leur honneur, et aussi pour se conserver quelque créance en l'esprit de leur cadete. Cela leur estoit nécessaire dans le dessein qu'elles avoient. Les maudites femmes s'estoient proposées de tenter toutes sortes de moyens pour engager leur sœur à se perdre, soit en luy donnant de mauvaises impressions de son mary, soit en renouvellant dans son âme le souvenir d'un de ses Amans*.

Huit jours se passèrent en divertissemens continuels à toûjours changer : nos envieuses se gardoient bien de demander deux fois une mesme chose : C'eust esté faire plaisir à leur sœur, qui de son costé les accabloit de caresses. Moins elles avoient lieu de s'ennuyer, et plus elles s'ennuyoient. Elles auroient pris congé dès le second jour, sans la curiosité de voir ce mary qu'elles ne croyoient ny si beau ny si aimable que disoit Psiché. Beaucoup de raisons le leur faisoient juger de la sorte. Premièrement les paroles de l'Oracle, cette prétenduë absence qui se rencontroit* justement dans le temps de leur visite, cette Province dont Psiché avait oublié le nom, l'embarras où elle estoit en parlant de son mary; elle n'en parloit qu'en hésitant, estant trop bien née et trop jeune pour pouvoir mentir avec assurance. Ses sœurs faisoient leur profit de tout. L'envie leur ouvroit les yeux : c'est un démon* qui ne laisse rien échapper, et qui tire conséquence de toutes choses aussi bien que la jalousie.

Au bout des huit jours Psiché congédia ses aisnées avec force dons et prières de revenir. Qu'on ne les feroit plus attendre comme on avoit fait ; qu'elle tascheroit d'obtenir de son mary que les Dragons fussent enchaisnez ; qu'aussitost qu'elles seroient arrivées au pied du rocher on les enlèveroit au sommet, soit le Zéphire en personne, soit son haleine ; elles n'auroient qu'à s'abandonner dans les airs. Les présens que leur fit Psiché furent des essences et des pierreries ; force raretez à leurs maris ; toutes sortes de joüets à leurs enfans ; quant aux personnes dont la Belle tenoit le jour, deux fioles d'un élixir capable de rajeunir la vieillesse mesme.

Les deux sœurs parties, et le mary revenu, Psiché luy conta tout ce qui s'estoit passé, et le receut avec les caresses que l'absence a coustume de produire entre nouveaux mariez ; si bien que le Monstre ne trouvant point l'amour de sa femme diminuée ny sa curiosité accruë, se mit en l'esprit qu'en vain il craignoit ces sœurs, et se laissa tellement persuader qu'il agréa leurs visites, et donna les mains* à tout ce que voulut sa femme sur ce sujet.

Les sœurs ne trouvèrent pas à propos de révéler ces merveilles ; c'eust esté contribuer elles mesmes à la gloire de leur cadete. Elles dirent que leur voyage avoit esté inutile ; qu'elles n'avoient point veu Psiché, mais qu'elles espéroient la voir par le moyen d'un jeune homme appellé Zéphire, qui tournoit sans cesse à l'entour du roc, et qu'elles gagneroient infailliblement, pourveu qu'elles s'en voulussent donner la peine.

Quand elles estoient seules, et qu'on ne pouvoit les entendre, elles se plaignoient l'une à l'autre de la félicité de leur sœur. « Si son mary, disoit l'une, est aussi bien fait qu'il est riche, nostre cadete se peut vanter que l'épouse de Jupiter n'est pas si heureuse qu'elle. Pourquoy le sort luy a-t-il donné tant d'avantage sur nous ? méritions-nous moins que cette jeune étourdie ? et n'avions-nous pas autant de beauté et plus d'esprit qu'elle ?

— Je voudrois que vous sceussiez, disoit l'autre, quelle sorte de mary j'ay épousé ; il a toûjours une douzaine de médecins à l'entour de sa personne. Je ne sçay comme* il ne les fait point coucher avec luy : car pour me faire cet honneur, cela ne luy arrive que rarement, et par des considérations d'Estat : encore faut-il qu'Esculape le luy conseille.

— Ma condition, continuoit la première, est pire que tout cela : car non seulement mon mary me prive des caresses qui me sont deuës ; mais il en fait part à d'autres personnes. Si vostre époux a une douzaine de Médecins à l'entour de luy, je puis dire que le mien a deux fois autant de maistresses qui toutes, grâces à Lucine[111], ont le don de fécondité. La famille royale est tantost si ample qu'il y auroit dequoy faire une colonie très-considérable[112]. » C'est ainsi que nos envieuses se confirmoient dans leur mécontentement et dans leur dessein.

Un mois estoit à peine écoulé qu'elles proposèrent un second voyage. Les parens l'approuvèrent fort, les maris ne le désapprouvèrent pas : c'estoit autant de temps passé sans leurs femmes. Elles partent donc, laissent leur train* à l'entrée du bois, arrivent au pied du rocher sans obstacle et sans dragons. Le Zéphire ne parut point, et ne laissa* pas de les enlever[113].

> Ce meschant couple amenoit avec luy
> La curieuse et misérable envie,
> Pasle Démon*, que le bon-heur d'autruy
> Nourrit de fiel et de mélancolie.

Cela ne les rendit pas plus pesantes : au contraire la maigreur estant inséparable de l'envie, la charge n'en fut que moindre, et elles se trouvèrent en peu d'heures dans le Palais de leur sœur. On les y receut si bien, que leur déplaisir en augmenta de moitié. Psiché s'entretenant avec elles ne se souvint pas de la manière dont elle leur avoit peint son mary la première fois ; et par un défaut de mémoire où tombent ordinairement ceux qui ne disent pas la vérité, elle le fit de moitié plus jeune, d'une beauté délicate, et non plus un Mars, mais un Adonis[114] qui ne feroit que sortir de page. Les sœurs estonnées de ces contradictions ne sceurent d'abord qu'en juger. Tantost elles soupçonnoient leur sœur de se railler d'elles, tantost de leur déguiser les défauts de son mary. A la fin elles la tournèrent de tant de costez que la pauvre épouse avoüa la chose comme elle estoit. Ce fut aussitost de luy glisser leur venin ; mais d'une manière que Psiché ne s'en put appercevoir.

« Toute honneste femme, luy dirent elles, se doit contenter du mary que les Dieux luy ont donné, quel qu'il puisse estre, et ne pas pénétrer plus avant qu'il ne plaist à ce mary. Si c'estoit toutefois un Monstre que vous eussiez épousé, nous vous plaindrions ; d'autant plus que vous pouvez en devenir grosse ; et quel déplaisir de mettre au jour des enfans que le jour n'éclaire qu'avec horreur, et qui vous font rougir vous et la nature !

« — Hélas, dit la Belle avec un soûpir, je n'avois pas encore fait de réflexion là-dessus. » Ses sœurs luy ayant allégué de méchantes raisons pour ne s'en pas soucier, se séparèrent un peu d'elle afin de laisser agir leur venin.

Quand elle fut seule, toutes ses craintes, tous ses soupçons luy revinrent dans la pensée. « Ah mes sœurs, s'écria-t-elle, en quelle peine vous m'avez mise ! Les personnes riches souhaitent d'avoir des enfans : moi qui ne suis entourée que de pierreries, il faut que je fasse des vœux au contraire*. C'est estre bien-malheureuse que de posséder tant de trésors et appréhender la fécondité. »

Elle demeura quelque temps comme ensevelie dans cette pensée, puis recommença avec plus de véhémence qu'auparavant. « Quoy Psiché peuplera de monstres tout l'univers ! Psiché à qui l'on a dit tant de fois qu'elle le peupleroit d'amours et de grâces ! non, non, je mourray plûtost que de m'exposer davantage à un tel hazard*. En arrive ce qui pourra : je veux m'éclaircir, et si je trouve que mon mary soit tel que je l'appréhende, il peut bien se pourvoir de femme ; je ne voudrois pas l'estre un seul moment du plus riche monstre de la nature. »

Nos deux furies qui ne s'estoient pas tant éloignées qu'elles ne pussent voir l'effet du poison, entendirent plus d'à demy ces paroles, et se rapprochèrent. Psiché leur déclara naïvement la résolution qu'elle avoit prise. Pour fortifier ce sentiment les deux sœurs le combattirent, et non contentes de le combattre, elles firent encore mille façons propres à augmenter la curiosité et l'inquiétude. Elles se parloient à l'oreille, haussoient les épaules, jettoient des regards de pitié sur leur sœur. La pauvre épouse ne put résister à tout cela. Elle les pressa à la fin d'une telle sorte, qu'après un nombre infini de précautions, elles luy dirent tout bas : « Nous voulons bien vous avertir que nous avons veu sur le point du jour un dragon dans l'air. Il voloit avec assez de peine, appuyé sur le Zéphire qui voloit aussi à costé de luy. Le Zéphire l'a soustenu jusqu'à l'entrée d'une caverne effroyable. Là le Dragon l'a congédié et s'est estendu sur le sable. Comme nous n'estions pas loin, nous l'avons veu se repaistre de toutes sortes d'insectes* (vous sçavez que les avenuës de ce Palais en fourmillent), après ce repas et un siflement, il s'est traisné sur le ventre dans la caverne. Nous qui estions estonnées* et toutes tremblantes nous nous sommes éloignées de cet endroit avec le moins de bruit que nous avons pû, et avons fait le tour du rocher de peur que le Dragon ne nous entendist lors que nous vous appellerions. Nous vous avons mesme appellée moins haut que nous n'avions fait à la précédente visite. Aux premiers accens de nostre voix une douce haleine est venuë nous enlever, sans que le Zéphire ait paru. »

C'estoit mensonge que tout cela ; cependant Psiché y ajoûta foy : les personnes qui sont en peine croyent volontiers ce qu'elles appréhendent. De ce moment-là nostre Héroïne cessa de goûter sa béatitude ; et n'eut en l'esprit qu'un Dragon imaginaire dont la pensée ne la quitta point. C'estoit à son compte ce digne époux que les Dieux luy avoient donné, avec qui elle avoit eu des conversations si touchantes, passé des heures si agréables, goûté de si doux plaisirs. Elle ne trouvoit plus estrange qu'il appréhendast d'estre veu, c'estoit judicieusement fait à luy. Il y avoit pourtant des momens où nostre Héroïne doutoit. Les paroles de l'Oracle ne luy sembloient nullement convenir à la peinture de ce dragon. Mais voicy comme* elle accordoit l'un et l'autre. « Mon mary est un Démon* ou bien un Magicien qui se fait tantost Dragon, tantost loup, tantost empoisonneur et incendiaire ; mais toûjours Monstre. Il me fascine les yeux, et me fait accroire que je suis dans un Palais, servie par des Nymphes, environnée de magnificence, que j'entends des musiques, que je voy des Comédies* ; et tout cela, songe : il n'y a rien de réel sinon que je couche aux

110

costez d'un Monstre ou de quelque Magicien ; l'un ne vaut pas mieux que l'autre. »

Le désespoir de Psiché passa si avant que ses sœurs eurent tout sujet d'en estre contentes ; ce que ces misérables femmes se gardèrent bien de témoigner. Au contraire elles firent les affligées : elles prirent mesme à tasche de consoler leur cadete ; c'est à dire de l'attrister encor davantage, et luy faire voir que puisqu'elle avoit besoin qu'on la consolast, elle estoit véritablement malheureuse. Nostre Héroïne ingénieuse à se tourmenter fit ce qu'elle pût pour les satisfaire. Mille pensées luy vinrent en l'esprit, et autant de résolutions différentes, dont la moins funeste estoit d'avancer ses jours sans essayer de voir son mary. « Je m'en iray, disoit-elle, parmi les Morts, avec cette satisfaction que de m'estre fait violence pour luy complaire. » La curiosité fut toutefois la plus forte, outre le dépit d'avoir servy aux plaisirs d'un Monstre. Comment se monstrer après cela ! Il faloit sortir du monde : mais il en faloit sortir par une voye honorable ; c'estoit de tuer celuy qui se trouveroit avoir abusé de sa beauté, et se tuer elle-mesme après. Psiché ne se pût rien imaginer de plus à propos ny de plus expédient. Elle en demeura donc là : il ne restoit plus que de trouver les moyens de l'exécuter : c'est où la difficulté consistoit. Car premièrement, de voir son Mary, il ne se pouvoit : on emportoit les flambeaux dès qu'elle estoit dans le lit. De le tuer, encore moins : il n'y avoit en ce séjour bienheureux, ny poison, ny poignard, ny autre instrument de vengeance et de désespoir. Nos envieuses y pourveurent ; et promirent à la pauvre épouse de luy apporter au plûtost une lampe et un poignard : elle cacheroit l'un et l'autre jusqu'à l'heure que le sommeil se rendoit maistre de ce Palais, et tenoit charmez le Monstre et les Nymphes ; car c'estoit un des plaisirs de ce beau séjour que de bien dormir. Dans ce dessein les deux sœurs partirent.

Pendant leur absence Psiché eut grand soin de

s'affliger, et encore plus grand soin de dissimuler son affliction. Tous les artifices dont les femmes ont coustume de se servir quand elles veulent tromper leurs maris, furent employez par la Belle : ce n'estoient qu'embrassemens et caresses, complaisances perpétuelles, protestations* et sermens de ne point aller contre le vouloir de son cher époux : on n'y omit rien ; non seulement envers le mary, mais envers les Nymphes : les plus clair-voyantes y furent trompées. Que si elle se trouvoit seule, l'inquiétude la reprenoit. Tantost elle avoit peine à s'imaginer qu'un mary qu'à toutes sortes de marques elle avoit sujet de croire jeune et bien fait, qui avoit la peau et l'humeur si douces, le ton de voix si agréable, la conversation si charmante ; qu'un mary qui aimoit sa femme et qui la traitoit comme une maistresse ; qu'un mary, dis-je, qui estoit servy par des Nymphes, et qui traisnoit à sa suite tous les plaisirs, fust quelque Magicien ou quelque Dragon. Ce que la Belle avoit trouvé si délicieux au toucher, et si digne de ses baisers, estoit donc la peau d'un serpent ! jamais femme s'estoit elle trompée de la sorte ? D'autresfois elle se remettoit en mémoire la pompe funèbre qui avoit servi de cérémonie à son mariage, les horribles hostes de ce rocher ; sur tout le Dragon qu'avoient veu ses sœurs, et qui estant soustenu par le Zéphire, ne pouvoit estre autre que son mary. Cette dernière pensée l'emportoit toûjours sur les autres ; soit par une fatalité particulière, soit à cause que c'estoit la pire, et que nostre esprit va naturellement là.

Au bout de cinq ou six jours les deux sœurs revinrent. Elles s'estoient abandonnées dans les airs comme si elles eussent voulu se laisser tomber. Un soufle agréable les avoit incontinent* enlevées, et portées au sommet du roc. Psiché leur demanda dès l'abord où estoient la lampe et le poignard.

« *Les voicy, dit ce couple, et nous vous asseurons*

De la clarté que fait la lampe.
Pour le poignard, il est des bons,
Bien afilé, de bonne trempe.
Comme nous vous aymons, et ne négligeons rien
Quand il s'agit de vostre bien,
Nous avons eu le soin d'empoisonner la lame :
Tenez-vous seure de ses coups :
C'est fait du Monstre vostre époux,
Pour peu que ce poignard l'entame. »
A ces mots un trait de pitié
Toucha le cœur de nostre Belle.
« Je vous rends grâce, leur dit-elle,
De tant de marques d'amitié. »

Psiché leur dit ces paroles assez froidement, ce qui leur fit craindre qu'elle n'eust changé d'avis : mais elles reconnurent bien-tost que l'esprit de leur cadete estoit toûjours dans la mesme assiete, et que ce sentiment de pitié dont elle n'avoit pas esté la maistresse estoit ordinaire à ceux qui sont sur le poinct de faire du mal à quelqu'un. Quand nos deux furies eurent mis leur sœur en train de se perdre, elles la quittèrent, et ne firent pas long séjour aux environs de cette montagne. Le Mary vint sur le soir, avec une mélancolie extraordinaire, et qui luy devoit estre un pressentiment de ce qui se préparoit contre luy : mais les caresses de sa femme le rassurèrent. Il se coucha donc ; et s'abandonna au sommeil aussi-tost qu'il fut couché.

Voilà Psiché bien embarassée : comme on ne connoist l'importance d'une action que quand on est près de l'exécuter, elle envisagea la sienne dans ce moment-là avec ses suites les plus fâcheuses, et se trouva combattuë de je ne sçay combien de passions* aussi contraires que violentes[115]. L'appréhension, le dépit, la pitié, la colère, et le désespoir, la curiosité principalement ; tout ce qui porte à commettre quelque forfait, et tout ce qui en détourne, s'empara du cœur de nostre

Héroïne, et en fit la Scène de cent agitations différentes. Chaque passion* la tiroit à soy. Il falut pourtant se déterminer. Ce fut en faveur de la curiosité que la Belle se déclara : car pour la colère, il luy fut impossible de l'écouter, quand elle songea qu'elle alloit tuer son mary. On n'en vient jamais à une telle extrémité sans de grands scrupules, et sans avoir beaucoup à combattre. Qu'on fasse telle mine que l'on voudra, qu'on se querelle, qu'on se sépare, qu'on proteste* de se hayr, il reste toûjours un levain d'amour entre deux personnes qui ont esté unies si étroitement. Ces difficultez arrestèrent la pauvre épouse quelque peu de temps. Elle les franchit à la fin, se leva sans bruit, prit le poignard et la lampe qu'elle avoit cachez, s'en alla le plus doucement qu'il luy fut possible vers l'endroit du lit où le Monstre s'estoit couché, avançant un pied, puis un autre, et prenant bien garde à les poser par mesure, comme si elle eust marché sur des pointes de diamans. Elle retenoit jusqu'à son haleine, et craignoit presque que ses pensées ne la décelassent. Il s'en falut peu qu'elle ne priast son ombre de ne point faire de bruit en l'accompagnant.

> *A pas tremblans et suspendus**
> *Elle arrive enfin où repose*
> *Son époux aux bras étendus,*
> *Époux plus beau qu'aucune chose :*
> *C'étoit aussi l'amour : son teint par sa fraischeur,*
> *Par son éclat, par sa blancheur,*
> *Rendoit le lys jaloux, faisoit honte à la rose.*
> *Avant que de parler du teint,*
> *Je devois[116] vous avoir dépeint,*
> *Pour aller par ordre en l'affaire,*
> *La posture du Dieu. Son col estoit panché.*
> *C'est ainsi que le Somme en sa Grotte est couché[117] ;*
> *Ce qu'il ne faloit pas vous taire,*
> *Ses bras à demy nus étaloient des appas,*
> *Non d'un Hercule, ou d'un Atlas,*

114

> D'un Pan, d'un Sylvain, ou d'un Faune,
> Ny mesme ceux d'une Amazone ;
> Mais ceux d'une Vénus à l'âge de vingt ans[118].
> Ses cheveux épars et flotans,
> Et que les mains de la Nature
> Avoient frisez à l'avanture,
> Celles de Flore parfumez,
> Cachoient quelques attraits dignes d'estre estimez :
> Mais Psiché n'en estoit qu'à prendre plus facile,
> Car pour un qu'ils cachoient elle en soupçonnoit mille.
> Leurs anneaux, leurs boucles, leurs nœux,
> Tour à tour de Psiché receurent tous des vœux :
> Chacun eut à part son hommage.
> Une chose nuisit pourtant à ces cheveux ;
> Ce fut la beauté du visage.
> Que vous en diray-je ? et comment
> En parler assez dignement ?
> Suppléez à mon impuissance ;
> Je ne vous aurois d'aujourd'huy
> Dépeint les beautez de celuy
> Qui des beautez a l'intendance.
> Que dirois je des traits où les Ris sont logez ?
> De ceux que les Amours ont entre eux partagez ;
> Des yeux aux brillantes merveilles,
> Qui sont les portes du désir ?
> Et sur tout des lèvres vermeilles,
> Qui sont les sources du plaisir ?

Psiché demeura comme transportée à l'aspect de son époux. Dès l'abord elle jugea bien que c'estoit l'Amour ; car quel autre Dieu luy auroit paru si agréable ? Ce que la beauté, la jeunesse, le divin charme qui communique à ces choses le don de plaire ; ce qu'une personne faite à plaisir peut causer aux yeux de volupté, et de ravissement à l'esprit, Cupidon en ce moment-là le fit sentir à nostre Héroïne. Il dormoit à la manière d'un Dieu, c'est à dire profondément, panché nonchalamment sur un oreiller, un bras sur sa teste, l'autre bras tombant sur les bords du lit, couvert à demy d'un voile de gaze, ainsi que sa mère en use, et les Nymphes aussi, et quelquesfois les Bergères[119]. La joye de Psiché fut grande ; si l'on doit appeler joye ce qui est proprement extase ; encore ce mot est-il foible, et n'exprime pas la moindre partie du plaisir que receut la Belle. Elle bénit mille fois le défaut du sexe, se sceut très-bon gré d'estre curieuse, bien fâchée de n'avoir pas contrevenu dès le premier jour aux défenses qu'on luy avoit faites et à ses sermens. Il n'y avoit pas d'apparence* selon son sens qu'il en deust arriver du mal ; au contraire cela estoit bien, et justifioit les caresses que jusques là elle avoit cru faire à un Monstre. La pauvre femme se repentoit de ne luy en avoir pas fait davantage : elle estoit honteuse de son peu d'amour, toute preste de réparer cette faute si son mary le souhaitoit, quand mesme il ne le souhaiteroit pas.

Ce ne fut pas à elle peu de retenuë de ne point jetter et lampe et poignard pour s'abandonner à son trans-port. Véritablement le poignard luy tomba des mains, mais la lampe non, elle en avoit trop affaire*, et n'avoit pas encore veu tout ce qu'il y avoit à voir. Une telle commodité ne se rencontroit pas tous les jours : il s'en faloit donc servir. C'est ce qu'elle fit, sollicitée de faire cesser son plaisir par son plaisir mesme : tantost la bouche de son mary luy demandoit un baiser, et tantost ses yeux ; mais la crainte de l'éveiller l'arrestoit tout court. Elle avoit de la peine à croire ce qu'elle voyoit, se passoit la main sur les yeux, craignant que ce ne fust songe et illusion ; puis recom-mençoit à considérer son mary. « Dieux immortels, dit-elle en soy-mesme, est-ce ainsi que sont faits les Monstres ? comment donc est fait ce que l'on appelle Amour ? Que tu es heureuse Psiché ! Ah divin époux, pourquoy m'as tu refusé si long-temps la connoissance de ce bon-heur ? craignois-tu que je n'en mourusse de joye ? estoit-ce pour plaire à ta mère, ou à quelqu'une de tes maistresses ? car tu es trop beau pour ne faire le personnage que de mary. Quoy je t'ay voulu tuer ! quoy cette pensée m'est venuë ! O Dieux, je frémis d'horreur à ce souvenir. Suffisoit-il pas cruelle Psiché d'exercer ta rage contre toy seule ? l'Univers n'y eust rien perdu : et sans ton époux que deviendroit-il ? folle que je suis, mon mary est immortel : il n'a pas tenu à moy qu'il ne le fust point. »

Après ces réflexions il luy prit envie de regarder de plus près celuy qu'elle n'avoit déjà que trop veu. Elle pancha quelque peu l'instrument fatal qui l'avoit jusques là servie si utilement. Il en tomba sur la cuisse de son époux une goutte d'huile enflammée. La douleur éveilla le Dieu. Il vid la pauvre Psiché qui toute confuse tenoit sa lampe ; et ce qui fut de plus malheureux il vid aussi le poignard tombé près de luy. Dispensez-moy de vous raconter le reste : vous seriez touchez de trop de pitié au récit que je vous ferois.

> *Là finit de Psiché le bonheur et la gloire :*
> *Et là vostre plaisir pourroit cesser aussi.*
> *Ce n'est pas mon talent d'achever une histoire*
> *Qui se termine ainsi.*

« Ne laissez* pas de continuer, dit Acante, puisque vous nous l'avez promis : peut-estre aurez vous mieux réüssi que vous ne croyez.

Quand cela seroit, reprit Poliphile, quelle satisfaction aurez-vous ? vous verrez souffrir une Belle, et en pleurerez, pour peu que j'y contribuë[120].

— Et bien, repartit Acante, nous pleurerons. Voilà un grand mal pour nous : les Héros de l'antiquité pleuroient bien. Que cela ne vous empesche pas de continuer. La compassion a aussi ses charmes qui ne sont pas moindres que ceux du rire. Je tiens mesme qu'ils sont plus grands : et crois qu'Ariste est de mon avis. Soyez si tendre et si émouvant que vous voudrez, nous ne vous en écouterons tous deux que plus volontiers.

— Et moy, dit Gélaste, que deviendray-je ? Dieu m'a fait la grâce de me donner des oreilles aussi bien qu'à vous[a]. Quand Poliphile les consulteroit, et qu'il ne feroit pas tant le pathétique, la chose n'en iroit que mieux, veu la manière d'écrire qu'il a choisie. »

Le sentiment de Gélaste fut approuvé. Et Ariste qui s'estoit teu jusques là, dit en se tournant vers Poliphile : « Je voudrois que vous me pûssiez attendrir le cœur par le récit des avantures de vostre Belle : je luy donnerois des larmes avec le plus grand plaisir du monde. La pitié est celuy des mouvemens du discours qui me plaist le plus[121] : je le préfère de bien loin aux autres. Mais ne vous contraignez point pour cela : il est bon de s'accommoder à son sujet ; mais il est encore meilleur de s'accommoder à son génie*. C'est pourquoy suivez le conseil que vous a donné Gélaste.

— Il faut bien que je le suive, continua Poliphile : comment ferois-je autrement ? J'ay déjà meslé malgré moy de la gayeté parmy les endroits les plus sérieux de cette histoire ; je ne vous asseure pas que tantost je n'en mesle aussi parmy les plus tristes[122]. C'est un défaut dont je ne me sçaurois corriger, quelque peine que j'y apporte.

— Défaut pour défaut : dit Gélaste, j'ayme beaucoup mieux qu'on me fasse rire quand je dois pleurer, que si l'on me faisoit pleurer lors que je dois rire. C'est pourquoy encore une fois continuez comme vous avez commencé.

— Laissons-luy reprendre haleine auparavant, dit Acante, le grand chaud estant passé, rien ne nous empesche de sortir d'icy, et de voir en nous promenant les endroits les plus agréables de ce jardin. Bien que nous les ayons veus plusieurs fois je ne laisse* pas

---

a. Var. B.L. : ... que deviendray-je ? N'ay-je pas une opinion et des sentiments aussi bien que vous ?

d'en estre touché ; et crois qu'Ariste et Poliphile le sont aussi. Quant à Gélaste, il aymeroit mieux employer son temps autour de quelque Psiché, que de converser avec des arbres et des fontaines. On pourra tantost le satisfaire : nous nous asseoirons sur l'herbe menuë pour écouter Poliphile, et plaindrons les peines et les infortunes de son Héroïne avec une tendresse d'autant plus grande que la présence de ces objets nous remplira l'âme d'une douce mélancholie. Quand le Soleil nous verra pleurer, ce ne sera pas un grand mal : il en void bien d'autres par l'univers qui en font autant, non pour le malheur d'autruy, mais pour le leur propre. » Acante fut creu, et on se leva.

Au sortir de cet endroit ils firent cinq ou six pas sans rien dire. Gélaste ennuyé de ce long silence l'interrompit, et fronçant un peu son sourcil : « Je vous ay, dit-il, tantost laissé mettre le plaisir du rire après celuy de pleurer ; trouverez-vous bon que je vous guérisse de cette erreur ? Vous sçavez que le rire est amy de l'homme[123], et le mien particulier ; m'avez-vous creu capable d'abandonner sa défense sans vous contredire le moins du monde ?

— Hélas non, repartit Acante, car quand il n'y auroit que le plaisir de contredire, vous le trouvez assez grand, pour nous engager en une très-longue et très-opiniastre dispute*. »

Ces paroles à quoy Gélaste ne s'attendoit point, et qui firent faire un petit éclat de risée, l'interdirent* un peu. Il en revint aussi-tost. « Vous croyez, dit-il, vous sauver par là, c'est l'ordinaire de ceux qui ont tort, et qui connoissent leur foible, de chercher des fuites ; mais évitez tant que vous voudrez le combat, si faut-il* que vous m'avoüiez que vostre proposition est absurde, et qu'il vaut mieux rire que pleurer.

— A le prendre en général comme vous faites, poursuivit Ariste, cela est vray ; mais vous falsifiez nostre texte. Nous vous disons seulement que la pitié est celuy des mouvemens du discours que nous tenons* le plus noble ; le plus excellent si vous voulez ; je passe encore outre, et le maintiens le plus agréable : voyez la hardiesse de ce paradoxe !

— O Dieux immortels, s'écria Gélaste, y a-t-il des gens assez fous au monde pour soustenir une opinion si extravagante ? Je ne dis pas que Sophocle et Euripide ne me divertissent davantage que quantité de faiseurs de Comédies : mais mettez les choses en pareil degré d'excellence, quitterez-vous le plaisir de voir attraper deux vieillards par un drosle comme Phormion, pour aller pleurer avec la famille du Roi Priam[124] ?

— Ouy encore un coup, je le quitteray, dit Ariste.

— Et vous aymerez mieux, ajoûta Gélaste, écouter Sylvandre faisant des plaintes, que d'entendre Hilas entretenant agréablement ses maistresses[125] ?

— C'est un autre poinct, poursuivit Ariste ; mettez les choses, comme vous dites, en pareil degré d'excellence, je vous répondray là dessus. Sylvandre après tout pourroit faire de telles plaintes, que vous les préféreriez vous mesme aux bons mots d'Hilas.

— Aux bons mots d'Hilas ? repartit Gélaste ; pensez vous bien à ce que vous dites ? sçavez-vous quel homme c'est que l'Hilas de qui nous parlons ? C'est le véritable Héros d'Astrée : c'est un homme plus nécessaire dans le Roman qu'une douzaine de Céladons[126].

— Avec cela*, dit Ariste, s'il y en avoit deux ils vous ennuyeroient, et les autres en quelque nombre qu'ils soient ne vous ennuyent point. Mais nous ne faisons qu'insister l'un et l'autre pour nostre avis, sans en apporter d'autre fondement que nostre avis mesme. Ce n'est pas là le moyen de terminer la dispute*, ny de découvrir qui a tort ou qui a raison.

— Cela me fait souvenir, dit Acante, de certaines gens dont les disputes* se passent entières à nier et à soustenir et point d'autre preuve. Vous en allez avoir une pareille si vous ne vous y prenez d'autre sorte.

— C'est à quoy il faut remédier, dit Ariste : cette matière en vaut bien la peine, et nous peut fournir beaucoup de choses dignes d'estre examinées. Mais comme elles mériteroient plus de temps que nous n'en avons, je suis d'avis de ne toucher que le principal, et qu'après nous réduisions la dispute* au jugement qu'on doit faire de l'ouvrage de Poliphile, afin de ne pas sortir entièrement du sujet pour lequel nous nous rencontrons ici. Voyons seulement qui établira le premier son opinion. Comme Gélaste est l'agresseur, il seroit juste que ce fust luy. Néanmoins je commenceray s'il le veut.

— Non, non, dit Gélaste, je ne veux point qu'on m'accorde de privilège. Vous n'estes pas assez fort pour donner de l'avantage à vostre ennemi. Je vous soustiens donc que les choses estant égales, la plus saine partie du monde préférera toûjours la Comédie à la Tragédie. Que dis-je, la plus saine partie du monde ? mais tout le monde. Je vous demande où le goust universel d'aujourd'huy se porte. La Cour, les Dames, les Cavaliers, les sçavans, le peuple, tout demande la Comédic*, point de plaisir que la Comédie*. Aussi voyons nous qu'on se sert indifféremment de ce mot de Comédie* pour qualifier tous les divertissemens du Théâtre : on n'a jamais dit « les Tragédiens », ny, « allons à la Tragédie ».

— Vous en sçavez mieux que moy la véritable raison, dit Ariste, et que cela vient du mot de bourgade en grec[127]. Comme cette érudition seroit longue, et qu'aucun de nous ne l'ignore, je la laisse à part, et m'arresteray seulement à ce que vous dites. Parce que le mot de Comédie* est pris abusivement pour toutes les espèces du Dramatique[128], la Comédie est préférable à la Tragédie : n'est ce pas là bien conclure ? Cela fait voir seulement que la Comédie est plus commune ; et parce qu'elle est plus commune, je pourrois dire qu'elle touche moins les esprits.

— Voilà bien conclure à vostre tour, répliqua Gélaste : le diamant est plus commun que certaines pierres ; donc le diamant touche moins les yeux. Hé mon amy, ne voyez-vous pas qu'on ne se lasse jamais de rire ? on peut se lasser du jeu, de la bonne chère, des Dames ; mais de rire, point. Avez-vous entendu dire à qui que ce soit : "Il y a huit jours entiers que nous rions, je vous prie pleurons aujourd'huy ?"

— Vous sortez toûjours, dit Ariste, de nostre thèse ; et apportez des raisons si triviales que j'en ay honte pour vous.

— Voyez un peu l'homme difficile, reprit Gélaste : et vrayment puisque vous voulez que je discoure de la Comédie et du rire en Philosophe Platonicien[129], j'y consens ; faites-moy seulement la grâce de m'écouter. Le plaisir dont nous devons faire le plus de cas, est toûjours celuy qui convient le mieux à nostre nature ; car c'est s'unir à soy-mesme que de le gouster. Or y a-t-il rien qui nous convienne mieux que le rire ? Il n'est pas moins naturel à l'homme que la raison. Il luy est mesme particulier : vous ne trouverez aucun animal qui rie, et en rencontrerez quelques-uns qui pleurent[130]. Je vous défie, tout sensible que vous estes, de jetter des larmes aussi grosses que celles d'un Cerf qui est aux abois, ou du cheval de ce pauvre Prince dont on void la pompe funèbre dans l'onziesme de l'Énéide[131]. Tombez d'accord de ces véritez, je vous laisseray après pleurer tant qu'il vous plaira : vous tiendrez compagnie au cheval du pauvre Pallas, et moy je riray avec tous les hommes. »

La conclusion de Gélaste fit rire ses trois amis, Ariste comme les autres ; après quoy celuy-ci dit : « Je vous nie vos deux propositions, aussi bien la seconde que la première. Quelque opinion qu'ait eu l'école* jusqu'à présent, je ne conviens pas avec elle que le rire appartienne à l'homme privativement* au reste des animaux. Il faudroit entendre la langue de ces derniers pour connoistre qu'ils ne rient point. Je les tiens* sujets à toutes nos passions* : il n'y a pour ce point-là de différence entre nous et eux que du plus au moins, et en la manière de s'exprimer. Quant à vostre première proposition, tant s'en faut que nous devions toûjours courir après les plaisirs qui nous sont les plus naturels, et que nous avons le plus à commandement, que ce n'est pas mesme un plaisir de posséder une chose très commune. Delà vient que dans Platon l'Amour est fils de la pauvreté[132], voulant dire que nous n'avons de passion que pour les choses qui nous manquent, et dont nous sommes nécessiteux. Ainsi le rire qui nous est à ce que vous dites si familier, sera dans la Scène le plaisir des laquais et du menu peuple, le pleurer celuy des honnestes gens.

— Vous poussez la chose un peu trop loin, dit Acante, je ne tiens pas que le rire soit interdit aux honnestes gens.

— Je ne le tiens pas non plus, reprit Ariste. Ce que je dis n'est que pour payer Gélaste de sa monnoye. Vous sçavez combien nous avons ry en lisant Térence[133], et combien je ris en voyant les Italiens[134] : je laisse à la porte ma raison et mon argent, et je ris après tout mon soûl. Mais que les belles Tragédies ne nous donnent une volupté plus grande que celle qui vient du comique ; Gélaste ne le niera pas luy-mesme s'il y veut faire réflexion.

— Il faudroit, repartit froidement Gélaste, condamner à une très-grosse amande ceux qui font ces Tragédies dont vous nous parlez. Vous allez là pour vous réjoüir, et vous y trouvez un homme qui pleure auprès d'un autre homme, et cet autre auprès d'un autre, et tous ensemble avec la Comédienne qui représente Andromaque, et la Comédienne avec le Poëte : c'est une chaisne de gens qui pleurent, comme dit vostre Platon[135]. Est-ce ainsi que l'on doit contenter ceux qui vont là pour se réjoüir ?

— Ne dites point qu'ils y vont pour se réjoüir, reprit Ariste ; dites qu'ils y vont pour se divertir. Or je vous soustiens avec le mesme Platon qu'il n'y a divertissement égal à la Tragédie, ni qui meine plus les esprits où il plaist au Poëte. Le mot dont se sert

Platon, fait que je me figure le mesme Poëte se rendant maistre de tout un peuple, et faisant aller les âmes comme des troupeaux, et comme s'il avoit en ses mains la baguette du Dieu Mercure[136]. Je vous soustiens, dis-je, que les maux d'autruy nous divertissent ; c'est à dire qu'ils nous attachent l'esprit.

— Ils peuvent attacher le vostre agréablement, poursuivit Gélaste, mais non pas le mien. En vérité je vous trouve de mauvais goust. Il vous suffit que l'on vous attache l'esprit ; que ce soit avec des charmes agréables ou non, avec les serpens de Tisiphone[137], il ne vous importe. Quand vous me feriez passer l'effet de la Tragédie pour une espèce d'enchantement, cela feroit-il que l'effet de la Comédie n'en fust un aussi ? Ces deux choses estant égales, serez-vous si fou que de préférer la première à l'autre ?

— Mais vous mesme, reprit Ariste, osez-vous mettre en comparaison le plaisir du Rire avec la Pitié ? la pitié qui est un ravissement, une extase ? Et comment ne le seroit-elle pas, si les larmes que nous versons pour nos propres maux sont au sentiment d'Homère (non pas tout à fait au mien) si les larmes dis-je, sont au sentiment de ce divin Poëte, une espèce de volupté ? Car en cet endroit où il fait pleurer Achille et Priam, l'un du souvenir de Patrocle, l'autre de la mort du dernier de ses enfans, il dit qu'ils se saoulent de ce plaisir, il les fait joüir du pleurer comme si c'estoit quelque chose de délicieux[138].

— Le Ciel vous veüille envoyer beaucoup de joüissances pareilles, reprit Gélaste, je n'en seray nullement jaloux. Ces extases de la pitié n'accommodent pas un homme de mon humeur. Le rire a pour moy quelque chose de plus vif et de plus sensible : enfin le rire me rit davantage. Toute la nature est en cela de mon avis. Allez-vous en à la Cour de Cythérée, vous y trouverez des Ris, et jamais de pleurs.

— Nous voicy déjà retombez, dit Ariste, dans ces raisons qui n'ont aucune solidité : vous estes le plus frivole défenseur de la Comédie que j'aye veu depuis bien long-temps.

— Et nous voicy retombez dans le Platonisme, répliqua Gélaste : demeurons-y donc, puisque cela vous plaist tant. Je m'en vais vous dire quelque chose d'essentiel contre le pleurer, et veux vous convaincre par ce mesme endroit d'Homère dont vous avez fait vostre capital. Quand Achille a pleuré tout son saoul (par parenthèse je crois qu'Achille ne rioit pas de moins bon courage* ; tout ce que font les Héros ils le font dans le suprême degré de perfection) ; lors qu'Achille, dis-je, s'est rassasié de ce beau plaisir de verser des larmes, il dit à Priam : "Vieillard tu es misérable : telle est la condition des mortels ; ils passent leur vie dans les pleurs. Les Dieux seuls sont exempts de mal, et vivent là haut à leur aise, sans rien souffrir[139]." Que répondrez-vous à cela ?

— Je répondray, dit Ariste, que les mortels sont mortels quand ils pleurent de leurs douleurs, mais quand ils pleurent des douleurs d'autruy ce sont proprement des Dieux.

— Les Dieux ne pleurent ny d'une façon ny d'une autre, reprit Gélaste : pour le rire, c'est leur partage. Qu'il ne soit ainsi[140], Homère dit en un autre endroit, que quand les Bienheureux immortels virent Vulcain qui boitoit dans leur maison, il leur prit un Rire inextinguible[141]. Par ce mot d'inextinguible vous voyez qu'on ne peut trop rire ny trop long-temps ; par celuy de Bienheureux que la béatitude consiste au Rire.

— Par ces deux mots que vous dites, reprit Ariste, je vois qu'Homère a failli, et ne vois rien autre chose. Platon l'en reprend dans son troisième de la République[142]. Il le blasme de donner aux Dieux un Rire démesuré et qui seroit mesme indigne de personnes tant soit peu considérables.

— Pourquoy voulez-vous qu'Homère ait plûtost failli que Platon ? répliqua Gélaste. Mais laissons les autoritez* et n'écoutons que la raison seule. Nous n'avons qu'à examiner sans prévention la Comédie et la Tragédie. Il arrive assez souvent que cette dernière ne nous touche point : car le bien ou le mal d'autruy ne nous touche que par rapport à nous mesmes, et en tant que nous croyons que pareille chose nous peut arriver ; l'Amour propre faisant sans cesse que l'on tourne les yeux sur soy. Or comme la Tragédie ne nous représente que des avantures extraordinaires, et qui vray-semblablement ne nous arriveront jamais, nous n'y prenons point de part, et nous sommes froids, à moins que l'ouvrage ne soit excellent, que le Poëte ne nous transforme, que nous ne devenions d'autres hommes par son adresse, et ne nous mettions en la place de quelque Roy. Alors, j'avouë que la Tragédie nous touche ; mais de crainte, mais de colère, mais de mouvemens funestes qui nous renvoyent au logis, pleins des choses que nous avons veuës, et incapables de tout plaisir. La Comédie n'employant que des avantures ordinaires, et qui peuvent nous arriver, nous touche toûjours ; plus ou moins, selon son degré de perfection. Quand elle est fort bonne, elle nous fait rire. La Tragédie nous attache si vous voulez ; mais la Comédie nous amuse agréablement, et meine les âmes aux champs Élisées, au lieu que vous les menez dans la demeure des malheureux. Pour preuve infaillible de ce que j'avance, prenez garde que pour effacer les impressions que la Tragédie avoit faites en nous : on luy fait souvent succéder un divertissement comique[143] ; mais de celuy-cy à l'autre il n'y a point de retour : ce qui vous fait voir que le suprême degré du plaisir, après quoy il n'y a plus rien, c'est la Comédie. Quand on vous la donne, vous vous en retournez content et de belle humeur : quand on ne vous la donne pas, vous vous en retournez chagrin et rempli de noires idées. C'est ce qu'il y a à gagner avec les Orestes et les Œdipes, tristes fantosmes qu'a évoquez le Poëte Magicien dont vous nous avez parlé tantost[144]. Encore serions-nous heureux s'ils excitoient le terrible[145] toutes les fois que l'on nous les fait paroistre : cela vaut mieux que de s'ennuyer : mais où sont les habiles Poëtes qui nous dépeignent ces choses au vif* ? Je ne veux pas dire que le dernier soit mort avec Euripide ou avec Sophocle ; je dis seulement qu'il n'y en a guère. La difficulté n'est pas si grande dans le Comique ; il est plus asseuré de nous toucher en ce que ses incidens sont d'une telle nature, que nous-nous les appliquons à nous-mesmes plus aisément.

— Cette fois là, dit Ariste, voilà des raisons solides et qui méritent qu'on y réponde : il faut y tascher. Le mesme ennuy qui nous fait languir pendant une Tragédie, où nous ne trouvons que de médiocres beautez, est commun à la Comédie, et à tous les ouvrages de l'esprit, particulièrement aux Vers : je vous le prouverois aisément si c'estoit la question ; mais ne s'agissant que de comparer deux choses également bonnes, chacune selon son genre, et la Tragédie, à ce que vous dites vous-mesme, devant l'estre souverainement, nous ne devons considérer la Comédie que dans un pareil degré. En ce degré donc vous dites qu'on peut passer de la Tragédie à la Comédie ; et de celle-cy à l'autre, jamais. Je vous le confesse, mais je ne tombe pas d'accord de vos conséquences, ny de la raison que vous apportez. Celle qui me semble la meilleure, est que dans la Tragédie nous faisons une grande contention d'âme ; ainsi on nous représente en suite quelque chose qui délasse nostre cœur et nous remet en l'estat où nous estions avant le spectacle, afin que nous en puissions sortir ainsi que d'un songe. Par vostre propre raisonnement vous voyez déjà que la Comédie touche beaucoup moins que la Tragédie ; il reste à prouver que cette dernière est beaucoup plus agréable que l'autre. Mais auparavant, de crainte que la mémoire ne m'en échape, je vous diray qu'il s'en faut bien que la Tragédie nous renvoye chagrins et mal-satisfaits, la Comédie tout à fait contens et de belle humeur : car si nous apportons à la Tragédie quelque sujet de tristesse qui nous soit propre, la compassion en détourne l'effet ailleurs, et nous sommes heureux de répandre pour les maux d'autruy les larmes que nous gardions pour les nostres[146]. La Comédie au contraire nous faisant laisser nostre mélancholie à la porte, nous la rend lors que nous sortons. Il ne s'agit donc que du temps que nous employons au spectacle, et que nous ne sçaurions mieux employer qu'à la pitié. Premièrement niez-vous qu'elle soit plus noble que le Rire ?

— Il y a si long-temps que nous disputons, repartit Gélaste, que je ne vous veux plus rien nier.

— Et moy je vous veux prouver quelque chose, reprit Ariste : je vous veux prouver que la pitié est le mouvement le plus agréable de tous. Vostre erreur provient de ce que vous confondez ce mouvement avec la douleur. Je crains celle-cy encore plus que vous ne faites : quant à l'autre, c'est un plaisir, et très-grand plaisir. En voicy quelques raisons nécessaires et qui vous prouveront par conséquent que la chose est telle que je vous dis. La pitié est un mouvement charitable et généreux, une tendresse* de cœur, dont tout le monde se sçait bon gré. Y a-t-il quelqu'un qui veüille passer pour un homme dur et impénétrable à ses traits* ? Or qu'on ne fasse les choses loüables[147] avec un très grand plaisir, je m'en rapporte à la satisfaction intérieure des gens de bien ; je m'en rapporte à vous-mesme, et vous demande si c'est une chose loüable que de rire. Asseurément ce n'en est pas une, non plus que de boire et de manger, ou de prendre quelque plaisir qui ne regarde que nostre intérest. Voilà donc déjà un plaisir qui se rencontre en la Tragédie, et qui ne se rencontre pas en la Comédie. Je vous en puis alléguer beaucoup d'autres. Le principal à mon sens, c'est que nous nous mettons au dessus des Roys par la pitié que nous avons d'eux, et devenons Dieux à leur égard, contemplans d'un lieu tranquille leurs embarras, leurs afflictions, leurs malheurs ; ny plus ny moins que les Dieux considèrent de l'Olympe les misérables mortels. La Tragédie a encore cela au dessus de la Comédie, que le Stile dont elle se sert, est sublime ; et les beautez du sublime, si nous en croyons Longin[148] et la vérité, sont bien plus grandes et ont tout un autre effet que celles du médiocre. Elles enlèvent l'âme, et se font sentir à tout le monde avec la soudaineté des éclairs. Les traits comiques, tout beaux qu'ils sont, n'ont ny la douceur de ce charme ny sa puissance. Il est de cecy comme d'une Beauté excellente et d'une autre qui a des grâces : celle-cy plaist, mais l'autre ravit[149]. Voilà proprement la différence que l'on doit mettre entre la Pitié et le Rire. Je vous apporterois plus de raisons que vous n'en souhaiteriez, s'il n'estoit temps de terminer la dispute*. Nous sommes venus pour écouter Poliphile ; c'est luy cependant qui nous écoute avec beaucoup de silence et d'attention, comme vous voyez.

— Je veux bien ne pas répliquer, dit Gélaste, et avoir cette complaisance pour luy : mais ce sera à condition que vous ne prétendrez pas m'avoir convaincu ; sinon, continuons la dispute*.

— Vous ne me ferez point en cela de tort, reprit Poliphile, mais vous en ferez peut estre à Acante, qui meurt d'envie de vous faire remarquer les merveilles de ce jardin. »

Acante ne s'en défendit pas trop. Il répondit toutesfois à l'honnesteté de Poliphile ; mais en mesme temps il ne laissa* pas de s'écarter. Ses trois amis le suivirent. Ils s'arrestèrent longtemps à l'endroit qu'on appelle le fer à cheval, ne se pouvant lasser d'admirer cette longue suite de beautez toutes différentes qu'on découvre du haut des rampes[150].

Là dans des chars dorez le Prince avec sa Cour
Va gouster la fraischeur sur le déclin du jour[151].
L'un et l'autre Soleil unique en son espèce
Étale aux regardans sa pompe et sa richesse.

Phœbus brille à l'envy du* Monarque François.
On ne sçait bien souvent à qui donner sa voix.
Tous deux sont pleins d'éclat et rayonnans de gloire.
Ah, si j'étois aydé des filles de Mémoire[152] *!*
De quels traits j'ornerois cette comparaison !
Versailles ce seroit le Palais d'Apollon :
Les Belles de la Cour passeroient pour les Heures[153].
Mais peignons seulement ces charmantes demeures.
En face d'un parterre au Palais opposé
Est un Amphithéâtre en rampes divisé.
La descente en est douce, et presque imperceptible.
Elles vont vers leur fin d'une pente insensible.
D'arbrisseaux toûjours verds les bords en sont ornez.
Le Myrte par qui sont les Amans couronnez,
Y range son feüillage en Globe, en Pyramide ;
Tel jadis le tailloient les Ministres* d'Armide[154].
Au haut de chaque rampe un Sphinx aux larges flancs
Se laisse entortiller de fleurs par des enfans.
Il se joüe avec eux, leur rit à sa manière.
Et ne se souvient plus de son humeur si fière*.
Au bas de ce degré* Latone et ses gémeaux[155]
De gens durs et grossiers font de vils animaux,
Les changent avec l'eau que sur eux ils répandent.
Déjà les doigts de l'un en nageoires s'étendent.
L'autre en le regardant est métamorphosé.
De l'insecte* et de l'homme un autre est composé.
Son épouse le plaint d'une voix de grenoüille ;
Le corps est femme encor. Tel luy mesme se moüille,
Se lave, et plus il croit effacer tous ces traits,
Plus l'onde contribuë à les rendre parfaits.
La Scène est un bassin d'une vaste étenduë.
Sur les bords cette engeance insecte* devenuë
Tasche de lancer l'eau contre les déïtez[156].
A l'entour de ce lieu pour comble de beautez
Une troupe immobile et sans pieds se repose,
Nymphes, Héros, et Dieux de la métamorphose,
Termes de qui le sort sembleroit ennuyeux
S'ils n'estoient enchantez par l'aspect de ces lieux[157].

Deux parterres ensuite entretiennent la veuë.
Tous deux ont leurs fleurons d'herbe tendre et menuë.
Tous deux ont un bassin qui lance ses trésors,
Dans le centre en aigrette, en arcs le long des bords[158].
L'onde sort du gosier de différens reptiles.
Là siflent les lézards germains des crocodiles :
Et là mainte tortuë apportant sa maison
Allonge en vain le col pour sortir de prison.
Enfin par une allée aussi large que belle
On descend vers deux mers d'une forme nouvelle[159].
L'une est un rond à pans, l'autre est un long canal,
Miroirs où l'on n'a point épargné le cristal.
Au milieu du premier Phœbus sortant de l'onde
A quitté de Thétis la demeure profonde[160].
En rayons infinis l'eau sort de son flambeau.
On voit presque en vapeur se résoudre cette eau.
Telle la chaux exhale une blanche fumée.
D'atomes de cristal une nuë est formée :
Et lors que le Soleil se trouve vis à vis,
Son éclat l'enrichit des couleurs de l'Iris[161].
Les coursiers de ce Dieu commençans leur carrière
A peine ont hors de l'eau la croupe toute entière :
Cependant on les void impatiens du frein.
Ils forment la rosée en secoüant leur crin[162].
Phœbus quitte à regret ces humides demeures :
Il se plaint à Thétis de la haste des heures.
Elles poussent son char par leurs mains préparé,
Et disent que le Somme en sa grotte est rentré.
Cette figure à pans d'une place est suivie.
Mainte allée en étoile à son centre aboutie
Meine aux extrémitez de ce vaste pourpris*.
De tant d'objets divers les regards sont surpris.
Par sentiers alignez l'œil va de part et d'autre :
Tout chemin est allée aux Royaumes du NOSTRE[163].
Muses, n'oublions pas à parler du canal.
Cherchons des mots choisis pour peindre son cristal.
Qu'il soit pur, transparent, que cette onde argentée
Loge en son moite sein la blanche Galatée[164].

Jamais on n'a trouvé ses rives sans Zéphirs :
Flore s'y rafraischit au vent de leurs soûpirs.
Les Nymphes d'alentour souvent dans les nuits sombres
S'y vont baigner en troupe à la faveur des ombres.
Les lieux que j'ay dépeints, le Canal, le Rondeau[165],
Parterres d'un dessein agréable et nouveau,
Amphithéâtres, jets, tous au palais répondent ;
Sans que de tant d'objets les beautez se confondent.
Heureux ceux de qui l'art [a] ces traits inventez ;
On ne connoissoit point autresfois ces beautez.
Tous parcs estoient vergers du temps de nos Ancestres ;
Tous vergers sont faits parcs : le sçavoir de ces maîtres
Change en jardins royaux ceux des simples Bourgeois,
Comme en jardins des Dieux ils changent ceux des
                                                    [Roys.
Que ce qu'ils ont planté dure mille ans encore.
Tant qu'on aura des yeux, tant qu'on chérira Flore,
Les Nymphes des jardins loüeront incessamment
Cet art qui les sçavoit loger si richement.

Poliphile et en suite ses trois amis prirent là dessus occasion de parler de l'intelligence qui est l'âme de ces merveilles, et qui fait agir tant de mains sçavantes pour la satisfaction du Monarque[166]. Je ne rapporteray point les loüanges qu'on luy donna ; elles furent grandes, et par conséquent ne luy plairoient pas. Les qualitez sur lesquelles nos quatre amis s'étendirent furent sa fidélité et son zèle. On remarqua que c'est un génie qui s'applique à tout, et ne se relasche jamais. Ses principaux soins sont de travailler pour la grandeur de son maistre ; mais il ne croit pas que le reste soit indigne de l'occuper. Rien de ce qui regarde Jupiter n'est au dessous des ministres* de sa puissance.

Nos quatre amis étant convenus de toutes ces choses allèrent ensuite voir le Salon et la galerie qui sont demeurez debout après la Fête qui a esté tant vantée[167]. On a jugé à propos de les conserver afin d'en bastir de plus durables sur le modèle. Tout le monde a oüi parler des merveilles de cette Feste, des Palais devenus jardins et des jardins devenus Palais, de la soudaineté avec laquelle on a créé, s'il faut ainsi dire, ces choses, et qui rendra les enchantemens croyables à l'avenir. Il n'y a point de peuple en l'Europe que la Renommée n'ait entretenu de la magnificence de ce spectacle. Quelques personnes en ont fait la description avec beaucoup d'élégance et d'exactitude[168] ; c'est pourquoy je ne m'arresteray point en cet endroit ; je diray seulement que nos quatre amis s'assirent sur le gazon qui borde un ruisseau, ou plûtost une goulette*, dont cette galerie est ornée. Les feüillages qui la couvroient estant déjà secs et rompus en beaucoup d'endroits, laissoient entrer assez de lumière pour faire que Poliphile lûst aisément. Il commença donc de cette sorte le récit des malheurs de son Héroïne.

LIVRE SECOND

La criminelle Psiché n'eut pas l'assurance de dire un mot. Elle se pouvoit jetter à genoux devant son mary : elle luy pouvoit conter comme* la chose s'estoit passée : et si elle n'eust justifié entièrement son dessein, elle en auroit du moins rejetté la faute sur ses deux sœurs. En tout cas elle pouvoit[a] demander pardon, prosternée aux pieds de l'Amour, les luy embrassant avec des marques de repentir, et les luy moüillant de ses larmes. Il y avoit outre cela un party à prendre ; c'estoit de relever le poignard par la pointe, et le présenter à son mary en luy découvrant son sein, et en l'invitant de percer un cœur qui s'estoit révolté contre luy. L'estonnement* et sa conscience* luy ostèrent l'usage de la parole et celuy des sens. Elle demeura immobile, et baissant les yeux elle attendit avec des transes mortelles sa destinée.

Cupidon outré de colère ne sentit pas la moitié du mal que la goute d'huile luy auroit fait dans un autre temps. Il jetta quelques regards foudroyans sur la malheureuse Psiché : puis sans luy faire seulement la grâce de luy reprocher son crime, ce Dieu s'envola, et le Palais disparut. Plus de Nymphes, plus de Zéphire :

---

a. Var. B.L. : Elle pouvoit du moins.

la pauvre épouse se trouva seule sur le rocher, demy morte, pasle, tremblante, et tellement possédée de son excessive douleur, qu'elle demeura longtemps les yeux attachez à terre sans se connoistre, et sans prendre garde qu'elle estoit nuë. Ses habits de fille estoient à ses pieds ; elle avoit les yeux dessus, et ne les appercevoit pas. Cependant l'Amour estoit demeuré dans l'air, afin de voir à quelles extrémitez son épouse seroit réduite ; ne voulant pas qu'elle se portast à aucune violence contre sa vie : soit que le courroux du Dieu n'eust pas esteint tout à fait en luy la compassion ; soit qu'il réservast Psiché à de longues peines, et à quelque chose de plus cruel que de se tuer soy-mesme. Il la vid tomber évanoüie sur la roche dure, cela le toucha ; mais non jusqu'au point de l'obliger à ne se plus souvenir de la faute de son épouse.

Psiché ne revint à soy de long temps après. La première pensée qu'elle eut, ce fut de courir à un précipice. Là considérant les abysmes, leur profondeur, les pointes des rocs toutes prestes à la mettre en pièces ; et levant quelquefois les yeux vers la lune qui l'éclairoit : « Sœur du Soleil, luy dit-elle, que l'horreur du crime ne t'empesche pas de me regarder. Sois témoin du désespoir d'une malheureuse ; et fay moy la grâce de raconter à celuy que j'ai offensé, les circonstances de mon trépas ; mais ne les racontes point aux personnes dont je tiens le jour. Tu vois dans ta course des misérables ; dy moy, y en a-t-il un de qui l'infortune ne soit légère au prix de* la mienne ? Rochers élevez, qui serviez naguère de fondemens à un Palais dont j'estois maistresse, qui auroit dit que la nature vous eust formez pour me servir maintenant à un usage si différent ? »

A ces mots elle regarda encore le précipice ; et en mesme temps la mort se monstra à elle sous la forme la plus affreuse. Plusieurs fois elle voulut s'élancer, plusieurs fois aussi un sentiment naturel l'en empescha. « Quelles sont, dit-elle, mes destinées ! j'ay quelque beauté, je suis jeune, il n'y a qu'un moment que je possédois le plus agréable de tous les Dieux, et je vas mourir ! je me vas moi mesme donner la mort ! faut-il que l'Aurore ne se lève plus pour Psiché ? quoy voilà les derniers instans qui me sont donnez par les Parques : encore si ma nourrice me fermoit les yeux : si je n'estois point privée de sépulture[169]. »

Ces irrésolutions, et ces retours vers la vie qui font la peine de ceux qui meurent, et dont les plus désespérez ne sont pas exempts, entretinrent un cruel combat dans le cœur de nostre Héroïne. « Douce lumière, s'écria-t-elle, qu'il est difficile de te quitter ! Hélas ! en quels lieux iray-je quand je me seray bannie moy-mesme de ta présence ? Charitables filles d'enfer[170], aydez-moy à rompre les nœuds qui m'attachent ; venez, venez me représenter ce que j'ay perdu. »

Alors elle se recueillit en elle-mesme ; et l'image de son malheur étouffant enfin ce reste d'amour pour la vie, l'obligea de s'élancer avec tant de promptitude et de violence, que le Zéphire qui l'observoit et qui avoit ordre de l'enlever quand le comble du désespoir l'auroit amenée à ce poinct, n'eut presque pas le loisir d'y apporter le remède. Psiché n'estoit plus, s'il eust attendu encore un moment. Il la retira du goufre ; et luy faisant prendre un autre chemin dans les airs que celuy qu'elle avoit choisi, il l'éloigna de ces lieux funestes, et l'alla poser avec ses habits sur le bord d'un fleuve, dont la rive extraordinairement haute et fort escarpée pouvoit passer pour un précipice encor plus horrible que le premier. C'est l'ordinaire des malheureux d'interpréter toutes choses sinistrement. Psiché se mit en l'esprit que son époux outré de ressentiment ne l'avoit fait transporter sur le bord d'un fleuve qu'afin qu'elle se noyast, ce genre de mort estant plus capable de le satisfaire que l'autre, parce qu'il estoit plus lent, et par conséquent plus cruel. Peut estre mesme ne faloit-il pas qu'elle soüillast de sang ces Rochers. Sçavoit-elle si son mary ne les avoit point destinez à un usage tout opposé ? Ce pouvoit estre une retraite amoureuse où l'Infant de Cypre[171] craignant sa mère logeoit secrètement ses maistresses comme il y avoit logé son épouse : car le lieu estoit écarté et inacessible : ainsi elle auroit commis un sacrilège si elle avoit fait servir à son désespoir ce qui ne servoit qu'aux plaisirs. Voilà comme raisonnoit la pauvre Psiché, ingénieuse à se procurer du mal ; mais bien éloignée de l'intention qu'avoit euë l'Amour à qui cet endroit où la belle se trouvoit alors, estoit venu fortuitement dans l'esprit ; ou qui peut-estre l'avoit laissé à la discrétion* du Zéphire. Il vouloit la faire souffrir ; tant s'en faut qu'il exigeast d'elle une mort si prompte. Dans cette pensée il défendit au Zéphire de la quitter (pour quelque occasion que ce fust, quand mesme Flore luy auroit donné un rendez-vous), tant que cette première violence eust jetté son feu. Je me suis estonné cent-fois comme le Zéphire* n'en devint pas amoureux. Il est vray que Flore a bien du mérite, puis de courir sur les pas d'un maistre, et d'un maistre comme l'Amour, c'eust esté à luy une perfidie trop grande, et mesme inutile.

Ayant donc l'œil incessamment sur Psiché, et luy voyant regarder le fleuve d'une manière toute pitoyable*, il se douta de quelque nouvelle pensée de désespoir ; et pour n'estre pas surpris encore une fois, il en avertit aussi-tost le Dieu de ce fleuve, qui de bonne fortune* tenoit sa cour à deux pas de là, et qui avoit alors auprès de luy la meilleure partie de ses Nymphes. Ce Dieu estoit d'un tempérament froid, et ne se soucioit pas beaucoup d'obliger la belle ny son mari. Néantmoins la crainte qu'il eut que les Poëtes ne le diffamassent, si la première beauté du monde, fille de Roy, et femme d'un Dieu, se noyoit chez luy, et ne l'appellassent Frère du Stix, cette crainte, dis-je, l'obligea de commander à ses Nymphes qu'elles recueillissent Psiché, et qu'elles la portassent vers l'autre rive, qui estoit moins haute et plus agréable que celle-là, près de quelque habitation. Les Nymphes luy obéïrent avec beaucoup de plaisir. Elles se rendirent toutes à l'endroit où estoit la Belle, et se cachèrent sous le rivage.

Psiché faisoit alors des réflexions sur son avanture, ne s[ç]achant que conjecturer du dessein de son mary, ny à quelle mort se résoudre. A la fin tirant de son cœur un profond soupir : « Et bien, dit-elle, je finiray ma vie dans les eaux : veüillent seulement les destins que ce supplice te soit agréable. » Aussi-tost elle se précipita dans le fleuve, bien estonnée de se voir incontinent* entre les bras de Cimodocé et de la gentille Naïs[172]. Ce fut la plus heureuse rencontre du monde. Ces deux Nymphes ne faisoient presque que de la quitter : car l'Amour en avoit choisi de toutes les sortes et dans tous les chœurs pour servir de filles d'honneur à nostre Héroïne, pendant le temps bienheureux où elle avoit part aux affections et à la fortune d'un Dieu. Cette rencontre qui devoit du moins luy apporter quelque consolation, ne luy apporta au contraire que du déplaisir. Comment se résoudre sans mourir à paroistre ainsi malheureuse et abandonnée devant celles qui la servoient il n'y avoit pas plus d'une heure ? Telle est la folie de l'esprit humain : les personnes nouvellement décheües de quelque estat florissant, fuyent les gens qui les connoissent avec plus de soin qu'elles n'évitent les estrangers, et préfèrent souvent la mort au service qu'on leur peut rendre. Nous supportons le malheur, et ne s[ç]aurions supporter la honte. Je ne vous assureray pas si ce fleuve avoit des Tritons, et ne sçais pas bien si c'est la coustume des fleuves que d'en avoir. Ce que je vous puis asseurer, c'est qu'aucun Triton n'approcha de nostre Héroïne. Les seules Nayades eurent cet honneur. Elles se pressoient si fort autour de la Belle que malaisément un Triton y eust trouvé place. Naïs et Cimodocé la tenoient entre leurs bras, tandis que d'abattement et de lassitude elle se laissoit aller la teste languissamment, tantost sur l'une tantost sur l'autre, arrosant leur sein tour à tour avec ses larmes.

Aussi-tost qu'elle fut à bord*, ces deux Nymphes qui avoient esté du nombre de ses favorites (comme prudentes et discrètes entre toutes les Nymphes du monde) firent signe à leurs compagnes de se retirer ; et ne diminüant rien du respect avec lequel elles la servoient pendant sa fortune, elles prirent ses habits des mains du Zéphire qui se retira aussi ; et demandèrent à Psiché si elle ne vouloit pas bien qu'elles eussent l'honneur de l'habiller encore une fois. Psiché se jetta à leurs pieds pour toute response, et les leur baisa. Cet abaissement excessif leur causa beaucoup de confusion et de pitié. L'Amour mesme en fut touché plus que de pas une chose qui fust arrivée à nostre Héroïne depuis sa disgrâce. Il ne l'avoit point quittée de veüe, recevant quelque satisfaction à l'aspect du mal qu'elle se faisoit ; car cela ne pouvoit partir que d'un bon principe. Cupidon goustoit dans les airs ce cruel plaisir. Le battement de ses aisles obligea Naïs et Cimodocé de tourner la teste. Elles apperceurent le Dieu ; et par considération, tout au moins autant que par respect, mais principalement pour faire plaisir à la Belle, elles se retirèrent à leur tour.

« Et bien Psiché, dit l'Amour, que te semble de ta fortune ? est ce impunément que l'on veut tuer le maistre des Dieux ? il te tardoit que tu te fusses détruite, te voilà contente ; tu sçais comme* je suis fait, tu m'as veu : mais dequoi cela te peut-il servir ? je t'avertis que tu n'es plus mon épouse. » Jusques-là, la pauvre Psiché l'avoit écouté sans lever les yeux : à ce mot d'épouse elle dit : « Hélas je suis bien éloignée de prendre cette qualité ; je n'ose seulement espérer que vous me recevrez pour esclave.

— Ny mon esclave non plus, repartit l'Amour ; c'est de ma mère que tu l'es ; je te donne à elle. Et garde-toy bien d'attenter contre ta vie ; je veux que tu souffres, mais je ne veux pas que tu meures ; tu en serois trop tost quitte. Que si tu as dessein de m'obliger, vange-moy de tes deux Démons* de sœurs ; n'écoute ny considération du sang* ny pitié ; sacrifie-les moy. Adieu Psiché ; la bruslure que cette lampe m'a faite ne me permet pas de t'entretenir plus long-tems. »

Ce fut bien là que l'affliction de nostre Héroïne reprit des forces. « Exécrable lampe ! maudite lampe ! avoir bruslé un Dieu si sensible et si délicat ! qui ne sçauroit rien endurer ! l'Amour ! Pleure, pleure Psiché : ne te repose ny jour ny nuit : cherche sur les monts et dans les vallées quelque herbe pour le guérir, et porte-la luy. S'il ne s'estoit point tant pressé de me dire adieu, il verroit l'extrême douleur que son mal me fait, et ce luy seroit un soulagement : mais il est party ! il est party sans me laisser aucune espérance de le revoir. »

Cependant l'Aurore vint éclairer l'infortune de nostre Belle, et amena ce jour-là force nouveautez. Vénus, entre autres, fut avertie de ce qui estoit arrivé à Psiché : et voyez comme les choses se rencontrent. Les Médecins avoient ordonné à cette Déesse de se baigner, pour des chaleurs qui l'incommodoient. Elle prenoit son bain dès le poinct du jour, puis se recouchoit. C'estoit dans ce fleuve qu'elle se baignoit d'ordinaire, à cause de la qualité de ses eaux refroidissantes. Je pense mesme vous avoir dit que le Dieu du fleuve en tenoit un peu. Une oye babillarde qui sçavoit ces choses et qui se trouvant cachée entre les glayeuls avoit veu Psiché arriver à bord*, et avoit entendu ensuite les reproches de son mary, ne manqua pas d'aller redire à Vénus toute l'avanture de poinct en poinct. Vénus ne perd point de temps ; elle envoye gens de tous les costez avec ordre de luy amener morte ou vive Psiché son esclave. Il s'en fallut peu que ces gens ne la rencontrassent. Dès que son époux l'eut quittée elle s'habilla, ou pour mieux parler elle jetta sur soy ses habits : c'estoient ceux qu'elle avoit quitez en se mariant, habits lugubres, et commandez par l'oracle, comme vous pouvez vous en souvenir. En cet estat elle résolut d'aller par le monde, cherchant quelque herbe pour la bruslure de son mary, puis de le chercher luy mesme.

Elle n'eut pas marché une demie heure qu'elle crût appercevoir un peu de fumée qui sortoit d'entre des arbres et des rochers. C'estoit l'habitation d'un pescheur située au penchant d'un mont, où les chèvres mesme avoient de la peine à monter[173]. Ce mont revestu de chesnes aussi vieux que luy, et tout plein de rocs, présentoit aux yeux quelque chose d'effroyable mais de charmant. Le caprice de la Nature ayant creusé deux ou trois de ces rochers qui estoient voisins l'un de l'autre, et leur ayant fait des passages de communication et d'issüe, l'industrie humaine avoit achevé cet ouvrage, et en avoit fait la demeure d'un bon vieillard et de deux jeunes bergères. Encore que Psiché dans ces commencemens fust timide, et appréhendast la moindre rencontre, si est ce qu*'elle avoit besoin de s'enquérir en quelle contrée elle estoit, et si on ne sçavoit point une composition, une racine ou une herbe pour la brûlure de son mary. Elle dressa donc ses pas vers le lieu où elle avoit veu cette fumée, ne découvrant aucune habitation que celle-là de quelque costé que sa veuë se pust étendre. Il n'y avoit point d'autre chemin pour y aller qu'un petit sentier tout bordé de ronces. De moyen pour les détourner, elle n'en avoit aucun : de façon qu'à chaque pas les épines lui déchiroient son habit, quelquefois la peau, sans que d'abord* elle le sentist. L'affliction suspendoit en elle les autres douleurs. A la fin son linge qui estoit moüillé, le froid du matin, les épines et la rosée commencèrent à l'incommoder. Elle se tira d'entre ces halliers le mieux qu'elle pût ; puis un petit pré dont l'herbe estoit encore aussi vierge que le jour qu'elle naquit, la mena jusques sur le bord d'un torrent. C'estoit un torrent et un abysme. Un nombre infiny de sources s'y précipitoient par cascades du haut du mont, puis roulant leurs eaux entre des rochers, formoient un gazoüillement à peu près semblable à celui des catadupes* du Nil. Psiché arrestée tout court par cette barrière, et d'ailleurs extrêmement abattuë, tant de la douleur que du travail*, et pour avoir passé sans dormir une nuit entière, se coucha sous des arbrisseaux que l'humidité du lieu rendoit fort touffus. Ce fut ce qui la sauva. Deux satellites de son ennemie arrivèrent un moment après en ce mesme endroit. La ravine les empescha de passer outre : ils s'arrestèrent quelque-temps à la regarder, avec un si grand péril pour Psiché, que l'un d'eux marcha sur sa robe, et croyant la Belle aussi loin de luy qu'elle en estoit près, il dit à son camarade : « Nous cherchons icy inutilement : ce ne sçauroient estre que des oiseaux qui se réfugient dans ces lieux ; nos compagnons seront plus heureux que nous : et je plains cette personne s'ils la rencontrent : car nostre Maistresse n'est pas telle qu'on s'imagine. Il semble à la voir que ce soit la mesme douceur[174] ; mais je vous la donne pour une femme vindicative, et aussi cruelle qu'il y en ait. On dit que Psiché luy dispute la prééminence des charmes : c'est justement le moyen de la rendre furieuse, et d'en faire une Lionne à qui on a enlevé ses petits : sa concurrente fera fort bien de ne pas tomber entre ses mains. »

Psiché entendit ces mots fort distinctement, et rendit grâces au hazard qui en luy donnant des frayeurs mortelles, luy donnoit aussi un avis qui n'estoit nullement à négliger. De bonheur pour elle ces gens partirent presque aussi-tost. A peine elle en estoit revenuë, que sur l'autre bord de la ravine un nouveau spectacle luy causa de l'estonnement*. La vieillesse en propre personne luy apparut chargée de filets, et en habit de pescheur. Les cheveux luy pendoient sur les épaules, et la barbe sur la ceinture. Un très-beau vieillard, et blanc comme un lys, mais non pas si

frais[a], se disposoit à passer. Son front étoit plein de
rides, dont la plus jeune estoit presque aussi ancienne
que le déluge. Aussi Psiché le prit pour Deucalion, et
se mettant à genoux : « Père des humains, luy cria-t-
elle, protégez-moy contre des ennemis qui me cherchent. »

Le vieillard ne répondit rien : la force de l'enchantement le rendit muet. Il laissa tomber ses filets,
s'oubliant soy-mesme aussi bien que s'il eust esté dans
son plus bel âge ; oubliant aussi le danger où il se
mettroit d'estre rencontré par les ennemis de la Belle,
s'il alloit la prendre sur l'autre bord. Il me semble que
je vois les Vieillards de Troye qui se préparent à la
guerre en voyant Hélène[175]. Celuy-cy ne se soucioit
pas de périr, pourveu qu'il contribuast à la seureté
d'une malheureuse comme la nostre. Le besoin pressant qu'on avoit de son assistance luy fit remettre au
premier loisir les exclamations ordinaires dans ces
rencontres. Il passa du costé où estoit Psiché ; et
l'abordant de fort bonne grâce, et avec respect, comme
un homme qui sçavoit faire autre chose que de
tromper les poissons : « Belle Princesse, dit-il (car à
vos habits c'est le moins que vous puissiez estre),
réservez vos adorations pour les Dieux. Je suis un
mortel qui ne possède que ces filets, et quelques petites
commoditez dont j'ay meublé deux ou trois rochers
sur le penchant de ce mont. Cette retraite est à vous
aussi bien qu'à moy : je ne l'ay point achetée : c'est la
Nature qui l'a bastie. Et ne craignez pas que vos
ennemis vous y cherchent : s'il y a sur terre un lieu
d'assurance contre les poursuites des hommes c'est
celuy-là : je l'éprouve depuis long-temps. »

Psiché accepta l'azile. Le Vieillard la fit descendre
dans la ravine, marchant devant elle, et luy enseignant
à poser le pied, tantost sur cet endroit-là, tantost sur

_____

a. Var. B.L. : Le correcteur a supprimé les mots « mais non pas
si frais ».

cet autre ; non sans péril : mais la crainte donne du courage. Si Psiché n'eust point fuy Vénus, elle n'auroit jamais osé faire ce qu'elle fit. La difficulté fut de traverser le torrent qui couloit au fond. Il estoit large, creux, et rapide. « Où es-tu Zéphire ? » s'écria Psiché, mais plus de Zéphire. L'Amour luy avoit donné congé sur l'assurance que nostre Héroïne n'oseroit attenter contre elle, puisqu'il le luy avoit défendu, ny faire chose qui luy déplût. En effet, elle n'avoit garde. Un pont portatif que le Vieillard tiroit après soy si tost qu'il estoit passé suppléa à ce défaut. C'estoit un tronc à demy pourry avec deux bastons de saule pour garde-fous. Ce tronc se posoit sur deux gros cailloux qui servoient de bordages à l'eau en cet endroit-là. Psiché passa donc ; et n'eut pas plus de peine à remonter qu'elle en avoit eu à descendre. De nouveaux obstacles se présentèrent. Il faloit encore grimper, et grimper par dedans un bois si touffu que l'ombre éternelle n'est pas plus noire. Psiché suivoit le Vieillard, et le tenoit par l'habit. Après bien des peines ils arrivèrent à une petite esplanade assez découverte, et employée à divers offices : c'estoit les jardins, la court principale, les avant-cours, et les avenuës de cette demeure. Elle fournissoit des fleurs à son maistre, et un peu de fruit, et d'autres richesses du jardinage. De là ils montèrent à l'habitation du Vieillard par des degrez et par des perrons qui n'avoient point eu d'autre architecte que la nature. Aussi tenoient-ils un peu du Toscan[176], pour en dire la vérité. Ce Palais n'avoit pour toict que cinq ou six arbres d'une prodigieuse hauteur dont les racines cherchoient passage entre les voûtes de ces rochers. Là deux jeunes bergères assises voyoient paistre à dix pas d'elles cinq ou six chèvres, et filoient de si bonne grâce, que Psiché ne se pût tenir de les admirer. Elles avoient assez de beauté pour ne se pas voir méprisées par la concurrente de Vénus. La plus jeune approchoit de quatorze ans, l'autre en avoit seize. Elles saluèrent nostre Héroïne d'un air naïf*, et

pourtant fort spirituel, quoy qu'un peu de honte*
l'accompagnast. Mais ce qui fit principalement que
Psiché crut trouver de l'esprit en elles, ce fut l'admiration qu'elles témoignèrent en la regardant. Psiché les
baisa, et leur fit un petit compliment champestre, dans
lequel elle les loüoit de beauté et de gentillesse : à
quoy elles répondirent par l'incarnat qui leur monta
aussi-tost aux joüés.

« Vous voyez mes petites filles, dit le Vieillard à
Psiché : leur mère est morte depuis six mois. Je les
élève avec un aussi grand soin que si ce n'estoient pas
des bergères. Le regret que j'ay, c'est que n'ayant
jamais bougé de cette montagne elles sont incapables
de vous servir. Souffrez toutefois qu'elles vous conduisent dans leur demeure. Vous devez avoir besoin de
repos. »

Psiché ne se fit pas presser davantage : elle s'alla
mettre au lit. Les deux pucelles la déshabillèrent avec
cent signes d'admiration à leur mode, quand elle avoit
la teste tournée ; se faisant l'une à l'autre remarquer
de l'œil fort innocemment les beautez qu'elles décou-
vroient ; beautez capables de leur donner de l'amour,
et d'en donner s'il faut ainsi dire à toutes les choses
du monde. Psiché avoit pris leur lit, couchée proprement, sous du linge jonché de roses. L'odeur de ces
fleurs, ou la lassitude, ou d'autres secrets dont Morphée se sert, l'assoupirent incontinent*. J'ay toûjours
crû, et le crois encore, que le sommeil est une chose
invincible. Il n'y a procès, ny affliction, ny amour qui
tienne.

Pendant que Psiché dormoit, les Bergères coururent
aux fruits. On luy en fit prendre à son réveil, et un
peu de lait. Il n'entroit guère d'autre nourriture en ce
lieu. On y vivoit à peu près comme chez les premiers
humains[177] ; plus proprement à la vérité, mais de
viandes* que la seule Nature assaisonnoit. Le Vieillard
couchoit en une enfonçure du rocher, sans autre tapis
de pied qu'un peu de mousse étenduë, et sur cette

146

mousse l'équipage* du Dieu Morphée. Un autre rocher plus spacieux, et plus richement meublé, estoit l'appartement des deux jeunes filles. Mille petits ouvrages de jonc et d'écorce tendre y tenoient lieu de tapisserie, des plumes d'oiseaux, des festons, des corbeilles remplies de fleurs. La porte du roc servoit aussi de fenestre, comme celles de nos balcons ; et par le moyen de l'esplanade elle découvroit un pays fort grand, diversifié, agréable : le Vieillard avoit abatu les arbres qui pouvoient nuire à la veuë. Une chose m'embarasse, c'est de vous dépeindre cette porte servant aussi de fenestre, et semblable à celle de nos balcons, en sorte que le champestre soit conservé. Je n'ay jamais pû sçavoir comment cela s'estoit fait. Il suffit de dire qu'il n'y avoit rien de sauvage en cette habitation, et que tout l'estoit à l'entour. Psiché ayant regardé ces choses témoigna à notre Vieillard qu'elle souhaitoit de l'entretenir, et le pria de s'asseoir près d'elle. Il s'en excusa sur sa qualité de simple mortel, puis il obéït. Les deux filles se retirèrent.

« C'est en vain, dit nostre Héroïne que vous me cachez votre véritable condition. Vous n'avez pas employé toute votre vie à pescher, et parlez trop bien pour n'avoir jamais conversé* qu'avec des poissons. Il est impossible que vous n'ayez veu le beau monde, et hanté les grands ; si vous n'estes vous mesme d'une naissance au dessus de ce qui paroist à mes yeux. Vostre procédé, vos discours, l'éducation de vos filles, mesme la propreté* de cette demeure me le font juger. Je vous prie, donnez-moy conseil. Il n'y a qu'un jour que j'estois la plus heureuse femme du monde. Mon mary estoit amoureux de moy. Il me trouvoit belle. Et ce mary c'est l'Amour. Il ne veut plus que je sois sa femme : je n'ay pû seulement obtenir de luy d'estre son esclave. Vous me voyez vagabonde ; tout me fait peur ; je tremble à la moindre haleine du vent : hier je commandois au Zéphire. J'eus à mon coucher une centaine de Nymphes des plus jolies, et des plus qualifiées*, qui se tinrent* heureuses d'une parole que je leur dis, et qui baisèrent en me quittant le bas de ma robe. Les adorations, les délices, la Comédie*, rien ne me manquoit. Si j'eusse voulu qu'un plaisir fust venu des extrémitez de la terre pour me trouver, j'eusse été incontinent* satisfaite. Ma félicité estoit telle que le changement des habits et celuy des ameublements ne me touchoit plus. J'ay perdu tous ces avantages ; et les ay perdus par ma faute ; et sans espérance de les recouvrer jamais : l'Amour me hait trop. Je ne vous demande pas si je cesseray de l'aymer, il m'est impossible : je vous demande aussi peu si je cesseray de vivre, ce remède m'est interdit. "Garde-toy, m'a dit mon mary, d'attenter contre ta vie." Voilà les termes où je suis réduite : il m'est défendu de me soustraire à la peine. C'est bien le comble du désespoir que de n'oser se désespérer. Quand je le feray néantmoins, quelle punition y a-t-il par de là la mort ? Me conseillez-vous de traisner ma vie dans des alarmes continuelles, craignant Vénus, m'imaginant voir à tous les momens les ministres* de sa fureur ? Si je tombe entre ses mains (et je ne puis m'empescher d'y tomber) elle me fera mille maux. Ne vaut-il pas mieux que j'aille en un monde où elle n'a point de pouvoir ? Mon dessein n'est pas de m'enfoncer un fer dans le sein : les Dieux me gardent de désobéir à l'Amour jusqu'à ce poinct là : mais si je refuse la nourriture ; si je permets à un aspic de décharger sur moy sa colère ; si par hazard je rencontre de l'aconit, et que j'en mette un peu sur ma langue, est-ce un si grand crime ? Tout au moins me doit il estre permis de me laisser mourir de tristesse. »

Au nom de l'Amour le vieillard s'estoit levé. Quand la Belle eut achevé de parler, il se prosterna, et la traitant de Déesse il s'alloit jetter en des excuses qui n'eussent finy de long-temps, si Psiché ne les eust d'abord* prévenües, et ne luy eust commandé par tous les titres qu'il voudroit luy donner, soit de Belle, soit de Princesse, soit de Déesse, de se remettre en sa place, et de dire son sentiment avec liberté ; mais que pour le mieux il laissast ces qualitez qui ne faisoient rien pour la consoler, et dont il estoit libéral jusqu'à l'excès. Le vieillard sçavoit trop bien vivre pour contester* de cérémonies* avec l'épouse de Cupidon. S'estant donc assis :

« Madame, dit-il, ou vostre mary vous a communiqué l'immortalité et cela estant que vous servira de vouloir mourir ? ou vous estes encore sujette à la loy commune. Or cette loy veut deux choses ; l'une véritablement que nous mourions ; l'autre que nous taschions de conserver nostre vie le plus long-temps qu'il nous est possible. Nous naissons également pour l'un et pour l'autre : et l'on peut dire que l'homme a en mesme temps deux mouvemens opposez : il court incessamment vers la mort, il la fuit aussi incessamment. De violer cet instinct, c'est ce qui n'est pas permis. Les animaux ne le font pas. Y a-t-il rien de plus malheureux qu'un oiseau, qui ayant eu pour demeure une forest agréable et toute la campagne des airs, se void renfermé dans une cage d'un pied d'espace ? cependant il ne se donne pas la mort. Il chante au contraire, et tasche à se divertir. Les hommes ne sont pas si sages : ils se désespèrent. Regardez combien de crimes un seul crime leur fait commettre. Premièrement vous détruisez l'ouvrage du Ciel, et plus cet ouvrage est beau, plus le crime doit estre grand. Jugez donc quelle seroit vostre faute. En second lieu vous-vous défiez de la providence, ce qui est un autre crime. Pouvez vous répondre de ce qui vous arrivera ? Peut-estre le Ciel vous réserve-t-il un bon-heur plus grand que celuy que vous regrettez : peut-estre vous réjoüirez vous bien-tost du retour de vostre mary, ou pour mieux dire de vostre amant*, car à son dépit je le juge tel. J'ay tant veu de ces amans échapez revenir incontinent*, et faire satisfaction aux personnes qui leur avoient donné sujet de se plaindre ; j'ay tant veu de malheureux d'un autre costé changer de condition et de sentiment, que ce seroit imprudence à vous de ne pas donner à la fortune le loisir de tourner la roüe. Outre ces raisons générales vostre mary vous a défendu d'attenter contre vostre vie. Ne me proposez point pour expédient de vous laisser mourir de tristesse ; c'est un détour que vostre propre conscience doit condamner. J'approuverois bien plustost que vous vous perçassiez le sein d'un poignard. Celuy-cy est un crime d'un moment, qui a le premier transport pour excuse ; l'autre est une continuation de crimes, que rien ne peut excuser. Qu'il n'y ait point de punition par de là la mort, je ne pense pas qu'on vous ait enseigné cette doctrine. Croyez, Madame, qu'il y en a, et de particulièrement ordonnées contre ceux qui jettent leur âme au vent, et qui ne la laissent pas envoler.

— Mon père[178], reprit Psiché, cette dernière considération fait que je me rends : car d'espérer le retour de mon mary, il n'y a pas d'apparence* : je seray réduite à ne faire de ma vie autre chose que le chercher.

— Je ne le crois pas, dit le vieillard. J'ose vous répondre au contraire qu'il vous cherchera : quelle joye alors aurez vous ? attendez du moins quelques jours en cette demeure. Vous pourrez vous y appliquer à la connoissance de vous-mesme, et à l'estude de la sagesse : vous y mènerez la vie que j'y meine depuis long-temps, et que j'y mène avec tant de tranquillité, que si Jupiter vouloit changer de condition contre moy, je le renvoirois sans délibérer.

— Mais comment vous estes vous avisé de cette retraite ? repartit Psiché : Ne vous seray-je point importune si je vous prie de m'apprendre vostre avanture ?

— Je vous la diray en peu de mots, reprit le vieillard : J'estois à la cour d'un Roy qui se plaisoit à m'entendre, et qui m'avoit donné la charge de premier

Philosophe de sa maison. Outre la faveur je ne manquois pas de biens. Ma famille ne consistoit qu'en une personne qui m'estoit fort chère ; j'avois perdu mon épouse depuis long-temps. Il me restoit une fille de beauté exquise ; quoy qu'infiniment au dessous des charmes que vous possédez. Je l'élevay dans les sentimens de vertu convenables à l'estat de nostre fortune, et à la profession que je faisois. Point de coquetterie ny d'ambition : point d'humeur austère non plus. Je voulois en faire une compagne commode* pour un mary, plustost qu'une maistresse agréable pour des amans*. Ses qualitez la firent bien-tost rechercher par tout ce qu'il y avoit d'illustre à la Cour. Celuy qui commandoit les armées du Roy l'emporta. Le lendemain qu'il l'eut épousée, il en fut jaloux. Il luy donna des espions et des gardes ; pauvre esprit qui ne voyoit pas que si la vertu ne garde une femme en vain l'on pose des sentinelles à l'entour. Ma fille auroit esté long-temps malheureuse sans les hazards de la guerre. Son mary fut tué dans un combat. Il la laissa mère d'une des filles que vous voyez, et grosse de l'autre. L'affliction fut plus forte que le souvenir des mauvais traitemens du défunct, et le temps fut plus fort que l'affliction. Ma fille reprit à la fin sa gayeté, sa douce conversation, et ses charmes ; résolüe pourtant de demeurer veuve, voire[a] de mourir, plustost que de tenter un se[c]ond hazard. Les amans* reprirent aussi leur train ordinaire : mon logis ne désemplissoit point d'importuns : le plus incommode de tous fut le fils du Roy.

Ma fille à qui ces choses ne plaisoient pas, me pria de demander pour récompense de mes services qu'il me fust permis de me retirer. Cela me fut accordé. Nous-nous en allasmes à une maison des champs que j'avois. A peine estions-nous partis que les amans*

a. Var. B.L. : mesme.

nous suivirent : ils y arrivèrent aussi-tost que nous. Le peu d'espérance de s'en sauver nous obligea d'abandonner des Provinces où il n'y avoit point d'azile contre l'amour, et d'en chercher chez des peuples du voisinage. Cela fit des guerres, et ne nous délivra point des amans* : ceux de la contrée estoient plus persécutans que les autres. Enfin nous-nous retirasmes au désert*[179], avec peu de suite, sans équipage*, n'emportant que quelques livres, afin que nostre fuite fust plus secrète. La retraite que nous choisismes estoit fort cachée ; mais ce n'estoit rien en comparaison de celle-cy. Nous y passasmes deux jours avec beaucoup de repos. Le troisième jour on sçeut où nous nous estions réfugiez. Un amant* vint nous demander le chemin ; un autre amant* se mit à couvert de la pluye dans nostre cabane. Nous voilà désespérez, et n'attendant de tranquillité qu'aux champs Élisées. Je proposay à ma fille de se marier. Elle me pria d'attendre que l'on l'y eust condamnée sous peine du dernier supplice : encore préféroit elle la mort à l'hymen. Elle avoüoit bien que l'importunité des amans* estoit quelque chose de très-fascheux ; mais la tyrannie des meschans maris alloit au de là de tous les maux qu'on estoit capable de se figurer. Que je ne me misse en peine que de moy seul ; elle sçauroit résister aux cajoleries que l'on luy feroit, et si l'on venoit à la violence ou à la nécessité du mariage, elle sçauroit encor mieux mourir. Je ne la pressay pas davantage.

Une nuit que je m'estois endormy sur cette pensée, la Philosophie[180] m'apparut en songe. « Je veux, dit-elle, te tirer de peine : suy-moy. » Je luy obéïs. Nous traversasmes les lieux par où je vous ay conduite. Elle m'amena jusque sur le seüil de cette habitation. "Voilà, dit-elle, le seul endroit où tu trouveras du repos." L'image du lieu, celle du chemin demeurèrent dans ma mémoire. Je me réveillay fort content. Le lendemain je contay ce songe à ma fille ; et comme nous nous promenions, je remarquay que le chemin où la

Philosophie m'avoit fait entrer aboutissoit à nostre cabane. Qu'est-il besoin d'un plus long récit ? nous fismes résolution d'éprouver le reste du songe. Nous congédiasmes nos domestiques, et nous-nous sauvasmes avec ces deux filles dont la plus âgée n'avoit pas six ans ; il nous falut porter l'autre. Après les mesmes peines que vous avez eües nous arrivasmes sous ces rochers. Ma famille s'y estant établie, je retournay prendre le peu de meubles que vous voyez ; les apportant à diverses fois, et mes livres aussi. Pour ce qui nous estoit resté de bagues* et d'argent, il estoit déjà en lieu d'assurance : nous n'en avons pas encore eu besoin. Le voisinage du fleuve[a] nous fait subsister ; sinon avec luxe et délicatesse, avec beaucoup de santé tout au moins. J'y prens du poisson que je vas vendre en une ville que ce mont vous cache, et où je ne suis connu de personne. Mon poisson n'est pas si-tost sur la place qu'il est vendu. Tous les habitans sont gens riches, de bonne chère*, fort paresseux. Ils ont peine à sortir de leurs murailles, comment viendroient-ils icy m'interrompre ? si ce n'est que vostre mary s'en mesle à la fin, et qu'il nous envoye des amans*, soit de ce lieu là, soit d'un autre : les amans* se font passage partout ; ce n'est pas pour rien que leur protecteur a des aisles. Ces filles comme vous voyez sont en âge de l'appréhender. Je ne suis pourtant pas certain qu'elles prennent la chose du mesme biais que l'a toûjours prise leur mère. Voilà, Madame, comme* je suis arrivé icy. » Le vieillard finit par l'exagération de son bonheur, et par les loüanges de la solitude.

« Mais mon père, reprit Psiché, est-ce un si grand bien que cette solitude dont vous parlez ? est-il possible que vous ne vous y soyez point ennuyé vous ny vostre fille ? à quoy vous estes vous occupez pendant dix années ?

---

a. Var. B.L. : d'un fleuve.

— A nous préparer pour une autre vie, luy répondit le vieillard : nous avons fait des réflexions sur les fautes et sur les erreurs à quoy sont sujets les hommes. Nous avons employé le temps à l'estude[181].

— Vous ne me persuaderez point, repartit Psiché, qu'une grandeur légitime et des plaisirs innocens ne soient préférables au train de vie que vous menez.

— La véritable grandeur à l'égard des Philosophes, luy répliqua le vieillard, est de régner sur soy-mesme, et le véritable plaisir de joüir de soy[182]. Cela se trouve en la solitude, et ne se trouve guère autre-part. Je ne vous dis pas que toutes personnes s'en accommodent ; c'est un bien pour moy, ce seroit un mal pour vous. Une personne que le Ciel a composée avec tant de soin et avec tant d'art, doit faire honneur à son ouvrier, et régner ailleurs que dans le désert*.

— Hélas, mon père, dit nostre Héroïne en soûpirant, vous me parlez de régner, et je suis esclave de mon ennemie. Sur qui voulez-vous que je règne ? Ce ne peut estre ny sur mon cœur ny sur celuy de l'Amour ; de régner sur d'autres c'est une gloire que je refuse. » Là dessus elle luy conta son histoire succinctement. Après avoir achevé : « Vous voyez, dit-elle, combien j'ay sujet de craindre Vénus. J'ay toutesfois résolu de me mettre en queste de mon mary devant que* le jour se passe. Sa brûlure m'inquiète trop : ne sçavez-vous point un secret pour le guérir sans douleur et en un moment ? »

Le Vieillard soûrit : « J'ay, dit-il, cherché toute ma vie dans les simples, dans les compositions, dans les minéraux, et n'ay pû encore trouver de remède pour aucun mal : mais croyez-vous que les Dieux en manquent ? Il faut bien qu'ils en ayent de bons, et de bons Médecins aussi, puisque la mort ne peut rien sur eux. Ne vous mettez donc en peine que de regagner votre époux : pour cela il vous faut attendre ; laissez-le dormir sur sa colère : si vous vous présentez à luy devant que* le temps l'ait adoucie, vous vous mettez

154

au hazard* d'estre rebutée, ce qui vous seroit d'une très-périlleuse conséquence pour l'avenir. Quand les maris se sont fâchez une fois, et qu'ils ont fait une fois les difficiles, la mutinerie ne leur couste plus rien après. »

Psiché se rendit à cet avis, et passa huit jours en ce lieu-là, sans y trouver le repos que son hoste luy promettoit. Ce n'est pas que l'entretien du Vieillard et celuy mesme des jeunes filles, ne charmassent quelquefois son mal ; mais incontinent* elle retournoit aux soûpirs, et le Vieillard luy disoit que l'affliction diminueroit sa beauté qui estoit le seul bien qui luy restoit et qui feroit infailliblement revenir les autres. On n'avoit point encore allégué de raison à nostre Héroïne qui lui plûst tant. Ce n'estoit pas seulement au Vieillard qu'elle parloit de sa passion : elle demandoit quelquefois conseil aux choses inanimées : elle importunoit les arbres et les rochers. Le Vieillard avoit fait une longue route dans le fond du bois. Un peu de jour y venoit d'enhaut. Des deux costez de la route estoient des réduits* où une Belle pouvoit s'endormir sans beaucoup de témérité. Les Sylvains ne fréquentoient pas cette forest ; ils la trouvoient trop sauvage. La commodité du lieu obligea Psiché d'y faire des vers, et d'en rendre les Hestres participans. Elle rappella les idées de la Poësie que les Nymphes luy avoient données. Voicy à peu près le sens de ses Vers :

« Que nos plaisirs passez augmentent nos supplices !
Qu'il est dur d'éprouver après tant de délices
      Les cruautez du sort !
Faloit-il estre heureuse avant qu'estre coupable ?
Et si de me haïr, Amour, tu fus capable,
      Pourquoy m'aymer d'abord ?

Que ne punissois-tu mon crime par avance !
Il est bien temps d'oster à mes yeux ta présence,
      Quand tu luis dans mon cœur.

Encor si j'ignorois la moitié de tes charmes ?
Mais je les ay tous veus : j'ay veu toutes les armes
    Qui te rendent vainqueur.

J'ay veu la beauté mesme, et les grâces dormantes.
Un doux ressouvenir de cent choses charmantes
    Me suit dans les déserts*.
L'image de ces biens rend mes maux cent fois pires.
Ma mémoire me dit : "Quoy Psiché, tu respires
    Après ce que tu perds ?"

Cependant il faut vivre ; Amour m'a fait défense
D'attenter sur des jours qu'il tient en sa puissance,
    Tout malheureux qu'ils sont.
. Le cruel veut hélas que mes mains soient captives.
Je n'ose me soustraire aux peines excessives
    Que mes remords me font. »

C'est ainsi qu'en un bois Psiché contoit aux arbres
Sa douleur dont l'excès faisoit fendre les marbres
    Habitans de ces lieux.
Rochers qui l'écoutiez avec quelque tendresse,
Souvenez-vous des pleurs qu'au fort de sa tristesse
    Ont versez ses beaux yeux.

Elle n'avoit guère d'autre plaisir. Une fois pourtant la curiosité de son sexe et la sienne propre, luy fit écouter une conversation secrète des deux Bergères. Le Vieillard avoit permis à l'aisnée de lire certaines fables* amoureuses que l'on composoit alors, à peu près comme nos Romans, et l'avoit défendu à la cadete, luy trouvant l'esprit trop ouvert et trop éveillé. C'est une conduite que nos mères de maintenant suivent aussi. Elles défendent à leurs filles cette lecture pour les empescher de sçavoir ce que c'est qu'Amour : en quoy je tiens qu'elles ont tort, et cela est mesme inutile, la Nature servant d'Astrée[183]. Ce qu'elles gagnent par là n'est qu'un peu de temps : encore n'en gagnentelles point : une fille qui n'a rien leu, croit qu'on n'a garde* de la tromper, et est plûtost prise. Il est de l'Amour comme du jeu ; c'est prudemment fait que d'en apprendre toutes les ruses, non pas pour les pratiquer, mais afin de s'en guarantir. Si jamais vous avez des filles laissez-les lire[184].

Celles-ci s'entretenoient à l'écart. Psiché estoit assise à quatre pas d'elles sans qu'on la vist. La cadete dit à l'aisnée : « Je vous prie, ma sœur, consolez-moy : je ne me trouve plus belle comme je faisois ; vous semble-t-il pas que la présence de Psiché nous ait changées l'une et l'autre ? J'avois du plaisir à me regarder devant qu*'elle vinst, je n'y en ay plus.

— Et ne vous regardez pas, dit l'aisnée.

— Il se faut bien regarder, reprit la cadete : comment feroit-on autrement pour s'ajuster comme il faut ? Pensez-vous qu'une fille soit comme une fleur qui sçait arranger ses feüilles sans se servir de miroir ? si j'estois rencontrée de quelqu'un qui ne me trouvast pas à son gré ?

— Rencontrée dans ce désert* ? dit l'aisnée : vous me faites rire.

— Je sçais bien, reprit la cadete, qu'il est difficile d'y aborder ; mais cela n'est pas absolument impossible. Psiché n'a point d'aisles, ny nous non plus, nous nous y rencontrons cependant. Mais à propos de Psiché, que signifient les paroles qu'elle a gravées sur nos Hestres ? pourquoy mon père l'a-t-il priée de ne me les point expliquer ? d'où vient qu'elle soûpire incessamment ? qui est cet Amour qu'elle dit qu'elle ayme ?

— Il faut que ce soit son frère, repartit l'aynée.

— Je gagerois bien que non, dit la jeune fille. Vous qui parlez, feriez-vous tant de façons pour un frère ?

— C'est donc son mary, répliqua la sœur.

— Je vous entends bien, reprit la cadete : mais les maris viennent-ils au monde tout faits ? ne sont-ils point quelque autre chose auparavant ? qu'estoit l'Amour à sa femme devant que* de l'épouser ? c'est ce que je vous demande.

— Et ce que je ne vous diray pas, répondit la sœur ; car on me l'a défendu.

— Vous seriez bien estonnée, dit la jeune fille, si je le sçavois déjà. C'est un mot qui m'est venu dans l'esprit sans que personne me l'ait appris[185]. Devant que* l'Amour fust le mary de Psiché c'estoit son Amant*.

— Qu'est-ce à dire Amant* ? s'écria l'aisnée ; y a-t-il des Amans* au monde ?

— S'il y en a ? reprit la cadete : vostre cœur ne vous l'a-t-il point encore dit ? il y a tantost six mois que le mien ne me parle d'autre chose.

— Petite fille, reprit sa sœur, si l'on vous entend, vous serez criée*.

— Quel mal y a-t-il à ce que je dis ? luy repartit la jeune Bergère. Hé ma chère sœur, continua-t-elle en luy jettant les deux bras au cou, apprenez-moy, je vous prie, ce qu'il y a dans vos livres.

— On ne le veut pas, dit l'aisnée.

— C'est à cause de cela, reprit la cadete, que j'ay une extrême envie de le sçavoir. Je me lasse d'estre un enfant et une ignorante. J'ay résolu de prier mon père qu'il me meine un de ces jours à la ville : et la première fois que Psiché se parlera à elle mesme, ce qui luy arrive souvent estant seule, je me cacheray pour l'entendre.

— Cela n'est pas nécessaire », dit tout haut Psiché de l'endroit où elle estoit.

Elle se leva aussi-tost, et courut à nos deux Bergères qui se jettèrent à ses genoux si confuses qu'à peine pûrent-elles ouvrir la bouche pour luy demander pardon. Psiché les baisa, les prit par la main, et les fit asseoir à costé d'elle puis leur parla de cette manière : « Vous n'avez rien dit qui m'offense, les belles filles. Et vous, continua-t-elle en s'adressant à la jeune sœur et en la baisant encore une fois, je vous satisferay tout à l'heure* sur vos soupçons. Vostre père m'avoit priée de ne le pas faire : mais puisque ses précautions sont inutiles, et que la Nature vous en a déjà tant appris, je vous diray qu'en effet il y a au monde un certain peuple agréable, insinuant*, dont les manières sont tout à fait douces, qui ne songe qu'à nous plaire, et nous plaist aussi. Il n'a rien d'extraordinaire en son visage ny en sa mine, cependant nous le trouvons beau par dessus tous les autres peuples de l'univers. Quand on en vient là les sœurs et les frères ne sont plus rien. Ce peuple est répandu par toute la terre sous le nom d'amans*. De vous dire précisément comme* il est fait, c'est une chose impossible ; en certains païs il est blanc ; en d'autres païs il est noir. L'Amour ne dédaignoit pas d'en faire partie. Ce Dieu estoit mon amant* devant que* de m'épouser ; et ce qui vous estonneroit si vous sçaviez comme* se gouverne le monde, c'est qu'il l'estoit mesme estant mon mary ; mais il ne l'est plus. »

En suite de cette déclaration, Psiché leur conta son avanture bien plus au long qu'elle ne l'avoit contée au vieillard. Son récit estant achevé : « Je vous ay, dit-elle, conté ces choses afin que vous fassiez dessus des réflexions, et qu'elles vous servent pour la conduite de vostre Vie. Non que mes malheurs provenant d'une cause extraordinaire doivent estre tirez à conséquence par des bergères, ny qu'ils doivent vous dégouster d'une passion dont les peines mesme sont des plaisirs : comment résisteriez-vous à la puissance de mon mary ? tout ce qui respire luy sacrifie. Il y a des cœurs qui s'en voudroient dispenser. Ces cœurs y viennent à leur tour. J'ai veu le temps que le mien estoit du nombre. Je dormois tranquillement, on ne m'entendoit point soûpirer, je ne pleurois point ; je n'estois pas plus heureuse que je le suis, cette félicité languissante n'est pas une chose si souhaitable que vostre père se l'imagine : les Philosophes la cherchent avec un grand soin, les morts la trouvent sans nulle peine[186]. Et ne vous arrestez pas à ce que les Poëtes disent de ceux qui ayment : ils leur font passer leur plus bel âge dans les ennuis* : les ennuis* d'amour ont cela de bon qu'ils n'ennuyent jamais[187]. Ce que vous avez à faire est de bien choisir, et de choisir une fois pour toutes : une fille qui n'ayme qu'en un endroit ne sçauroit estre blâmée ; pourveu que l'honnesteté, la discrétion*, la prudence, soient conductrices de cette affaire, et pourveu qu'on garde des bornes, c'est à dire qu'on fasse semblant d'en garder. Quand vos Amours iront mal, pleurez, soûpirez, désespérez-vous ; je n'ay que faire de vous le dire ; faites seulement que cela ne paroisse pas ; quand elles iront bien que cela paroisse encor moins ; si vous ne voulez que l'envie s'en mesle, et qu'elle corrompe de son venin toute vostre béatitude ; comme vous voyez qu'il est arrivé à mon égard. J'ay crû vous rendre un fort bon office* en vous donnant ces avis ; et ne comprens pas la pensée de vostre père. Il sçait bien que vous ne demeurerez pas toûjours dans cette ignorance ; qu'attend-il donc ? que vostre propre expérience vous rende sages ? Il me semble qu'il vaudroit mieux que ce fust l'expérience d'autruy ; et qu'il vous permist la lecture à l'une aussi bien qu'à l'autre : je vous promets de luy en parler. »

Psiché plaidoit la cause de son époux : et peut-estre sans cela n'auroit elle pas inspiré ces sentimens aux deux jeunes filles. Les sœurs l'écoutoient comme une personne venüe du Ciel. Il se tint en suite entre les trois Belles un conseil secret touchant les affaires de nostre Héroïne. Elle demanda aux Bergères ce qu'il leur sembloit de son avanture, et quelle conduite elle avoit à tenir de là en avant. Les sœurs la prièrent de trouver bon qu'elles demeurassent dans le respect, et s'abstinssent de dire leur sentiment : il ne leur appartenoit pas, dirent elles, de délibérer sur la fortune d'une Déesse. Quel conseil pouvoit-on attendre de deux jeunes filles qui n'avoient encore veu que leur troupeau ? Nostre Héroïne les pressa tant que l'aisnée

Pierre Patel, vue générale du château de Versailles,
prise de l'est (1668).

Il y avoit de nouveaux embellissements à Versailles.

I

Grotte de Thétis, façade. Dans Félibien, *Description de la Grotte de Versailles* (1679).
La face de cette Grote est composée en dehors, de trois arcades (...).

Grotte de Thétis, pilier de coquillages et de rocailles. *Ibidem.*
  Un Triton d'un costé, de l'autre une Sirène,
  Ont chacun une conque en leurs mains de rocher.

V

Grotte de Thétis, Apollon parmi les Néréides. *Ibidem.*

Ce Dieu se reposant sous ces voûtes humides
Est assis au milieu d'un chœur de Néréides.

Grotte de Thétis, masques de coquillages et de rocailles. *Ibidem.*
(...) Masques de rocaille, à crotesque figure.

Bassin d'Apollon et Grand Canal. Gravure de Pérelle.

(...) L'une est un rond à pans, l'autre est un long canal
(...) Au milieu du premier Phoebus sortant de l'onde
A quitté de Thétis la demeure profonde.

Salle de bal pour la fête du 18 juillet 1668. Gravure de Le Pautre.

(...) le Salon et la galerie qui sont demeurez debout
après la Fête qui a esté tant vantée.

Photo Roger-Viollet

Photo Bulloz

XIII

Raphaël, « Les Noces ». (Dessin préparatoire pour la fresque du « Banquet de noces à la Farnésine », Rome.)

Je décriray encore moins les plaisirs de nos époux.

luy dit qu'elle approuvoit ses soûmissions* et son repentir : qu'elle luy conseilloit de continuer ; car cela ne pouvoit luy nuire et pouvoit extrêmement luy profiter : qu'asseurément son mary n'avoit point discontinüé de l'aymer ; ses reproches, et le soin qu'il avoit eu d'empescher qu'elle ne mourust, sa colère mesme en estoient des témoignages infaillibles : il vouloit sans plus luy faire acheter ses bonnes grâces, pour les luy rendre plus précieuses. C'estoit un second ragoust dont il s'avisoit, et qui tout considéré n'estoit pas à beaucoup prez si estrange que le premier.

La cadete fut d'un avis tout contraire, et s'emporta fort contre l'Amour. Ce Dieu estoit-il raisonnable ? avoit-il des yeux de laisser languir à ses pieds la fille d'un Roy, Reyne elle mesme de la beauté ? Tout cela parce qu'on avoit eu la curiosité de le voir. La belle raison de quitter sa femme, et de faire un si grand bruit ! S'il eust esté laid, il eust eu sujet de se fascher ; mais estant si beau, on luy avoit fait plaisir. Bien loin que cette curiosité fust blasmable, elle méritoit d'estre loüée, comme ne pouvant provenir que d'excès d'amour. «Si vous m'en croyez, Madame, vous attendrez que vostre mary revienne au logis. Je ne connois ny le naturel* des Dieux ny celui des hommes, mais je juge d'autruy par moy-mesme, et crois que chacun est fait à peu près de la mesme sorte ; quand nous avons quelque différend ma sœur et moy, si je fais la froide et l'indifférente elle me recherche ; si elle se tient sur son quant-à-moy* je vas au devant. »

Psiché admira l'esprit de nos deux bergères, et conjectura que la cadete avoit attrapé les livres dont la bibliothèque de sa sœur estoit composée, et les avoit leus en cachete : ajoustez aux livres l'excellence du naturel, lequel ayant esté fort heureux dans la mère de ces deux filles revivoit en l'une et en l'autre avec avantage, et n'avoit point esté abastardi par la solitude. Psiché préféra l'avis de l'aisnée à celuy de la cadete.

Elle résolut de se mettre en queste de son mary dès le lendemain.

Cette entreprise avoit quelque chose de bien hardi et de bien estrange. La fille d'un Roy aller ainsi seule ! car pour estre femme d'un dieu, ce n'estoit pas une qualité qui deust faire trouver de la messéance* en la chose : les Déesses vont et viennent comme il leur plaist, et personne n'y trouve à dire. La difficulté estoit plus grande à l'égard de nostre Héroïne : non seulement elle appréhendoit de rencontrer les satellites de son ennemie, mais tous les hommes en général. Et le moyen d'empescher qu'on ne la reconnût d'abord* ? Quoy que son habit fust de deüil, c'estoit aussi un habit de nopces, chargé de diamans en beaucoup d'endroits, et qui avoit consumé deux années du revenu de son père. Tant de beauté en une personne, et de richesses en son vestement tenteroient le premier venu. Elle espéroit véritablement* que son mary préserveroit la personne, et empescheroit que l'on n'y touchast : les diamans deviendroient ce qu'il plairoit au destin. Quand elle n'auroit rien espéré, je crois qu'il n'en eust esté autre chose[188]. Io courut par toute la terre : on dit qu'elle estoit piquée d'une mousche[189] : je soupçonne fort cette mousche de ressembler à l'Amour autrement que par les aisles. Bien prit à Psiché que la mousche qui la piquoit estoit son mary ; cela excusoit toutes choses. L'Aisnée des deux filles luy proposa de se faire faire un autre habit dans cette Ville voisine dont j'ay parlé : leur père auroit ce soin là si elle le jugeoit à propos. Psiché qui voyoit que cette fille estoit d'une taille à peu près comme la sienne, ayma mieux changer d'habit avec elle, et voulut que la métamorphose s'en fist sur le champ. C'estoit une occasion de s'acquitter envers ses hostesses. Quelle satisfaction pour elle si le prix de ces diamans augmentoit celuy de ces filles, et y faisoit mettre l'enchère par plus d'amans* ! Qui se trouva empeschée* ce fut la bergère. Le respect, la honte*, la répugnance de recevoir ce présent, mille choses l'embarassoient : elle appréhendoit que son père ne la blasmast. Toutes bergères qu'estoient ces filles, elles avoient du cœur*, et se souvenoient de leur naissance quand il en estoit besoin. Il falut cette fois là que l'aisnée se laissast persuader ; à condition, dit-elle, que cet habit luy tiendroit lieu de dépost. Nos deux Travesties se trouvèrent en leurs nouveaux accoustremens, comme si Psiché n'eust fait toute sa vie autre chose qu'estre Bergère, et la Bergère qu'estre Princesse. Quand elles se présentèrent au Vieillard, il eut de la peine à les reconnoistre. Psiché se fit un divertissement de cette Métamorphose. Elle commençoit à mieux espérer goustant* les raisons qu'on luy apportoit.

Le lendemain ayant trouvé le Vieillard seul elle lui parla ainsi : « Vous ne pouvez pas toûjours vivre, et estes en un âge qui vous doit faire songer à vos filles : que deviendront-elles, si vous mourez ?

— Je leur laisseray le Ciel pour tuteur, reprit le Vieillard ; puis l'aisnée a de la prudence* ; et toutes deux ont assez d'esprit. Si la Parque me surprend, elles n'auront qu'à se retirer dans cette ville voisine : le peuple y est bon, et aura soin d'elles. Je vous confesse que le plus seur est de prévenir la Parque. Je les conduiray moy-mesme en ce lieu dès que vous serez partie. C'est un lieu de félicité pour les femmes ; elles y font tout ce qu'elles veulent, et cela leur fait vouloir tout ce qui est bien. Je ne crois pas que mes filles en usent autrement. S'il estoit bien séant à moy de les loüer, je vous dirois que leurs inclinations sont bonnes, et que l'exemple et les leçons de leur mère ont trouvé en elles des sujets déjà disposez à la vertu. La cadete ne vous a-t-elle point semblé un peu libre ?

— Ce n'est que gayeté et jeunesse, reprit Psiché. Elle n'ayme pas moins la gloire que son aisnée. L'âge lui donnera de la retenuë : la lecture luy en auroit déjà donné si vous y aviez consenty. Au reste servez-vous des diamans qui sont sur l'habit que j'ay laissé à vos filles : cela vous aydera peut-estre à les marier. Non que leur beauté ne soit une dot plus que suffisante ; mais vous sçavez aussi bien que moy, que quand la beauté est riche, elle est de moitié plus belle. »

Le Vieillard eut trop de fierté pour un Philosophe. Il ne se voulut charger de l'habit qu'à condition de n'y point toucher. Dès le mesme jour tous quatre partirent de ce désert*. Quand ils eurent passé la ravine, et le petit sentier bordé de ronces, ils se séparèrent. Le Vieillard avec ses enfans prit le chemin de la ville ; Psiché celuy que la fortune luy présenta. La peine de se quitter fut égale, et les larmes bien réciproques. Psiché embrassa cent fois les deux jeunes filles, et les asseura que si elle rentroit en grâce elle feroit tant auprès de l'Amour qu'il les combleroit de ses biens, leur départiroit à petite mesure ses maux, justement ce qu'il en faudroit pour leur faire trouver les biens meilleurs. Après le renouvellement des adieux et celuy des larmes chacun suivit son chemin ; ce ne fut pas sans tourner la teste.

La famille du Vieillard arriva heureusement dans le lieu où elle avait dessein de s'établir. Je vous conterois ses avantures si jc nc m'estois point prescrit des bornes plus resserrées. Peut estre qu'un jour les mémoires[190] que j'ay recueillis tomberont entre les mains de quelqu'un qui s'exercera sur cette matière, et qui s'en acquittera mieux que moy : maintenant je n'achèveray que l'histoire de nostre Héroïne[191].

Si-tost qu'elle eut perdu de veuë ces personnes, son dessein se représenta à elle tel qu'il estoit, avec ses inconvéniens, ses dangers, ses peines, dont elle n'avoit apperceu jusque-là qu'une petite partie. Il ne luy restoit de tant de trésors qu'un simple habit de Bergère. Les Palais où il luy faloit coucher estoient quelquefois le tronc d'un arbre, quelquefois un antre, ou une masure. Là pour compagnie elle rencontroit des hiboux et force serpens. Son manger croissoit sur le bord de quelque fontaine, ou pendoit aux branches des chesnes, o[u] se trouvoit parmy celles des palmiers. Qui l'auroit veuë pendant le midy, lors que la campagne n'est qu'un désert*, contrainte de s'appuyer contre la première pierre qu'elle rencontroit, et n'en pouvant plus de chaleur, de faim, et de lassitude, priant le Soleil de modérer quelque peu l'excessive ardeur de ses rayons, puis considérant la terre, et ressuscitant avec ses larmes les herbes que la canicule avoit fait mourir ; qui l'auroit veuë, dis-je, en cet estat et ne se seroit pas fondu en pleurs aussi bien qu'elle, auroit esté un véritable rocher.

Deux jours se passèrent à aller de costé et d'autre, puis revenir sur ses pas, aussi peu certaine du lieu par où elle vouloit commencer sa queste que de la route qu'il faloit prendre. Le troisième elle se souvint que l'Amour luy avoit recommandé sur toutes choses de le venger. Psiché estoit bonne : jamais elle n'auroit pû se résoudre de faire du mal à ses sœurs autrement que par un motif d'obéïssance, quelque meschantes et quelque dignes de punition qu'elles fussent. Que si elle avoit voulu tuer son mary, ce n'estoit pas comme son mary, mais comme Dragon. Aussi ne se proposa-t-elle point d'autre vengeance que de faire accroire à chacune de ses sœurs séparément que l'Amour vouloit l'épouser, ayant répudié leur cadete comme indigne de l'honneur qu'il luy avoit fait : tromperie qui dans l'apparence n'aboutissoit qu'à les faire courir l'une et l'autre, et leur faire consumer un peu plus de temps autour d'un miroir.

Dans cette résolution elle se remet en chemin : et comme une personne de son sexe vint à passer (elle avoit soin de se détourner des hommes), elle la pria de luy dire par où on alloit à certains Royaumes, situez en un canton, qui estoit entre telle et telle contrée, enfin où régnoient les sœurs de Psiché. Le nom de Psiché estoit plus connu que celuy de ces Royaumes ; ainsi cette femme comprit par là ce que l'on luy demandoit, et enseigna à nostre Bergère une partie de la route qu'il faloit suivre.

A la première croisée de chemins qu'elle rencontra ses frayeurs se renouvellèrent. Les gens qu'avoit envoyez Vénus pour se saisir d'elle ayant rendu à leur Reyne un fort mauvais compte de leur recherche, cette Déesse ne trouva point d'autre expédient que de faire trompeter* sa rivale. Le Crieur des Dieux est Mercure ; c'est un de ses cent mestiers. Vénus le prit dans sa belle humeur ; et après s'estre laissé dérober par ce Dieu deux ou trois baisers, et une paire de pendans d'oreilles, elle fit marché avec luy, moyennant lequel il se chargea de crier Psiché par tous les carrefours de l'Univers, et d'y planter des posteaux où ce plaquart seroit affiché :

> *De par la Reyne de Cythère,*
> *Soient dans l'un et l'autre Hémisphère*
> *Tous humains deument avertis,*
> *Qu'elle a perdu certaine esclave blonde,*
> *Se disant femme de son fils,*
> *Et qui court à présent le monde.*
> *Quiconque enseignera sa retraite à Vénus,*
> *(Comme c'est chose qui la touche)*[192]
> *Aura trois baisers de sa bouche ;*
> *Qui la luy livrera, quelque chose de plus*[a].

Nostre Bergère rencontra donc un de ces posteaux ; il y en avoit à toutes les croisées de chemins un peu fréquentez. Après six jours de travail* elle arriva au Royaume de son aisnée. Cette malheureuse femme sçavoit déjà par le moyen des plaquarts ce qui estoit arrivé à sa sœur. Ce jour-là elle estoit sortie afin d'en voir un. La satisfaction qu'elle en eut, fut véritablement assez grande pour mériter qu'elle la goustast à

---

a. Var. B.L. : Les deux derniers vers sont biffés, sans être remplacés.

loisir. Ainsi elle renvoya à la ville la meilleure partie de son train* ; et voulut coucher en une maison des champs où elle alloit quelquefois, située au-dessus d'une prairie fort agréable et fort étenduë. Là sa joye se dilatoit quand nostre Bergère passa. La maudite Reyne avoit voulu qu'on la laissast seule. Deux ou trois de ses officiers* et autant de femmes se promenoient à cinq cens pas d'elle, et s'entretenoient possible* de leur amour, plus attachez à ce qu'ils disoient qu'à ce que pensoit leur maistresse.

Psiché la reconnût d'assez loin. L'autre estoit tellement occupée à se réjoüir du plaquart, que sa sœur se jetta à ses genoux devant qu*'elle l'apperceust. Quelle témérité à une Bergère ! surprendre sa Majesté ! la retirer de ses resveries ! se jetter à ses genoux sans l'en avertir ! il faloit chastier cette audacieuse. « Et qui es-tu insolente qui oses ainsi m'approcher ?

— Hélas, Madame, je suis vostre sœur, autrefois l'épouse de Cupidon, maintenant esclave, et ne sçachant presque que devenir. La curiosité de voir mon mary l'a mis en telle colère qu'il m'a chassée. "Psiché, m'a-t-il dit, vous ne méritez pas d'estre aymée d'un Dieu : Pourvoyez vous d'époux ou d'amant*, comme vous le jugerez à prospos ; car de vostre vie vous n'aurez aucune part à mon cœur. Si je l'avois donné à vostre aisnée, elle l'auroit conservé, et ne seroit pas tombée dans la faute que vous avez faite ; je ne serois pas malade d'une brûlure qui me cause des douleurs extrêmes, et dont je ne guériray de long-temps. Vous n'avez que de la beauté ; j'avoüe que cela fait naistre l'amour ; mais pour le faire durer il faut autre chose, il faut ce qu'a vostre aisnée, de l'esprit, de la beauté et de la prudence*. Je vous ay dit les raisons qui m'empeschoient de me laisser voir : vostre sœur s'y seroit renduë ; mais pour vous ce n'a esté que légèreté d'esprit, contradiction, opiniastreté. Je ne m'estonne plus que ma mère ait désaprouvé nostre mariage : elle voyoit vos défauts : que je luy pr[o]pose de trouver bon que j'épouse vostre sœur, je suis certain qu'elle l'agréra. Si je faisois cas de vous, je prendrois le soin moy-mesme de vous punir : je laisse cela à ma mère ; elle s'en sçaura acquiter. Soyez son esclave, puisque vous ne méritez pas d'estre mon épouse. Je vous répudie, et vous donne à elle. Vostre employ sera, si elle me croit, de garder certaine sorte d'oysons qu'elle fait nourrir dans sa ménagerie d'Amatonte[193]. Allez la trouver tout incontinent*, portez luy ces lettres ; et passez par le Royaume de vostre aisnée : Vous luy direz que je l'ayme, et que si elle veut m'épouser, tous ces trésors sont à elle. Je vous ay traitée comme une étourdie et comme un enfant. Je la traiteray d'une autre manière ; et lui permettray de me voir tant qu'il luy plaira. Qu'elle vienne seulement, et s'abandonne à l'haleine du Zéphire, comme déjà elle a fait ; j'auray soin qu'elle soit enlevée dans mon Palais. Oubliez entièrement nostre Hymen : je ne veux pas qu'il vous en reste la moindre chose ; non pas mesme cet habit que vous portez maintenant : dépoüillez-le tout à l'heure*, en voilà un autre" : il a falu obéïr. Voilà, Madame, quel est mon sort. »

La sœur sc croyant déjà cntrc lcs bras dc l'Amour, chatoüillée* de ce témoignage de son mérite, et de mille autres pensées agréables, ne marchanda* point à se résoudre en son âme à quitter mary et enfans. Elle fit pourtant la petite bouche devant Psiché : et regardant sa cadete avec un visage de Matrone : « Ne vous avois-je pas dit aussi, luy repartit-elle, qu'une honneste femme se devoit contenter du mary que les Dieux luy avoient donné, de quelque façon qu'il fust fait, et ne pas pénétrer plus avant qu'il ne plaisoit à ce mary qu'elle pénétrast ? Si vous m'eussiez creuë, vous ne seriez pas vagabonde comme vous estes. Voilà ce que c'est qu'une jeunesse inconsidérée, qui veut agir à sa teste, et qui ne croit pas conseil. Encore estes vous heureuse d'en estre quitte à si bon marché. Vous méritiez que vostre mary vous fist enfermer dans une tour. Or bien ne raisonnons plus sur une faute arrivée. Ce que vous avez à faire est de vous monstrer le moins qu'il sera possible ; et puisqu'Amour veut que vous ne bougiez d'avec les oisons, ne les point quiter. Il y a mesme trop de somptuosité à vostre habit. Cela ne sent pas sa criminelle assez repentante. Coupez ces cheveux, et prenez un sac ; je vous en feray donner un : vous laisserez icy cet accoustrement. » Psiché la remercia. « Puisque vous voulez, ajousta la faiseuse de remonstrances, suivre toûjours vostre fantaisie, je vous abandonne, et vous laisse aller où il vous plaira. Quant aux propositions de l'Amour, nous ferons ce qu'il sera à propos de faire. » Là dessus elle se tourna vers ses gens ; et laissa Psiché qui ne s'en soucioit pas trop, et qui voyoit bien que son aisnée avoit mordu à l'hameçon : car à peine tenoit-elle à terre, n'en pouvant plus qu'elle ne fust seule pour donner un libre cours à sa joye.

Psiché de ce mesme pas s'en alla faire à son autre sœur la mesme ambassade. Cette sœur cy n'avoit plus d'époux. Il estoit allé en l'autre monde à grandes journées*, et par un chemin plus court que celuy que tiennent les gens du commun : les médecins le luy avoient enseigné. Quoy qu'il n'y eust pas plus d'un mois qu'elle estoit veuve, il y paroissoit des-jà : c'est à dire que sa personne estoit en meilleur estat ; peut-estre l'entendiez-vous d'autre sorte. Si bien que cette puisnée étant de deux ans plus jeune, plus nouvelle mariée, et moins de fois mère que l'autre, le rétablissement de ses charmes n'estoit pas une affaire de si longue haleine : elle pouvoit bien plustost et plus hardiment se présenter à l'Amour. L'autre avoit des réparations à faire de tous les costez. Le bain y fut employé, les chimistes, les atourneuses*. Cela estonna le Roy son mary. La galanterie croissait à veuë d'œil, les galants ne paroissoient point. Il n'y avoit ny ingrédient, ny eau, ny essence qu'on n'éprouvast : mais tout cela n'estoit que plastrer la chose. Les charmes de la pauvre femme estoient trop avant dans les chroniques du temps passé pour les rappeler si facilement. Tandis qu'elle fait ses préparatifs, sa seconde sœur la prévient, s'en va droit à cette montagne dont nous avons tant parlé, arrive au sommet sans rencontrer de Dragons. Cela luy plût fort : elle crût qu'Amour lui épargnoit ces frayeurs par un privilège particulier ; tourna vers l'endroit où elle et sa sœur avoient coustume de se présenter ; et pour estre enlevée plus aisément par le Zéphire elle se planta sur un roc qui commandoit aux* abysmes de ces lieux là.

« Amour, dit-elle, me voilà venuë : nostre étourdie de cadete m'a asseurée que tu me voulois épouser. Je n'attendois autre chose ; et me doutois bien que tu la répudierois pour l'amour de moy ; car c'est une écervelée. Regarde comme je te suis des-jà obéïssante. Je ne feray pas comme a fait ma sœur Psiché. Elle a voulu à toute force te voir : moy je veux tout ce que l'on veut : monstre-toy, ne te montre pas, je me tiendray* très heureuse. Si tu me caresses, tu verras comme* je sçais y répondre : si tu ne me caresses pas, mon défunct mary m'y a tout accoustumée. Je te feray rire de son régime*, et je t'en diray mille choses divertissantes : tu ne t'ennuyras point avec moy. Ma sœur Psiché n'estoit qu'un enfant qui ne sçavoit rien ; moy je suis un esprit fait. O Dieux ! je sens des-jà une douce haleine. C'est celle de ton serviteur Zéphire. Que ne l'as tu envoyé luy mesme ; il m'auroit plutost enlevée ; j'en serois plustost entre tes bras, et tu en serois plûtost entre les miens : je prétends que tu trouves la chose égale ; et puis que tu as de l'amour, tu dois avoir aussi de l'impatience. Adieu misérables mortelles que les hommes ayment : vous voudriez bien estre aymées comme moy d'un Dieu qui n'eust point de poil au menton : ce n'est pas pour vous : qu'il vous suffise de m'invoquer, et je pourvoiray à vos nécessitez amoureuses. »

Disant ces paroles elle s'abandonna dans les airs à

son ordinaire ; et au lieu d'estre enlevée dans le palais de l'Amour, elle tomba premièrement sur une pointe de rocher, et puis sur une autre, de roc en roc ; chacun d'eux emporta sa pièce : ils se la renvoyoient les uns aux autres comme un joüet : de manière qu'elle arriva le plus joliment du monde au Royaume de Proserpine.

Quelques jours après son aisnée se vint planter sur le mesme roc. Celle-cy fit sa harangue au Zéphire. « Amant* de Flore, luy cria-t-elle, quitte tes amours, et me vien porter dans le palais de ton maistre. Ne me blesse point en chemin ; je suis délicate. Que si tu ne veux envoyer que ton haleine, cela suffira ; aussibien n'aymay-je pas qu'on me touche, principalement les hommes : pour l'Amour, tant qu'il luy plaira. Pren garde sur tout à ne point gaster ma coifure. » Ayant dit ces mots elle tira un miroir de sa poche ; et fut quelque temps à se regarder, raccommodant un cheveu en un endroit, puis un en un autre, quelquesfois rien ; non sans se moüiller les lèvres ; et tant de façons que si l'Amour avoit esté là il en auroit ry. Elle remit son miroir ; accusant le plus agréablement qu'elle pût le Zéphire d'estre un paresseux, qui ne se soucioit que de ses amours, négligeoit celles de son maistre : se moquoit-il de la laisser au Soleil ? Justement comme elle achevoit ces reproches, un petit Eurus[194] qui s'estoit fortuitement égaré vint passer à quatre pas d'elle ; jugez la joye. Nostre prétendüe fiancée se donne le bransle à soy mesme : mais au lieu d'aller trouver l'Amour comme elle pensoit, elle va trouver sa sœur, droit par le chemin que l'autre luy avoit tracé, sans se destourner d'un pas. Ce sont les Echos de ces rochers qui nous ont appris la mort des deux sœurs. Ils la contèrent quelque temps après au Zéphire. Luy incontinent* en alla porter la nouvelle au fils de Vénus qui le régala d'un fort beau présent.

Psiché cependant continüoit de chercher l'Amour toûjours en son habit de bergère. Il avoit une telle grâce sur elle que si son ennemie l'eust veuë avec cet habit, elle luy en auroit donné un de Déesse en la place. Les afflictions, le travail*, la crainte, le peu de repos et de nourriture avoient toutefois diminué ses appas ; si bien que sans une force de beauté extraordinaire ce n'auroit plus esté que l'ombre de cet objet qui avoit tant fait parler de luy dans le monde. Bien luy prit d'avoir des charmes à moissonner pour le temps, et pour la douleur, et encore de reste pour elle[195]. Le plus cruel de son avanture estoit les craintes qu'on luy donnoit. Tantost elle entendoit dire que Vénus la faisoit chercher par d'autres gens ; quelquefois mesme qu'elle estoit tombée entre les mains de son ennemie qui à force de tourmens l'avoit renduë méconnoissable. Un jour elle eut une telle alarme qu'elle se jetta dans une chapelle de Cérès comme en un azile qui de bonne fortune* se présentoit. Cette chapelle estoit près d'un champ dont on venoit de couper les bleds. Là les laboureurs des environs offroient tous les ans les prémices de leur récolte. Il y avoit un grand monceau de javelles à l'entrée du temple. Nostre Bergère se prosterna devant l'image de la Déesse ; puis luy mit au bras un chapeau* de fleurs lesquelles elle venoit de cueillir en courant et sans aucun choix. C'estoit de ces fleurs qui croissent parmy les bleds. Psiché avoit oüy dire aux sacrificateurs de son pays qu'elles plaisoient à Cérès, et qu'une personne qui vouloit obtenir des Dieux quelque chose ne devoit point entrer dans leur maison les mains vuides. Après son offrande elle se remit à genoux, et fit ainsi sa prière :

« Divinité la plus nécessaire qui soit au monde, nourrice des hommes, protège moy contre celle que je n'ay jamais offensée : souffre seulement que je me cache pour quelques jours entre les javelles qui sont à la porte de ton temple, et que je vive du bled qui en tombera. Cythérée se plaint de ce que son fils m'a voulu du bien, mais puis qu'il ne m'en veut plus, n'est-ce pas assez de satisfaction pour elle et assez de peine pour moy ? Faut-il que la colère des Dieux soit si grande ? S'il est vray que la justice se soit retirée parmy eux[196], ils doivent considérer l'innocence d'une personne qui leur a obéy en sc mariant. Ay-je corrompu* l'Oracle ? ay-je usé d'aucun artifice pour me faire aymer ? puis-je mais si un Dieu me void* ? quand je m'enfermerois dans une tour, me verroit-il pas ? Tant s'en faut qu'en l'épousant je crûsse faire du déplaisir à sa mère, que je croyois épouser un monstre. Il s'est trouvé que c'estoit l'Amour, et que j'avois plû à ce Dieu. C'est donc un crime d'estre agréable : Hélas ! je ne le suis plus, et je ne l'ay jamais esté par ma faute. Il ne se trouvera point que j'aye employé ny affêterie ny paroles ensorcelantes. Vénus a encore sur le cœur l'indiscrétion* des mortels qui ont quitté son culte pour m'honorer. Qu'elle se plaigne donc des mortels ; mais de moy c'est une injustice. Je leur ay dit qu'ils me faisoient tort. Si les hommes sont imprudens ce n'est pas à dire que je sois coupable. »

C'est ainsi que nostre Bergère se justifioit à Cérès. Soit que les Déesses s'entendent, ou que celle-cy fust faschée de ce qu'on l'avoit appellée nourrice, ou que le Ciel veüille que nos prières soient véritablement dcs prières et non des apologies, celle de Psiché ne fut nullement écoutée. Cérès luy cria de la voûte de sa Chapele qu'elle se retirast au plus viste, et laissast le tas de javelles comme il estoit ; sinon, Vénus en auroit l'avis. Pourquoy rompre en faveur d'une mortelle avec une Déesse de ses amies ? Vénus ne luy en avoit donné aucun sujet : qu'on dist tout ce qu'on voudroit de sa conduite, c'estoit une bonne femme, qui luy avoit obligation* à la vérité ainsi qu'à Bacchus[197] ; mais elle le sçavoit bien reconnoistre, et le publioit partout.

Ce fut beaucoup de déplaisir à Psiché de se voir excluse d'un azile, où elle auroit crû estre mieux venuë qu'en pas un autre qui fust au monde. En effet si Cérès bien-faisante de son naturel et qui ne se piquoit pas de beauté lui refusoit sa protection, il n'y avoit guère d'apparence* que des Déesses tant soit peu galantes et d'humeur jalouse luy accordassent la leur. D'y intéresser des Dieux, c'estoit s'exposer à quelque chose de pis que la persécution de Vénus : il faloit sçavoir auparavant quelle sorte de reconnoissance ils exigeroient de la Belle : encore le plus à propos estoit-il de ne s'adresser qu'aux divinitez de son Sexe, tant pour empescher la médisance, que pour ne donner aucun ombrage à son mary. Junon là dessus lui vint en l'esprit. Psiché crût qu'y ayant quelque sorte d'émulation entre Cythérée et cette Déesse, et pour le crédit, et pour la beauté, la Reyne des Dieux seroit bien aise de trouver une occasion de nuire à sa concurrente, suivant l'usage de la Cour, et le serment que font les femmes en venant au monde. Il ne fut pas difficile à nostre Bergère de trouver Junon. La jalouse femme de Jupiter descend souvent sur la terre et vient demander aux mortels des nouvelles de son mary. Psiché l'ayant rencontrée luy chanta un Hymne où il n'estoit fait mention que de la puissance de cette Déesse : en quoy elle commit une faute : il valoit bien mieux s'étendre sur sa beauté ; la loüange en est tout autrement agréable. Ce sont les Rois que l'on n'entretient que de leur grandeur : pour les Reines il faut les féliciter d'autre chose, qui veut bien faire[198]. Aussi l'épouse de Cupidon fut elle éconduite encore une fois. La différence qu'il y eut, fut que celle-cy se passa quelque peu plus mal què la première. Car outre les considérations de Cérès, Junon ajousta qu'il faloit punir ces mortelles à qui les Dieux font l'amour, et obliger leurs galants à demeurer au logis. Que venoient-ils faire parmy les hommes ? comme s'il n'y avoit pas dans le Ciel assez de beauté pour eux. Non qu'elle en parlast pour son intérest, se souciant peu de ces choses, et ne craignant du costé des charmes qui que ce fust. La Reine des Dieux ne disoit pas tout : il y avoit encore une raison plus pressante que cela ; comme on pourroit dire

174

quelque étincelle de ce feu dont on n'avertit les voisins que le moins qu'on peut. Une femme judicieuse ne doit point désobliger le fils de Vénus ; sçait elle si quelque jour elle n'aura point affaire* de luy ? Apparemment le courroux du Dieu duroit encore contre Psiché : ainsi le plus seur estoit de ne point entrer dans leurs différends.

Nostre Bergère rebutée de tant de costez ne sceut plus à qui s'adresser. Il restoit véritablement Diane et Pallas : mais l'une et l'autre ayant fait vœu de virginité n'auroit pas les prières d'une femme pour agréables, et croiroit soüiller ses oreilles en les écoutant. Toutefois, comme Diane rendoit des Oracles, la Bergère crût que pour le moins cette Déesse ne seroit pas si farouche que de lui en refuser un, et elle ne luy demanderoit autre chose. Aussi bien s'en rendoit-il en un lieu tout proche : ce ne seroit pas pour elle un fort grand détour. Le lieu estoit à l'entrée d'une forest extrêmement solitaire et propre à la chasse. Diane y avoit un Temple dont elle faisoit une de ses maisons de plaisir. On faisoit environ deux mille pas dans le bois ; puis on rencontroit une clarière* qui servoit comme de parvis au Temple. Il estoit petit ; mais d'une fort belle architecture. Au milieu de la clarière* on avoit placé un obélisque de marbre blanc, à quatre faces, posé sur autant de boules, et élevé sur un pied d'estal ayant de hauteur moitié de celle de l'obélisque.[199] Sur chaque costé du plinthe, qui regardoit directement, aussi bien que les faces de la Pyramide, le midy, le septentrion, le couchant et le levant, estoient entaillez* ces mots :

> *Qui que tu sois, qui as sacrifié à l'Amour ou à l'Hyménée, garde toy d'entrer dans mon sactuaire.*

Psiché qui avoit sacrifié à l'un et à l'autre n'osa entrer dans le Temple : elle demeura à la porte, où la Prestresse lui apporta cet Oracle :

Cesse d'estre errante : ce que tu cherches a des aisles : quand tu sçauras comme luy marcher dans les airs, tu seras heureuse.

Ces paroles ne démentoient point l'ambiguité et l'obscurité ordinaire des réponses que font les Dieux[200]. Psiché se tourmenta fort pour en tirer quelque sens, et n'en pût venir à bout. « Que le Ciel, dit-elle, me prescrive ce qu'il voudra, il faut mourir, ou trouver l'Amour ; nous ne le sçaurions trouver, il faut donc mourir : allons nous livrer à nostre ennemie, c'en est le moyen. Mais l'Oracle m'a assurée que je serois quelque jour heureuse : allons nous jetter aux pieds de Vénus : nous la servirons, nous endurerons patiemment ses outrages, cela l'émouvera à compassion, elle nous pardonnera, nous recevra pour sa fille, fera ma paix elle-mesme avec son fils. » C'estoient là les plus belles espérances du monde, et bien enchaisnées comme vous voyez ; un moment de réflexion les détruisoit toutes.

Psiché se confirma toutefois dans son dessein. Elle s'informa du plus prochain Temple de Cythérée, résoluë, si la Déesse n'y estoit présente, de s'embarquer et d'aller en Cypre. On luy dit qu'à trois ou quatre journées* de là il y en avoit un fort fameux et fort fréquenté, portant pour inscription : *A la Déesse des Grâces.* Apparemment Vénus s'y plaisoit, et y tenoit souvent en personne son tribunal, veu les miracles qui s'y faisoient, et le grand concours de gens qui y accouroient de tous les costez. Il y en avoit mesme qui se vantoient de l'y avoir veuë plusieurs fois. Nostre Bergère se met en chemin, plus heureuse, ce luy sembloit, que devant* l'Oracle. Car elle sçavoit du moins ce qu'elle avoit envie de faire, sortiroit d'irrésolution et d'incertitude, qui sont les pires de tous les maux ; pourroit voir l'Amour, n'y ayant pas d'apparence* que sa mère vinst si souvent en un lieu sans l'y amener. Supposé que la pauvre épouse n'eust cette satisfaction qu'en présence d'une Belle-mère qui la haïssoit, et qui bien loin de la reconnoistre pour sa bru, la traiteroit en esclave ; c'estoit toûjours quelque chose ; les affaires pourroient changer ; la compassion, la veuë de la Belle, son humilité, sa douceur, le peu de liberté de l'entretenir, tout cela seroit capable de rallumer le désir du Dieu. En tout cas elle le verroit, et c'estoit beaucoup : toutes peines luy seroient douces quand elles luy pourroient procurer un quart d'heure de ce plaisir. Psiché se flatoit ainsi : pauvre infortunée qui ne songeoit pas combien les haines des femmes sont violentes. Hélas la Belle ne sçavoit guère ce que le destin luy préparoit. Le cœur luy batit pourtant dès qu'elle approcha de la contrée où estoit le Temple. Long-temps devant qu*'on y arrivast on respiroit un air embaûmé, tant à cause des personnes qui venoient offrir des parfums à la Déesse, et qui estoient parfumez eux-mesmes[201], que parce que le chemin estoit bordé d'Orangers, de Jasmins, de Myrtes, et tout le pays parsemé de fleurs.

On découvroit le Temple de loin, quoy qu'il fust situé dans une vallée ; mais cette vallée estoit spa-cieuse, plus longue que large, ceinte de costeaux merveilleusement agréables. Ils estoient meslez de bois, de champs, de prairies, d'habitations qui se ressentoient d'un long calme. Vénus avoit obtenu de Mars une sauve-garde pour tous ces lieux. Les ani-maux mesme ne s'y faisoient poinct la guerre ; jamais de Loups ; jamais d'autres pièges que ceux que l'Amour fait tendre. Dès qu'on avoit atteint l'âge de discerne-ment on se faisoit enregistrer dans la confrairie de ce Dieu ; les filles à douze ans, les garçons à quinze. Il y en avoit à qui l'amour venoit devant* la raison. S'il se rencontroit une Indifférente, on en purgeoit le pays. Sa famille estoit séquestrée pour un certain temps. Le Clergé de la Déesse avoit soin de purifier le canton où ce prodige estoit survenu. Voilà quant aux mœurs et au gouvernement du pays. Il abondoit en oyseaux de joly plumage. Quelques tourterelles s'y rencon-troient[202]. On en comptoit jusqu'à trois espèces ; tour-terelles oyseaux, tourterelles Nymphes, et tourterelles Bergères. La seconde espèce estoit rare. Au milieu de la vallée couloit un Canal de mesme longueur que la plaine, large comme un fleuve, et d'une eau si trans-parente, qu'un atome se fust veu au fond : en un mot vray cristal fondu. Force Nymphes et force Syrènes s'y joüoient ; on les prenoit à la main. Les personnes riches avoient coustume de s'embarquer sur ce Canal qui les conduisoit jusqu'aux degrez du parvis. Ils loüoient je ne sçai combien d'Amours ; qui plus, qui moins, selon la charge qu'avoit le vaisseau ; chaque Amour [avait] son Cygne, qu'il atteloit à la barque, et monté dessus il le conduisoit avec un ruban. Deux autres nacelles suivoient ; l'une chargée de musique, l'autre de bijoux et d'Oranges douces. Ainsi s'en alloit la barque fort gayement. De chaque costé du Canal s'estendoit une prairie verte comme fine émeraude, et bordée d'ombrages délicieux. Il n'y avoit point d'autres chemins : ceux-là estoient tellement fréquentez que Psiché jugea à propos de ne marcher que de nuit. Sur le poinct du jour elle arriva à un lieu nommé, les deux sépultures. Je vous en diray la raison, parce que l'origine du Temple en dépend.

Un Roy de Lydie appelé Philocharez, pria autrefois les Grecs de luy donner femme[203]. Il ne luy importoit de quelle naissance, pourveu que la beauté s'y trou-vast : une fille est noble quand elle est belle. Ses Ambassadeurs disoient que leur Prince avoit le goust extrêmement délicat. On luy envoya deux jeunes filles : l'une s'appelloit Myrtis, l'autre Mégano. Celle-cy estoit fort grande, de belle taille, les traits de visage très-beaux, et si bien proportionnez qu'on n'y trouvoit que reprendre ; l'esprit fort doux ; avec cela* son esprit, sa beauté, sa taille, sa personne ne touchoit point, faute de Vénus[204] qui donnast le sel à ces choses. Myrtis au contraire excelloit en ce poinct-là. Elle n'avoit pas une beauté si parfaite que Mégano : mesme un médiocre critique y auroit trouvé matière à s'exercer. En récompense* il n'y avoit si petit endroit sur elle, qui n'eust sa Vénus, et plûtost deux qu'une ; outre celle qui animoit tout le corps en général. Aussi le Roy la préféra-t-il à Mégano, et voulut qu'on la nommast Aphrodisée ; tant à cause de ce charme, que parce que le nom de Myrtis sentoit sa Bergère, ou sa Nymphe au plus, et ne sonnoit pas assez pour une Reyne. Les gens de sa Cour afin de plaire à leur Prince appellèrent Mégano, Anaphrodite[205]. Elle en conceut un tel déplaisir qu'elle mourut peu de temps après. Le Roy la fit enterrer honorablement. Aphrodisée vescut fort longtems, et toûjours heureuse ; possédant le cœur de son mary tout entier : on luy en offrit beaucoup d'autres qu'elle refusa. Comme les Grâces estoient cause de son bonheur, elle se crût obligée à quelque reconnoissance envers leur Déesse, et persuada à son mary de luy faire bastir un Temple ; disant que c'estoit un vœu qu'elle avoit fait. Philocharez approuva la chose, il y consuma tout ce qu'il avoit de richesses ; puis ses sujets y contribuèrent. La dévotion fut si grande que les femmes consentirent que l'on vendist leurs colliers, et n'en ayant plus, elles suivirent l'exemple de Rhodopé[206]. Myrtis eut la satisfaction de voir avant que de mourir le parachèvement de son vœu. Elle ordonna par son testament qu'on luy bastist un tombeau le plus près du Temple qu'il se pourroit, hors du parvis toutefois, joignant* le chemin le plus fréquenté. Là ses cendres seroient enfermées, et son avanture écrite à l'endroit le plus en veuë. Philocharez qui luy survescut exécuta cette volonté. Il fit élever à son épouse un Mausolée digne d'elle et de luy aussi, car son cœur y devoit tenir compagnie à celuy d'Aphrodisée. Et pour rendre plus célèbre la mémoire de cette chose, et la gloire de Myrtis plus grande, on transporta en ce lieu les cendres de Mégano. Elles furent mises dans un tombeau presque aussi superbe que le premier, sur l'autre costé du chemin ; les deux sépulchres se regardoient. On voyoit Myrtis sur le sien entourée d'Amours, qui luy accommodoient le corps et la teste sur des quarreaux*. Mégano de l'autre part se voyoit couchée sur le costé, un bras sous la teste, versant des larmes, en la posture où elle estoit morte. Sur la bordure du Mausolée, où reposoit la Reyne des Lydiens, ces mots se lisoient :

Icy repose Myrtis qui parvint à la Royauté par ses charmes, et qui en acquit le surnom d'Aphrodisée.

A l'une de ces faces qui regardoit le chemin ces autres paroles estoient :

Vous qui allez visiter ce Temple, arrestez un peu, et écoutez moy. De simple Bergère que j'étois née je me suis veüe Reyne. Ce qui m'a procuré ce bien ce n'est pas tant la beauté que ce sont les Grâces. J'ay plû, et cela suffit[207]. C'est ce que j'avois à vous dire. Honorez ma tombe de quelques fleurs ; et pour récompense veüille la Déesse des Grâces que vous plaisiez.

Sur la bordure de l'autre tombe estoient ces paroles :

Icy sont les cendres de Mégano qui ne pût gagner le cœur qu'elle contestoit, quoy qu'elle eust une beauté accomplie*.*

A la face du tombeau ces autres paroles se rencontroient :

Si les Roys ne m'ont aymée, ce n'est pas que je ne fusse assez belle pour mériter que les Dieux m'aymassent : mais je n'estois pas, dit-on, assez jolie. Cela se peut il ? Ouy cela se peut, et si bien qu'on me préféra ma compagne. Elle en acquit le surnom d'Aphrodisée, moy celuy d'Anaphrodite. J'en suis morte de déplaisir.

Adieu passant, je ne te retiens pas davantage. Sois plus heureux que je n'ay esté ; et ne te mets point en peine de donner des larmes à ma mémoire. Si je n'ay fait la joye de personne, du moins ne veux-je troubler la joye de personne aussi.

Psiché ne laissa* pas de pleurer. « Mégano, dit-elle, je ne comprens rien à ton avanture. Je veux* que Myrtis eust des grâces, n'est ce pas en avoir aussi que d'estre belle comme tu estois ? Adieu Mégano, ne refuse point mes larmes : je suis accoustumée d'en verser. » Elle alla en suite jetter des fleurs sur la tombe d'Aphrodisée.

Cette cérémonie estant faite, le jour se trouva assez grand pour luy faire considérer le Temple à son aise. L'architecture en estoit exquise, et avoit autant de grâce que de majesté. L'architecte s'estoit servy de l'ordre ionique à cause de son élégance. De tout cela il résultoit une Vénus[208] que je ne sçaurois vous dépeindre.

Le frontispice répondoit merveilleusement bien au corps. Sur le tympan du fronton se voyoit la naissance de Cythérée en figures de haut relief. Elle estoit assise dans une conque, en l'estat d'une personne qui viendroit de se baigner, et qui ne feroit que sortir de l'eau[209]. Une des Grâces luy épreignoit* les cheveux encor tout moüillez. Une autre tenoit des habits tout prests pour les luy vestir, dès que la troisiesme auroit achevé de l'essuyer. La Déesse regardoit son fils qui menaçoit déjà l'univers d'une de ses flèches. Deux Syrènes tiroient la conque. Mais comme cette machine estoit grande, le Zéphire la poussoit un peu. Des légions de Jeux et de Ris se promenoient dans les airs : car Vénus naquit avec tout son équipage*, toute grande, toute formée, toute preste à recevoir de l'amour, et à en donner. Les gens de Paphos se voyoient de loin sur la rive, tendans les mains, les levans au Ciel, et ravis d'admiration. Les colomnes et l'entablement estoient d'un marbre plus blanc qu'albastre. Sur la frise une table* de marbre noir portoit pour inscription du Temple : *A la Déesse des grâces.* Deux enfans à demy couchez sur l'architrave laissoient pendre à des cordons une médaille à deux testes : c'estoient celles des fondateurs. A l'entour de la médaille on voyoit escrit : *Philocharez et Myrtis Aphrodisée son épouse ont dédié ce temple à Vénus.* Sur chaque base des deux colomnes les plus proches de la porte estoient entaillez* ces mots : *Ouvrage de Lysimante* : Nom de l'architecte apparemment.

Avant que d'entrer dans le Temple je vous dirai un mot du parvis. C'estoient des portiques ou galeries basses ; et au dessus des appartemens fort superbes, chambres dorées, cabinets et bains ; enfin mille lieux où ceux qui apportoient de l'argent trouvoient de quoy l'employer ; ceux qui n'en apportoient point on les renvoyoit.

Psiché voyant ces merveilles ne se pût tenir de soûpirer. Elle se souvint du Palais dont elle avoit esté la maistresse.

Le dedans du temple estoit orné à proportion. Je ne m'arresteray pas à vous le décrire : c'est assez que vous sçachiez que toutes sortes de vœux dont toutes sortes de personnes s'estoient acquitées, s'y voyoient en des chapelles particulières, pour éviter la confusion, et ne rien cacher de l'architecture du Temple. Là quelques auteurs avoient envoyé des offrandes pour reconnoissance de la Vénus que leur avoit départie le Ciel. Ils estoient en petit nombre. Les autres arts, comme la Peinture et ses sœurs en fournissoient beaucoup davantage[210]. Mais la multitude venoit des Belles et de leurs amans* : l'un pour des faveurs secrètes, l'autre pour un mariage ; celle cy pour avoir enlevé un amant* à cette autre là. Une certaine Callinicé[211] qui s'estoit maintenuë jusqu'à soixante ans bien avec les Grâces, et encore mieux avec les Plaisirs, avoit donné une lampe de vermeil doré, et la peinture

de ses amours. Je ne vous aurois jamais spécifié[212] ces
dons : il s'en trouvoit mesme de Capitaines dont les
exploits, comme dit le bon Amiot[213], avoient cette
grâce de soudaineté qui les rendoit encore plus agréables.

L'architecture du tabernacle n'estoit guère plus ornée
que celle du Temple, afin de garder la proportion ; et
de crainte aussi que la veüe estant dissipée par une
quantité d'ornemens ne s'en arrestast d'autant moins
à considérer l'image de la Déesse, laquelle estoit
véritablement un chef-d'œuvre. Quelques envieux ont
dit que Praxitèle avoit pris la sienne sur le modèle de
celle-là[214]. On l'avoit placée dans une niche de marbre
noir entre des colomnes de cette mesme couleur ; ce
qui la rendoit plus blanche et faisoit un bel effet à la
veüe. A l'un des costez du sanctuaire on avoit élevé
un throsne, où Vénus à demy couchée sur des coussins
de senteurs recevoit quand elle venoit en ce temple
les adorations des mortels, et distribuoit ses grâces
ainsi que bon luy sembloit. On ouvroit le Temple
assez matin, afin que le peuple fust écoulé quand les
personnes qualifiées* entreroient.

Cela ne servit de rien cette journée-là : car dès que
Psiché parut on s'assembla autour d'elle. On crut que
c'estoit Vénus qui pour quelque dessein caché ou pour
se rendre plus familière, peut-estre aussi par galanterie
avoit un habit de simple Bergère. Au bruit de cette
merveille les plus paresseux accoururent incontinent*.

La pauvre Psiché s'alla placer dans un coin du
temple, honteuse et confuse de tant d'honneurs dont
elle avoit grand sujet de craindre la suite, et ne pouvoit
pourtant s'empescher d'y prendre plaisir. Elle rougissoit à chaque moment, se détournoit quelquefois le
visage, témoignoit qu'elle eust bien voulu faire sa
prière, tout cela en vain : elle fut contrainte de dire
qui elle estoit. Quelques-uns la crurent ; d'autres per-
sistèrent dans l'opinion qu'ils avoient. La foule estoit
tellement grande autour d'elle, que quand Vénus arriva
cette Déesse eut de la peine à passer. On l'avoit déjà

avertie de cette avanture*, ce qui la fit accourir le visage en feu, comme une Mégère, et non plus la Reine des Grâces, mais des Furies. Toutefois de peur de sédition elle se contint. Ses Gardes luy ayant fait faire passage, elle s'alla placer sur son throsne, où elle écouta quelques supplians avec assez de distraction[215]. La meilleure partie des hommes estoit demeurée auprès de Psiché avec les femmes les moins jolies, ou qui estoient sans prétention et sans intérest. Les autres avoient pris d'abord le party de la Déesse ; estant de la politique parmy les personnes de ce sexe qui se sont mises sur le bon pied*, de faire la guerre aux surve-nantes*, comme à celles qui leur ostent pour ainsi dire le pain de la main. Je ne s[ç]aurois vous asseurer bien précisément si elles tiennent cette coustume là des auteurs, ou si les Auteurs la tiennent d'elles.

Nostre Bergère n'osant approcher, la Déesse la fit venir. Une foule d'hommes l'accompagna ; et la chose ressembloit plûtost à un triomphe qu'à un hommage. La pauvre Psiché n'estoit nullement coupable de ces honneurs : au contraire si on l'eust crüe on ne l'auroit pas regardée : elle faisoit de sa part tout ce qu'une suppliante doit faire. La présence de Vénus luy avoit fait oublier sa harangue. Il est vray qu'elle n'en eut pas besoin : car dès que Vénus la vid, à peine luy donna-t-elle le loisir de se prosterner : elle descendit de son throsne : « Je vous veux, dit-elle, entendre en particulier ; venez à Paphos ; je vous donneray place en mon char. »

Psiché se défia de cette douceur : mais quoy, il n'estoit plus temps de délibérer : et puis c'estoit à Paphos principalement qu'elle espéroit revoir son époux. De crainte qu'elle n'échapast, Vénus la fit sortir avec elle ; les hommes donnant mille bénédictions à leurs deux Déesses, et une partie des femmes disant entre elles : « C'est encore trop que d'en avoir une : établissons parmy nous une république, où les vœux, les adorations, les services, les biens d'Amour seront en commun. Si Psiché s'en vient encor une fois amuser les gens qui nous serviront à quelque chose, et qu'elle prétende réünir ainsi tous les cœurs sous une mesme domination, il nous la faut lapider. » On se moqua des républicaines, et on souhaita bon voyage à nostre Bergère.

Cythérée la fit monter effectivement sur son char ; mais ce fut avec trois divinitez de sa suite peu gracieuses ; il y a de toutes sortes de gens à la cour. Ces divinitez estoient la cholère, la jalousie, et l'envie ; monstres sortis de l'abysme, impitoyables licteurs qui ne marchoient point sans leur foüets, et dont la veüe seule estoit un supplice. Vénus s'en alla par un autre endroit. Quand Psiché se vid dans les airs, en si mauvaise compagnie que celle-là, un tremblement la saisit, ses cheveux se hérissèrent ; la voix luy demeura au gosier. Elle fut long-temps sans pouvoir parler, immobile, changée en pierre, et plûtost statuë que personne véritablement animée : on l'auroit creuë morte sans quelques soûpirs qui luy échapèrent. Les diverses peines des condamnez luy passèrent devant les yeux. Son imagination les luy figura encor plus cruelles qu'elles ne sont. Il n'y en eut point que la crainte ne luy fit souffrir par avance. Enfin se jettant aux pieds de ces trois furies : « Si quelque pitié, dit-elle, loge en vos cœurs, ne me faites pas languir davantage. Dites moy à quel tourment je suis condamnée. Ne vous auroit on point donné ordre de me jetter dans la mer ? Je vous en épargneray la peine si vous voulez, et m'y précipiteray moi-mesme. » Les trois filles de l'Achéron ne luy répondirent rien, et se contentèrent de la regarder de travers.

Elle estoit encore à leurs genoux lors que le char s'abatit. Il posa sa charge en un désert*, dans l'arrière-court d'un palais que Vénus avoit fait bastir entre deux montagnes à my-chemin d'Amatonte et de Paphos. Quand Cythérée estoit lasse des embarras de sa Cour, elle se retiroit en ce lieu avec cinq ou six de ses confidentes. Là qui que ce soit ne l'alloit voir. Des médisans disent toutefois que quelques amis particuliers avoient la clef du jardin.

Vénus estoit déjà arrivée quand le char parut. Les trois Satellites menèrent Psiché dans la chambre où la Déesse se rajustoit. Cette mesme crainte qui avoit fait oublier à nostre Bergère la harangue qu'elle avoit faite luy en rafraischit la mémoire. Bien que les grandes passions* troublent l'esprit, il n'y a rien qui rende éloquent comme elles. Nostre infortunée se prosterna à quatre pas de la Déesse, et luy parla de la sorte : « Reine des Amours et des Grâces, voicy cette malheureuse esclave que vous cherchez. Je ne vous demande pour récompense de l'avoir livrée[216] que la permission de vous regarder. Si ce n'est point sacrilège à une misérable mortelle comme je suis, de jetter les yeux sur Vénus, et de raisonner sur les charmes d'une Déesse, je trouve que l'aveuglement des hommes est bien grand d'estimer en moy de médiocres appas après que les vostres leur ont paru. Je me suis opposée inutilement à cette folie : ils m'ont rendu des honneurs que j'ay refusez, et que je ne méritois pas. Vostre fils s'est laissé prévenir en ma faveur par les rapports fabuleux* qu'on luy a faits. Les destins m'ont donnée à luy sans me demander mon consentement. En tout cela j'ay failly, puisque vous me jugez coupable. Je devois[217] cacher des traits qui estoient cause de tant d'erreurs, je devois les défigurer : il faloit mourir, puisque vous m'aviez en aversion : je ne l'ay pas fait. Ordonnez-moy des punitions si sévères que vous voudrez, je les souffriray sans murmure, trop heureuse si je vois vostre divine bouche s'ouvrir pour prononcer l'arrest de ma destinée.

— Ouy, Psiché, repartit Vénus, je vous en donneray le plaisir. Votre feinte humilité ne me touche point. Il faloit avoir ces sentimens, et dire ces choses devant que* vous fussiez en ma puissance. Lors que vous estiez à couvert des atteintes de ma colère, vostre miroir vous disoit qu'il n'y avoit rien à voir après vous. Maintenant que vous me craignez, vous me trouvez belle. Nous verrons bien-tost qui remportera l'avantage. Ma beauté ne sçauroit périr, et la vostre dépend de moi. Je la détruiray quand il me plaira. Commençons par ce corps d'albastre dont mon fils a publié les merveilles, et qu'il appelle le temple de la blancheur. Prenez vos sions* filles de la nuit[218], et me l'empourprez si bien que cette blancheur ne trouve pas mesme un azile en son propre Temple. »

A cet ordre si cruel Psiché devint pasle, et tomba aux pieds de la Déesse, sans donner aucune marque de vie. Cythérée se sentit émuë : mais quelque démon* s'opposa à ce mouvement de pitié, et la fit sortir. Dès qu'elle fut hors, les ministres* de sa vengeance prirent des branches de Myrte, et se bouchant les oreilles ainsi que les yeux, elles déchirèrent l'habit de nostre Bergère ; innocent habit ; hélas ! celle qui l'avoit donné luy croyoit procurer un sort que tout le monde envieroit. Psiché ne reprit ses sens qu'aux premières atteintes de la douleur. Le valon retentit des cris qu'elle fut contrainte de faire. Jamais les Échos n'avoient répété de si pitoyables* accens. Il n'y eut aucun endroit d'épargné dans tout ce beau corps, qui devant* ces momens-là se pouvoit dire en effet le temple de la blancheur. Elle y régnoit avec un éclat que je ne sçaurois vous dépeindre.

Là les lys luy servoient de throsne et d'oreillers.
Des escadrons d'Amours chez Psiché familiers
    Furent chassez de cet azile.
    Le pleurer leur fut inutile.
Rien ne pût attendrir les trois filles d'enfer.
Leurs cœurs furent d'acier ; leurs mains furent de fer.
La Belle eut beau souffrir : il falut que ses peines
Allassent jusqu'au poinct que les sœurs inhumaines
Craignirent que Clothon[219] ne survinst à son tour.
    Ah trop impitoyable Amour,

En quels lieux estois-tu ? dy cruel, dy barbare :
C'est toy, c'est ton plaisir, qui causa sa douleur :
Ouy tigre, c'est toy seul qui t'en dois dire auteur :
Psiché n'eust rien souffert sans ton courroux bizarre*.
Le bruit de ses clameurs s'est au loin répandu ;
    Et tu n'en as rien entendu !
Pendant tous ses tourmens tu dormois, je le gage ;
    Car ta brûlure n'estoit rien.
La Belle en a souffert mille fois davantage
    Sans l'avoir mérité si bien.
Tu devois[220] venir voir empourprer cet albastre :
Il faloit amener une troupe de Ris.
Des souffrances d'un corps dont tu fus idolastre
    Vous vous seriez tous divertis.
Hélas Amour, j'ay tort. Tu répandis des larmes
Quand tu sceus de Psiché la peine et le tourment ;
Et tu luy fis trouver un baûme pour ses charmes
    Qui la guérit en un moment.

Telle fut la première peine que Psiché souffrit. Quand Cythérée fut de retour, elle la trouva étenduë sur les tapis dont cette chambre estoit ornée, preste d'expirer, et n'en pouvant plus. La pauvre Psiché fit un effort pour se lever, et tascha de contenir ses sanglots. Cythérée luy commanda de baiser les cruelles mains qui l'avoient mise en cet estat. Elle obéyt sans tarder, et ne témoigna nulle répugnance. Comme le dessein de la Déesse n'estoit pas de la faire mourir si tost, elle la laissa guérir. Parmy les servantes de Vénus il y en avoit une qui trahissoit sa maistresse, et qui alloit redire à l'Amour le traitement que l'on faisoit à Psiché, et les travaux qu'on luy imposoit. L'Amour ne manquoit pas d'y pourveoir. Cette fois là il luy envoya un baûme excellent par celle qui estoit de l'intelligence, avec ordre de ne point dire de quelle part, de peur que Psiché ne crust que son mary estoit appaisé, et qu'elle n'en tirast des conséquences trop avantageuses. Le Dieu n'estoit pas encore guéry de sa brûlure et tenoit le lit. L'opération de son baûme irrita Vénus à l'insceu de qui la chose se conduisoit, et qui ne sçachant à quoy imputer ce miracle résolut de se défaire de Psiché par une autre voye.

Sous l'une des deux montagnes qui couvroient à droite et à gauche cette maison, estoit une voûte aussi ancienne que l'Univers. Là sourdoit une eau qui avoit la propriété de rajeunir : c'est ce qu'on appelle encore aujourd'huy la Fontaine de Jouvence[221]. Dans les premiers temps du monde il estoit libre à tous les mortels d'y aller puiser[222]. L'abus qu'ils firent de ce thrésor, obligea les Dieux de leur en oster l'usage. Pluton Prince des lieux sous-terrains commit à la garde de cette eau un dragon énorme. Il ne dormoit point, et dévoroit ceux qui estoient si téméraires que d'en approcher. Quelques femmes se hazardoient, aymant mieux mourir que de prolonger une carrière où il n'y avoit plus ny beaux jours ny Amans* pour elles.

Cinq ou six jours estant écoulez, Cythérée dit à son esclave. « Va-t-en tout à l'heure* à la Fontaine de Jouvence, et m'en rapporte une cruchée d'eau. Ce n'est pas pour moy, comme tu peux croire ; mais pour deux ou trois de mes amies qui en ont besoin. Si tu reviens sans apporter de cette eau, je te feray encore souffrir le mesme supplice que tu as souffert. »

Cette suivante dont j'ay parlé qui estoit aux gages de Cupidon l'alla avertir. Il luy commanda de dire à Psiché que le moyen d'endormir le Monstre estoit de luy chanter quelques longs récits qui luy plûssent premièrement, et puis l'ennuyassent. Et si-tost qu'il dormiroit qu'elle puisast de l'eau hardiment. Psiché s'en va donc avec sa cruche. On n'osoit approcher de l'antre de plus de vingt pas. L'horrible concierge de ce Palais en occupoit la pluspart du temps l'entrée. Il avoit l'adresse de couler sa queuë entre des brossailles*, en sorte qu'elle ne paroissoit point ; puis aussi-tost que quelque animal venoit à passer, fust-ce un cerf, un cheval, un bœuf, le Monstre la ramenoit en plusieurs retours, et en entortilloit les jambes de l'animal avec tant de soudaineté et de force, qu'il le faisoit trébucher, se jettoit dessus, puis s'en repaissoit. Peu de voyageurs s'y trouvoient surpris : l'endroit estoit plus connu et plus diffamé* que le voisinage de Sylle et de Charibde. Lors que Psiché alla à cette fontaine, le Monstre se réjoüissoit au Soleil, qui tantost doroit ses écailles, tantost les faisoit paroistre de cent couleurs. Psiché qui sçavoit quelle distance il faloit laisser entre luy et elle (car il ne pouvoit s'étendre fort loin, le sort l'ayant attaché avec des chaisnes de diamant) Psiché, dis-je, ne s'effraya pas beaucoup ; elle estoit accoustumée à voir des dragons. Elle cacha le mieux qu'il luy fut possible sa cruche, et commença mélodieusement ce récit.

> « *Dragon, gentil dragon, à la gorge béante,*
>   *Je suis messagère des Dieux.*
>   *Ils m'ont envoyée en ces lieux*
> *T'annoncer que bientost une jeune serpente,*
> *Et qui change au Soleil de couleur comme toy,*
>   *Viendra partager ton employ.*
> *Tu te dois ennuyer à faire cette vie,*
>   *Amour t'envoyra compagnie.*
> *Dragon, gentil dragon, que te diray-je encor*
>   *Qui te chatoüille* et qui te plaise ?*
>   *Ton dos reluit comme fin or :*
>   *Tes yeux sont flambans comme braise.*
> *Tu te peux rajeunir sans dépoüiller ta peau.*
> *Quelle félicité d'avoir chez toy cette eau !*
> *Si tu veux t'enrichir permets que l'on y puise.*
> *Quelque tribut qu'il faille il te sera porté.*
> *J'en sçais qui pour avoir cette commodité*
>   *Donneront jusqu'à leur chemise.* »

Psiché chanta beaucoup d'autres choses qui n'avoient aucune suite, et que les oiseaux de ces lieux ne pûrent par conséquent retenir, ny nous les apprendre. Le Dragon l'écouta d'abord avec un très-grand plaisir. A la fin il commença à baailler et puis s'endormit. Psiché prend viste l'occasion. Il faloit passer entre le dragon et l'un des bords de l'entrée. A peine y avoit-il assez de place pour une personne. Peu s'en falut que la Belle de frayeur qu'elle eut ne laissast tomber sa cruche ; ce qui eust esté pire que la goute d'huile. Ce dormeur-cy n'estoit pas fait comme l'autre : son courroux et ses remonstrances c'estoit de mettre les gens en pièces. Nostre Héroïne vint à bout de son entreprise par un grand bon-heur. Elle emplit sa cruche, et s'en retourna triomphante.

Vénus se douta que quelque puissance divine l'avoit assistée. De sçavoir laquelle, c'estoit le poinct. Son fils ne bougeoit du lit. Jupiter ny aucun des Dieux n'auroit laissé Psiché dans cet esclavage : les Déesses seroient les dernières à la secourir. « Ne t'imagine pas en estre quitte, luy dit Vénus : je te feray des commandemens si difficiles que tu manqueras à quelqu'un ; et pour chastiment tu endureras la mort. Va me quérir de la laine de ces moutons qui paissent au delà du fleuve, je m'en veux faire faire un habit. » C'estoient les moutons du Soleil ; tous avoient des cornes, furieux au dernier poinct, et qui poursuivoient les Loups. Leur laine estoit d'un couleur de feu si vif qu'il éblouïssoit la veuë. Ils paissoient alors de l'autre costé d'une rivière extrêmement large et profonde, qui traversoit le valon, à mille pas ou peu plus de ce Chasteau. De bonne fortune* pour nostre Belle Junon et Cérès vinrent voir Vénus dans le moment qu'elle venoit de donner cet ordre. Elles luy avoient déjà rendu deux autres visites depuis la maladie de son fils, et avoient aussi veu l'Amour. Cette dernière visite empescha Vénus de prendre garde à ce qui se passeroit, et donna une facilité à nostre Héroïne d'exécuter ce commandement. Sans cela il auroit esté impossible, n'y ayant ny pont, ny basteau, ny gondole sur la rivière.

Cette Suivante qui estoit de l'intelligence dit à Psiché : « Nous avons icy des Cignes que les Amours ont dressez à nous servir de gondoles : j'en prendray un : nous traverserons la rivière par ce moyen. Il faut que je vous tienne compagnie pour une raison que je vas vous dire. C'est que ces moutons sont gardez par deux jeunes enfans Sylvains qui commencent déjà à courir après les Bergères et après les Nymphes. Je passeray la première, et amuseray les deux jeunes Faunes qui ne manqueront pas de me poursuivre, sans autre dessein que de folastrer ; car ils me connoissent, et sçavent que j'appartiens à Vénus. Au pis aller j'en seray quitte pour deux baisers : vous passerez cependant.

— Jusque-là voilà qui va bien, repartit Psiché ; mais comment approcheray-je des moutons ? me connoissent-ils aussi ? sçavent-ils que j'appartiens à Vénus ?

— Vous prendrez de leur laine parmy les ronces, répliqua cette Suivante, ils y en laissent quand elle est meure, et qu'elle commence à tomber : tout ce canton là en est plein. » Comme la chose avoit esté concertée elle réussit. Seulement au lieu des deux baisers que l'on avoit dit, il en cousta quatre.

Pendant que nostre Bergère et sa compagne exécutent leur entreprise, Vénus prie les deux Déesses de sonder les sentimens de son fils. « Il semble à l'entendre, leur dit-elle, qu'il soit fort en colère contre Psiché ; cependant il ne laisse* pas sous main de luy donner assistance : au moins y a-t-il lieu de le croire. Vous m'estes amies toutes deux, détournez-le de cette amour. Représentez-luy le devoir d'un fils. Dites-luy qu'il se fait tort : il s'ouvrira bien plûtost à vous qu'il ne feroit à sa mère. »

Junon et Cérès promirent de s'y employer. Elles allèrent voir le malade. Il ne les satisfit point ; et leur cacha le plus qu'il pût sa pensée. Toutefois autant qu'elles pûrent conjecturer, cette passion luy tenoit encore au cœur. Mesme il se plaignit de ce qu'on prétendoit le gouverner ainsi qu'un enfant. Luy un enfant ! on ne considéroit donc pas qu'il terra[ç]oit les Hercules, et qu'il n'avoit jamais eu d'autres toupies que leurs cœurs. « Après cela, disoit-il, on me tiendra encore en tutelle ! on croira me contenter de moulinets et de papillons*, moy qui suis le dispensateur d'un bien près de qui la gloire et les richesses sont des poupées ? C'est bien le moins que je puisse faire que de retenir ma part de cette félicité là. Je ne me marieray pas moy qui en marie tant d'autres ! »

Les Déesses entrèrent en ses sentimens ; et retournèrent dire à Vénus comme* leur légation s'estoit passée. « Nous vous conseillons en amies, ajoustèrent-elles, de laisser agir vostre fils comme il luy plaira : il est désormais en âge de se conduire.

— Qu'il épouse Hébé, repartit Vénus. Qu'il choisisse parmy les Muses, parmy les Grâces, parmy les Heures ; je le veux bien.

— Vous moquez-vous ? dit Junon. Voudriez-vous donner à vostre fils une de vos suivantes pour femme ? et encore Hébé qui nous sert à boire ? Pour les Muses, ce n'est pas le fait de l'amour qu'une Précieuse, elle le feroit enrager. La beauté des Heures est fort journalière* : il ne s'en accommodera pas non plus.

— Mais enfin, répliqua Vénus, toutes ces personnes sont des Déesses, et Psiché est simple mortelle. N'est-ce pas un party bien avantageux pour mon fils que la cadete d'un Roy de qui les estats tourneroient dans la basse court* de ce Chasteau ?

— Ne méprisez pas tant Psiché, dit Cérès : vous pourriez pis faire que de la prendre pour vostre Bru. La beauté est rare parmi les Dieux ; les richesses et la puissance ne le sont pas. J'ay bien voyagé, comme vous sçavez[223] ; mais je n'ay point veu de personne si accomplie*. » Junon fut contrainte d'avouër qu'elle avoit raison : et toutes deux conseillèrent Cythérée de pourveoir son fils. Quel plaisir quand elle tiendroit entre les bras un petit Amour qui ressembleroit à son père! Vénus demeura picquée de ce propos-là. Le rouge luy monta au front. «Cela vous siéroit mieux qu'à moy, reprit-elle assez brusquement. Je me suis regardée tout ce matin, mais il ne m'a point semblé que j'eusse encore l'air d'une ayeule*²²⁴. » Ces mots ne demeurèrent pas sans response : et les trois amies se séparèrent en se querellant.

Cérès et Junon estant montées sur leurs chars, Vénus alla faire des remonstrances à son fils; et le regardant avec un air dédaigneux : «Il vous sied bien, luy dit elle, de vouloir vous marier, vous qui ne cherchez que le plaisir. Depuis quand vous est venuë, dites moy, une si sage pensée ? Voyez, je vous prie, l'homme de bien, et le personnage grave et retiré que voilà. Sans mentir je voudrois vous avoir veu père de famille pour un peu de temps; comment vous y prendriez vous ? songez, songez à vous acquiter de vostre employ, et soyez le Dieu des amans : la qualité d'époux ne vous convient pas. Vous estes accablé d'affaires de tous costez : l'Empire d'Amour va en décadence : tout languit, rien ne se conclud, et vous consumez le temps en des propositions inutiles de mariage. Il y a tantost trois mois que vous estes au lit, plus malade de fantaisie* que d'une bruslure. Certes vous avez esté blessé dans une occasion bien glorieuse pour vous. Le bel honneur, lors que l'on dira que vostre femme aura esté cause de cet accident ! si c'estoit une maistresse, je ne dis pas. Quoy vous m'amènerez icy une matrone qui sera neuf mois de l'année à toûjours se plaindre ! je la traisneray au bal avec moy ! Sçavez-vous ce qu'il y a ? Ou renoncez à Psiché, ou je ne veux plus que vous passiez pour mon fils. Vous croyez peut estre que je ne puis faire un autre Amour, et que j'ay oublié la manière dont on les fait : je veux bien que vous sçachiez que j'en feray un quand il me plaira : ouy j'en feray un, plus joly que vous mille fois, et luy remettray entre les mains vostre empire. Qu'on me donne tout à l'heure* cet arc et ces flèches, et tout l'attirail dont je vous ay équipé ; aussi bien vous est-il inutile désormais : je vous le rendray quand vous serez sage. »

L'Amour se mit à pleurer ; et prenant les mains de sa mère il les luy baisa. Ce n'estoit pas encore parler comme il faut. Elle fit tout son possible pour l'obliger à donner parole qu'il renonceroit à Psiché, ce qu'il ne voulut jamais faire. Cythérée sortit en le menaçant.

Pour achever* le chagrin* de cette Déesse, Psiché arriva avec un paquet de laine aussi pesant qu'elle. Les choses s'estoient passées de ce costé là avec beaucoup de succés. Le Cygne avoit merveilleusement bien fait son devoir, et les deux Sylvains le leur : devoir de courir, et rien davantage : hors-mis qu'ils dansèrent quelques chansons avec la Suivante, luy dérobèrent quelques baisers, luy donnèrent quelques brins de thin et de marjolaine, et peut estre la cotte verte* ; le tout avec la plus grande honnesteté du monde. Psiché cependant faisoit sa main*. Pas un des moutons ne s'écarta du troupeau pour venir à elle. Les ronces se laissèrent oster leurs belles robes sans la piquer une seule fois. Psiché repassa la première. A son retour Cythérée luy demanda comme* elle avoit fait pour traverser la rivière. Psiché répondit qu'il n'en avoit pas esté besoin, et que le vent avoit envoyé des flocons de laine de son costé. « Je ne croyois pas, reprit Cythérée, que la chose fust si facile. Je me suis trompée dans mes mesures, je le vois bien, la nuit nous suggérera quelque chose de meilleur. »

Le fils de Vénus qui ne songeoit à autre chose qu'à tirer Psiché de tous ces dangers, et qui n'attendoit peut-estre pour se racommoder avec elle, que sa guérison et le retour de ses forces, avoit remandé* premièrement le Zéphire, et fait venir dans le voisinage une Fée qui faisoit parler les pierres. Rien ne luy estoit impossible : elle se moquoit du destin, disposoit des vents et des astres, et faisoit aller le monde à sa fantaisie. Cythérée ne sçavoit pas qu'elle fust venuë. Quant au Zéphire, elle l'apperceut ; et ne douta nullement que ce ne fust luy qui eust assisté Psiché. Mais s'estant la nuit avisée d'un commandement qu'elle croyoit hors de toute possibilité, elle dit le lendemain à son fils : « L'agent général de vos affaires n'est pas loin de ce chasteau ; vous luy avez deffendu de s'écarter. Je vous défie tous tant que vous estes. Vous serez habiles gens l'un et l'autre si vous empeschez que vostre Belle ne succombe au commandement que je luy feray aujourd'huy. »

En disant ces mots elle fit venir Psiché, luy ordonna de la suivre, et la mena dans la basse-court* du Chasteau. Là sous une espèce de halle estoient entassez pesle-mesle quatre différentes sortes de grain lesquels on avoit donnez à la Déesse pour la nourriture de ses pigeons. Ce n'estoit pas proprement un tas, mais une montagne. Il occupoit toute la largeur du magazin, et touchoit le faiste. Cythérée dit à Psiché : « Je ne veux doresnavant nourrir mes pigeons que de mil ou de froment pur : c'est pourquoy sépare ces quatre sortes de grain. Fais en quatre tas aux quatre coins du monceau, un tas de chacune espèce. Je m'en vas à Amatonte pour quelques affaires de plaisir : je reviendray sur le soir. Si à mon retour je ne trouve la tasche faite, et qu'il y ayt seulement un grain de meslé, je t'abandonneray aux ministres* de ma vengeance. » A ces mots elle monte sur son char, et laisse Psiché désespérée. En effet ce commandement estoit un travail*, non pas d'Hercule, mais de Démon*.

Sitost que l'Amour le sceut il en envoya avertir la Fée qui par ses suffumigations*, par ses cercles, par ses parolles, contraignit tout ce qu'il y avoit de fourmis au monde d'accourir à l'entour du tas, autant celles qui habitoient aux extrémitez de la terre que celles du voisinage. Il y eut telle fourmy qui fit ce jour là quatre mille lieuës. C'estoit un plaisir que d'en voir des hordes et des caravanes arriver de tous les costez.

196

Il en vient des climats* où commande l'Aurore.
De ceux qui ceint Thétis, et l'Océan encore.
L'Indien dégarnit toutes ses régions
Le Garamante[225] envoye aussi ses légions.
Il en part du Couchant des nations entières.
Le Nort ny le Midy n'ont plus de fourmillères.
Il semble qu'on en ayt épuisé l'Univers.
Les chemins en sont noirs, les champs en sont couverts.
Maint vieux chesne en fournit des cohortes nombreuses.
Il n'est arbre mangé qui sous ses voûtes creuses
Souffre que de ce peuple il reste un seul essain.
Tout déloge ; et la terre en tire de son sein.
L'Ethiopique gent[226] arrive, et se partage.
On crée en chaque troupe un maistre de l'ouvrage.
Il a l'œil sur sa bande ; aucun n'ose faillir.
On entend un bruit sourd ; le mont semble boüillir.
Déjà son tour décroist, sa hauteur diminüe.
A la soudaineté[a] l'ordre aussi contribuë.
Chacun a son employ parmy les travailleurs.
L'un sépare le grain que l'autre emporte ailleurs.
Le monceau disparoist ainsi que par machine[227].
Quatre tas différens réparent sa ruïne ;
De bled riche présent qu'[à] l'homme ont fait les cieux ;
De mil pour les pigeons manger délicieux ;
De segle au goust aigret ; d'orge rafraischissante,
Qui donne aux gens du Nort la cervoise engraissante.
Telles l'on démolit les maisons quelquefois.
La pierre est mise à part ; à part se met le bois ;
On void comme fourmis gens autour de l'ouvrage.
En son estre premier retourne l'assemblage.
Là sont des tas confus de marbres non gravez,
Et là les ornemens qui se sont conservez.

   Les fourmis s'en retournèrent aussi viste qu'elles
estoient venües, et n'attendirent pas le remerciement.

_____

a. Var. B.L. : *facilité*.

« Vivez heureuses, leur dit Psiché, je vous souhaite des magazins qui ne désemplissent jamais. Si c'est un plaisir de se tourmenter pour les biens du monde, tourmentez-vous, et vivez heureuses[228]. »

Quand Vénus fut de retour, et qu'elle apperceut les quatre monceaux, son étonnement ne fut pas petit : son chagrin* fut encor plus grand. On n'osoit approcher d'elle, ny seulement la regarder. Il n'y eut ny Amours ny Grâces qui ne s'enfuissent. « Quoy, dit Cythérée en elle mesme, une Esclave me résistera ? je lui fourniray tous les jours une nouvelle matière de triompher ? Et qui craindra désormais Vénus ? qui adorera sa puissance ? car pour la beauté, je n'en parle plus ; c'est Psiché qui en est Déesse. Ô destins, que vous ay-je fait ? Junon s'est vangée d'Io et de beaucoup d'autres[229] : il n'est femme qui ne se vange. Cythérée seule se void privée de ce doux plaisir. Si faut-il* que j'en vienne à bout : vous n'estes pas encore à la fin Psiché, mon fils vous fait tort. Plus il s'opiniastre à vous protéger, plus je m'opiniastreray à vous perdre. »

Cette résolution n'eut pas tout l'effet que Vénus s'estoit promis. A deux jours delà elle fit appeller Psiché, et dissimulant son dépit : « Puisque rien ne vous est impossible, luy dit-elle, vous irez bien au Royaume de Proserpine[230] : et n'espérez pas m'échaper quand vous serez hors d'icy : en quelque lieu de la terre que vous soyez je vous trouveray. Si vous voulez toutefois ne point revenir des enfers j'en suis très-contente. Vous ferez mes complimens à la Reyne de ces lieux-là, et vous luy direz que je la prie de me donner une boëte de son fard : j'en ay besoin, comme vous voyez : la maladie de mon fils m'a toute changée. Rapportez-moy sans tarder ce que l'on vous aura donné, et n'y touchez point. »

Psiché partit tout à l'heure*. On ne la laissa parler à qui que ce soit. Elle alla trouver la Fée que son mary avoit fait venir. Cette Fée estoit dans le voisinage sans que personne en sceust rien. De peur de soupçon elle ne tint pas long discours à nostre Héroïne. Seulement elle luy dit : « Vous voyez d'icy une vieille tour : allez y tout droit, et entrez dedans. Vous y apprendrez ce qu'il vous faut faire. N'appréhendez point les ronces qui bouchent la porte : elles se détourneront d'elles-mesmes. »

Psiché remercie la Fée, et s'en va au vieux bastiment. Entrée qu'elle fut, la Tour luy parla[231] : « Bon jour Psiché, luy dit-elle, que vostre voyage vous soit heureux. Ce m'est un très-grand honneur de vous recevoir en mes murs : jamais rien de si charmant n'y estoit entré. Je sçais le sujet qui vous amène. Plusieurs chemins conduisent aux enfers ; n'en prenez aucun de ceux qu'on prend d'ordinaire. Descendez dans cette cave* que vous voyez, et garnissez-vous auparavant de ce qui est à vos pieds : ce panier à anse vous aydera à le porter. »

Psiché baissa aussi-tost la veuë ; et comme le faiste de la tour estoit découvert, elle vid à terre une lampe, six boules de cire, un gros paquet de fiscelle, un panier avec deux deniers.

« Vous avez besoin de toutes ces choses, poursuivit la Tour. Que la profondeur de cette cave* ne vous effraye point, quoy que vous ayez près de mille marches à descendre : cette lampe vous aydera. Vous suivrez à sa lueur un chemin voûté qui est dans le fond, et qui vous conduira jusqu'au bord du Stix. Il vous faudra donner à Charon un de ces deniers pour le passage, aussi bien en revenant qu'en allant. C'est un Vieillard qui n'a aucune considération pour les Belles, et qui ne vous laissera pas monter dans sa barque sans payer le droit. Le fleuve passé vous rencontrerez un asne boiteux et n'en pouvant plus de vieillesse, avec un misérable qui le chassera. Celuy-cy vous priera de luy donner par pitié un peu de fiscelle, si vous en avez dans vostre panier, afin de lier certains paquets dont son asne sera chargé. Gardez-vous de luy accorder ce qu'il vous demandera. C'est un piège que vous tend Vénus. Vous avez besoin de vostre fiscelle à une autre chose : car vous entrerez incontinent* dans un labyrinthe dont les routes sont fort aisées à tenir en allant ; mais quand on en revient il est impossible de les démesler : ce que vous ferez toutefois par le moyen de cette fiscelle. La porte de deçà du labyrinthe n'a point de portier ; celle de delà en a un. C'est un chien qui a trois gueules, plus grand qu'un ours[232]. Il discerne à l'odorat les morts d'avec les vivans (car il se rencontre des personnes qui ont affaire aussi bien que vous en ces lieux). Le portier laisse passer les premiers, et étrangle les autres devant qu*'ils passent. Vous luy empasterez ses trois gueules en luy jettant dans chacune une de vos boules de cire, autant au retour. Elles auront aussi la force de l'endormir. Dès que vous serez sortie du labyrinthe, deux démons* des champs élisées viendront au devant de vous, et vous conduiront jusqu'au throsne de Proserpine. Adieu, charmante Psiché : que vostre voyage vous soit heureux. » Psiché remercie la Tour, prend le panier avec l'équipage*, descend dans la cave*, et pour abréger, elle arrive saine et sauve au delà du labyrinthe, malgré les Spectres qui se présentèrent sur son passage.

Il ne sera pas hors de propos de vous dire qu'elle vid sur les bords du Stix gens de tous estats arrivans de tous les costez. Il y avoit dans la barque, lors que la Belle passa, un Roy, un Philosophe, un Général d'armée, je ne sçais combien de soldats, avec quelques femmes. Le Roy se mit à pleurer de ce qu'il lui faloit quitter un séjour où estoient de si beaux objets[233]. Le Philosophe au contraire loüa les Dieux de ce qu'il en estoit sorty avant que de voir un objet si capable de le séduire, et dont il pouvoit alors approcher sans aucun péril. Les soldats disputèrent entre eux à qui s'asseoiroit le plus près d'elle, sans aucun respect du Roy, ny aucune crainte du Général qui n'avoit pas son baston de commandement. La chose alloit* à se battre, et à renverser la nacelle, si Charon n'eust mis le holà à coups d'aviron. Les femmes environnèrent Psiché ; et se consolèrent des avantages qu'elles avoient perdus, voyant que nostre Héroïne en perdoit bien d'autres : car elle ne dit à personne qu'elle fust vivante. Son habit estonna pourtant la compagnie, tous les autres n'ayant qu'un drap. Aussi-tost qu'elle fut sortie du labyrinthe les deux démons* l'abordèrent, et luy firent voir les singularitez de ces lieux. Elles sont tellement étranges que j'ay besoin d'un stile extraordinaire pour vous les décrire.

Poliphile se teut à ces mots : et après quelques momens de silence il reprit d'un ton moins familier.

Le Royaume des morts a plus d'une avenüe.
Il n'est route qui soit aux humains si connüe.
Des quatre coins du monde on se rend aux enfers.
Tisiphone les tient incessamment ouverts.
La faim, le désespoir, les douleurs, le long âge,
Meinent par tous endroits à ce triste passage ;
Et quand il est franchi, les filles du Destin[234]
Filent aux habitans une nuit sans matin.
Orphée a toutefois mérité par sa lire
De voir impunément le ténébreux empire[235].
Psiché par ses appas obtint mesme faveur.
Pluton sentit pour elle un moment de ferveur.
Proserpine craignit de se voir déthrosnée :
Et la boëte de fard à l'instant fut donnée.
L'esclave de Venus sans guide et sans secours
Arriva dans les lieux où le Stix fait son cours.
Sa cruelle ennemie eut soin que le Cerbère
Luy lançast des regards enflammez de colère.
Par les monstres d'enfer rien ne fut épargné.
Elle vid ce qu'en ont tant d'auteurs enseigné.
Mille spectres hideux, les hydres, les harpies,
Les triples Gérions, les mânes des Tities[236],
Présentoient à ses yeux maint fantosme trompeur
Dont le corps retournoit aussi-tost en vapeur.

Les cantons destinez aux Ombres criminelles,
Leurs cris, leur désespoir, leurs douleurs éternelles,
Tout l'attirail qui suit tost ou tard les méchans,
La remplirent de crainte et d'horreur pour ces champs.
Là sur un pont d'airain l'orgueilleux Salmonée[237],
Triste chef d'une troupe aux tourmens condamnée,
S'efforçoit de passer en des lieux moins cruels,
Et par tout rencontroit des feux continuels.
Tantale aux eaux du Stix portoit en vain sa bouche,
Toûjours proche d'un bien que jamais il ne touche :
Et Sisiphe en sueur essayoit vainement
D'arrester son rocher pour le moins un moment.
Là les sœurs de Psiché dans l'importune glace
D'un miroir que sans cesse elles avoient en face,
Revoyoient leur cadete heureuse, et dans les bras,
Non d'un Monstre effrayant, mais d'un Dieu plein
                                         [d'appas.
En quelque lieu qu'allast cette engeance maudite
Le miroir se plaçoit toûjours à l'opposite.
Pour les tirer d'erreur leur cadete accourut ;
Mais ce couple s'enfuit si-tost qu'elle parut.
Non loin d'elles Psiché vid l'immortelle tasche
Où les cinquante sœurs[238] s'exercent sans relasche.
La Belle les plaignit, et ne pût sans frémir
Voir tant de malheureux occupez à gémir.
Chacun trouvoit sa peine au plus haut poinct montée.
Ixion souhaitoit le sort de Prométhée[239].
Tantale eust consenty pour assouvir sa faim
Que Pluton le livrast à des flâmes sans fin.
En un lieu séparé l'on void ceux de qui l'âme
A violé les droits de l'amoureuse flâme,
Offensé Cupidon, méprisé ses autels,
Refusé le tribut qu'il impose aux mortels[240].
Là souffre un monde entier d'ingrates, de coquetes[241]
Là Mégère punit les langues indiscrètes :
Sur tout, ceux qui tachez du plus noir des forfaits,
Se sont vantez d'un bien qu'on ne leur fit jamais[242].
Par de cruels vautours l'Inhumaine est rongée ;

Dans un fleuve glacé la Volage est plongée :
Et l'Insensible expie en des lieux embrasez
Aux yeux de ses amans* les maux qu'elle a causez.
Ministres*, confidens, domestiques perfides
Y lassent sous les foüets le bras des Euménides.
Près d'eux sont les autheurs de maint Hymen forcé,
L'amant* chiche, et la Dame au cœur intéressé ;
La troupe des Censeurs* peuple à l'Amour rebelle,
Ceux enfin dont les Vers ont noircy quelque Belle.

Vénus avoit obligé Mercure par ses carresses de prier de la part de cette Déesse toutes les puissances d'enfer, d'effrayer tellement son ennemie par la veuë de ces fantosmes et de ces supplices, qu'elle en mourust d'appréhension ; et mourust si bien que la chose fust sans retour, et qu'il ne restast plus de cette Beauté qu'une ombre légère. Après quoy, disoit Cythérée, je permets à mon fils d'en estre amoureux, et de l'aller trouver aux enfers, pour luy renouveller ses caresses.

Cupidon ne manqua pas d'y pourvoir : et dès que Psiché eut passé le labyrinthe, il la fit conduire (comme je crois vous avoir dit) par deux démons* des champs élisées (ceux là ne sont pas méchans)[243]. Ils la rassûrèrent, et luy apprirent quels estoient les crimes de ceux qu'elle voyoit tourmentez. La Belle en demeura toute consolée, n'y trouvant rien qui eust du rapport à son avanture. Après tout, la faute qu'elle avoit commise ne méritoit pas une telle punition. Si la curiosité rendoit les gens malheureux jusqu'en l'autre monde, il n'y auroit pas d'avantage à estre femme.

En passant auprès des champs élisées, comme le nombre des bien-heureux a de tout temps esté fort petit, Psiché n'eut pas de peine à y remarquer ceux qui jusqu'alors avoient fait valoir la puissance de son époux, gens du Parnasse pour la plus-part[244]. Ils estoient sous de beaux ombrages, se récitant les uns aux autres leurs poësies, et se donnant des loüanges continuelles sans se lasser.

Enfin la Belle fut amenée devant le tribunal de Pluton. Toute la Cour de ce Dieu demeura surprise. Depuis Proserpine ils ne se souvenoient point d'avoir veu d'objet qui leur eust touché le cœur que celuy-là seul. Proserpine mesme en eut de la jalousie ; car son mary regardoit déjà la Belle d'une autre sorte qu'il n'a coustume de faire ceux qui approchent de son tribunal, et il ne tenoit pas à luy qu'il ne se défist de cet air terrible qui fait partie de son apannage. Surtout, il y avoit du plaisir à voir Radamante se radoucir. Pluton fit cesser pour quelques momens les souffrances et les plaintes des malheureux ; afin que Psiché eust une audiance* plus favorable. Voicy à peu près comme* elle parla, adressant sa voix tantost à Pluton et à Proserpine conjointement, tantost à cette Déesse seule.

« *Vous sous qui tout fléchit, Déïtez dont les loix*
Traitent également les Bergers et les Roys ;
Ni le désir de voir, ni celuy d'estre veuë,
Ne me font visiter une Cour inconnuë :
J'ay trop appris hélas ! par mes propres malheurs,
Combien de tels plaisirs engendrent de douleurs.
Vous voyez devant vous l'Esclave infortunée
Qu'à des larmes sans fin Vénus a condamnée.
C'est peu pour son courroux des maux que j'ai
                             [soufferts ;
Il faut chercher encore un fard jusqu'aux enfers.
Reyne de ces climats, faites qu'on me le donne,*
Il porte vostre nom ; et c'est ce qui m'estonne.
Ne vous offensez point, Déesse aux traits si doux ;
On s'apperçoit assez qu'il n'est pas fait pour vous.
Plaire sans fard est chose aux Déesses facile :
A qui ne peut vieillir cet art est inutile :
C'est moy qui dois tascher en l'estat où je suis
A réparer le tort que m'ont fait les ennuis.*
Mais j'ay quitté le soin d'une beauté fatale.
La Nature souvent n'est que trop libérale.
Pleust au sort que mes traits à présent sans éclat

N'eussent jamais paru que dans ce triste état !
Mes sœurs les envioient : que mes sœurs estoient folles !
D'abord je me repûs d'espérances frivoles.
Enfin l'Amour m'ayma ; je l'aymay sans le voir :
Je le vis ; il s'enfuit ; rien ne pût l'émouvoir :
Il me précipita du comble de la gloire.
Souvenirs de ce temps sortez de ma mémoire.
Chacun sçait ce qui suit, maintenant dans ces lieux
Je viens pour obtenir un fard si précieux.
Je n'en mérite pas la faveur singulière ;
Mais le nom de l'Amour se joint à ma prière.
Vous connoissez ce Dieu ; qui ne le connoist pas ?
S'il descend pour vous plaire au fond de ces climats*,
D'une boëte de fard récompensez sa femme,
Ainsi* durent chez vous les douceurs de sa flâme !
Ainsi* vostre bonheur puisse rendre envieux
Celuy qui pour sa part eut l'empire des Cieux[245] ! »

Cette harangue eut tout le succès que Psiché pouvoit souhaiter. Il n'y eut ny démon* ny Ombre qui ne compatist au malheur de cette affligée, et qui ne blâmast Vénus. La pitié entra pour la première fois au cœur des Furies : et ceux qui avoient tant de sujet de se plaindre eux-mesmes, mirent à part le sentiment de leurs propres maux, pour plaindre l'épouse de Cupidon. Pluton fut sur le poinct de luy offrir une retraite dans ses Estats ; mais c'est un azile où les malheureux n'ont recours que le plus tard qu'il leur est possible. Proserpine empescha ce coup. La jalousie la possédoit tellement que sans considérer qu'une Ombre seroit incapable de luy nuire, elle recommanda instamment aux Parques de ne pas trancher à l'étourdie les jours de cette personne, et de prendre si bien leurs mesures qu'on ne la revist aux enfers que vieille et ridée. Puis[a] sans tarder davantage, elle mit entre les mains de

---

a. Var. B.L. : Le correcteur a supprimé « puis ».

Psiché une boëte bien fermée avec défense de l'ouvrir, et avec charge d'asseurer Vénus de son amitié. Pour Pluton, il ne pût voir sans déplaisir le départ de nostre Héroïne, et le présent qu'on luy faisoit. « Souvenez-vous, luy dit-il, de ce qu'il vous a cousté d'estre curieuse. Allez ; et n'accusez pas Pluton de vostre destin. »

Tant que le pays des morts continua, la boeste fut en assurance ; Psiché n'avoit garde* d'y toucher : elle appréhendoit que parmy un si grand nombre de gens qui n'avoient que faire, il n'y en eust qui observassent ses actions. Aussi-tost qu'elle eut atteint nostre monde, et que se trouvant sous ce conduit sous-terrain elle crût n'avoir pour témoins que les pierres qui le soustenoient, la voilà tentée à son ordinaire. Elle eut envie de sçavoir quel estoit ce fard dont Proserpine l'avoit chargée. Le moyen de s'en empescher ? elle seroit femme, et laisseroit échaper une telle occasion de se satisfaire ! A qui le diroient ces pierres ? possible[a]* personne qu'elle n'estoit descendu sous cette voûte depuis qu'on l'avoit bastie. Puis[b] ce n'estoit pas une simple curiosité qui la poussoit ; c'estoit un désir naturel et bien innocent de remédier au déchet* où estoient tombez ses appas. Les ennuis*, le hasle, mille autres choses l'avoient tellement changée qu'elle ne se connoissoit plus elle-mesme. Il faloit abandonner les prétentions qui luy restoient sur le cœur de son mary, ou bien réparer ces pertes par quelque moyen. Où en trouveroit-elle un meilleur que celuy qu'elle avoit en sa puissance ? que de s'appliquer un peu de ce fard qu'elle portoit à Vénus ? non qu'elle eust dessein d'en abuser, ny de plaire à d'autres qu'à son mary : les dieux le sçavoient : pourveu seulement qu'elle imposast* à l'Amour cela suffiroit. Tout artifice est permis quand il s'agit de regagner un époux. Si Vénus l'avoit

a. Var. B.L. : Peut-estre.
b. Var. B.L. : Le correcteur a supprimé « puis ».

creüe si simple que de n'oser toucher à ce fard elle s'estoit fort trompée : mais qu'elle y touchast ou non, Cythérée l'en soupçonneroit toûjours ; ainsi il luy seroit inutile de s'en abstenir.

Psiché raisonna si bien qu'elle s'attira un nouveau mal-heur. Une certaine appréhension toutesfois la retenoit : elle regardoit la Boëte, y portoit la main, puis l'en retiroit, et l'y reportoit aussi-tost. Après un combat qui fut assez long, la victoire demeura selon sa coustume à cette malheureuse curiosité. Psiché ouvrit la boëte en tremblant, et à peine l'eut-elle ouverte qu'il en sortit une vapeur fuligineuse, une fumée noire et pénétrante, qui se répandit en moins d'un moment par tout le visage de nostre Héroïne, et sur une partie de son sein. L'impression* qu'elle y fit fut si violente que Psiché soupçonna d'abord* quelque sinistre accident ; d'autant plus qu'il ne restoit dans la boëte qu'une noirceur qui la teignoit toute. Psiché alarmée, et se doutant presque de ce qui luy estoit arrivé, se hasta de sortir de cette cave*, impatiente de rencontrer quelque fontaine dans laquelle elle pûst apprendre l'estat où cette vapeur l'avoit mise. Quand elle fut dans la tour, et qu'elle se présenta à la porte, les épines qui la bouchoient et qui s'estoient d'elles mesmes détournées pour laisser passer Psiché la première fois, ne la reconnaissant plus l'arrestèrent. La tour fut contrainte de luy demander son nom. Nostre infortunée le luy dit en soupirant. « Quoy c'est vous Psiché ? qui vous a teint le visage de cette sorte ? Allez viste vous laver, et gardez bien de vous présenter en cet estat à vostre mary. » Psiché court à un ruisseau qui n'estoit pas loin, le cœur luy battant de telle manière que l'haleine luy manquoit à chaque pas. Enfin elle arriva sur le bord de ce ruisseau, et s'estant panchée elle y apperceut la plus belle More du monde[246]. Elle n'avoit ny le nez ny la bouche comme l'ont celles que nous voyons ; mais enfin c'estoit une More. Psiché estonnée tourna la teste pour voir si quelque Afriquaine ne se regardoit point derrière elle. N'ayant veu personne, et certaine de son mal-heur, les genoux commencèrent à luy faillir[a], les bras luy tombèrent. Elle essaya toutesfois inutilement d'effacer cette noirceur avec l'onde.

Après s'estre lavée long-temps sans rien avancer, « Ô destins, s'écria-t-elle, me condamnez-vous à perdre aussi la beauté ? Cythérée, Cythérée, quelle satisfaction vous attend ? Quand je me présenteray parmy vos esclaves, elles me rebuteront ; je seray le dés-honneur de vostre Cour : qu'ay-je fait qui méritast une telle honte ? ne vous suffisoit-il pas que j'eusse perdu mes parens, mon mary, les richesses, la liberté, sans perdre encore l'unique bien avec lequel les femmes se consolent de tous malheurs ? Quoy ne pouviez-vous attendre que les années vous vengeassent ? C'est une chose si-tost passée que la beauté des mortelles : la mélancholie seroit venuë au secours du temps. Mais j'ay tort de vous accuser : c'est moy seule qui suis la cause de mon infortune ; c'est cette curiosité incorrigible, qui non contente de m'avoir osté les bonnes grâces de vostre fils, m'oste aussi le moyen de les regagner : hélas ! ce sera ce fils le premier qui me regardera avec horreur, et qui me fuira. Je l'ay cherché par tout l'Univers, et j'appréhende de le trouver. Quoy mon mary me fuira ? mon mary qui me trouvoit si charmante ? Non non Vénus, vous n'aurez pas ce plaisir : et puis qu'il m'est défendu d'avancer mes jours, je me retireray dans quelque désert* où personne ne me verra : j'achèveray mes destins parmy les serpens et parmy les loups : il s'en trouvera quelqu'un d'assez pitoyable* pour me dévorer. » Dans ce dessein elle court à une forest voisine, s'enfonce dans le plus profond, choisit pour principale retraite un antre effroyable : là son occupation est de soupirer et de

---

a. Var. B.L. : manquer.

répandre des larmes ; ses joües s'applatissent ; ses yeux se cavent ; ce n'estoit plus celle de qui Vénus estoit devenuë jalouse : il y avoit au monde telle mortelle qui l'auroit regardée sans envie.

L'Amour commençoit alors à sortir ; et comme il estoit guéry de sa cholère aussi-bien que de sa bruslure, il ne songeoit plus qu'à Psiché ; Psiché devoit faire son unique joye ; il devoit quitter ses Temples pour servir Psiché : résolutions d'un nouvel amant*. Les maris ont de ces retours, mais ils les font peu durer. Ce mary-cy ne se proposoit plus de fin dans sa passion, ny dans le bon traitement qu'il avoit résolu de faire à sa femme. Son dessein estoit de se jetter à ses pieds, de luy demander pardon, de luy protester* qu'il ne retomberoit jamais en de telles bizarreries*. Tant que la journée duroit il s'entretenoit de ces choses : la nuit venuë il continuoit, et continuoit encore pendant son sommeil. Aussi-tost que l'Aurore commen[ç]oit à poindre il la prioit de luy ramener Psiché ; car la Fée l'avoit asseuré qu'elle reviendroit des enfers. Dès que le Soleil estoit levé nostre époux quitoit le lit afin d'éviter les visites de sa mère, et s'alloit promener dans le bois où la Belle Éthiopienne[247] avoit choisi sa retraite : il le trouvoit propre à entretenir les resveries d'un amant*.

Un jour Psiché s'estoit endormie à l'entrée de sa caverne[248]. Elle estoit couchée sur le costé, le visage tourné vers la terre, son mouchoir dessus, et encore un bras sur le mouchoir, pour plus grande précaution, et pour s'empescher plus asseurément d'estre veuë. Si elle eust pû s'envelopper de ténèbres elle l'auroit fait. L'autre bras estoit couché le long de la cuisse : il n'avoit pas la mesme rondeur qu'autresfois : le moyen qu'une personne qui ne vivoit que de fruits sauvages, et laquelle[a] ne mangeoit rien qui ne fust moüillé de

---

a. Var. B.L. : Le relatif « laquelle », d'abord rayé, a été réécrit dans la marge.

ses pleurs, eust de l'embonpoint* ? La délicatesse et la blancheur y estoient toûjours. L'Amour l'apperceut de loin. Il sentit un tressaillement qui luy dit que cette personne estoit Psiché. Plus il approchoit, et plus il se confirmoit dans ce sentiment ; car quelle autre qu'elle auroit eu une taille si bien formée ? Quand il se trouva assez près pour considérer le bras et la main, il n'en douta plus ; non que la maigreur ne l'arrestast ; mais il jugeoit bien qu'une personne affligée ne pouvoit estre en meilleur estat. La surprise de ce Dieu ne fut pas petite ; pour sa joye je vous la laisse à imaginer. Un amant* que nos Romanciers auroient fait, seroit demeuré deux heures à considérer l'objet de sa passion sans l'oser toucher ny seulement interrompre son sommeil[249] : l'Amour s'y prit d'une autre manière. Il s'agenoüilla d'abord auprès de Psiché ; et luy souleva une main, laquelle il étendit sur la sienne ; puis usant de l'autorité d'un Dieu, et de celle d'un mary il y imprima deux baisers. Psiché estoit si fort abattuë qu'elle s'éveilla seulement au second baiser. Dès qu'elle apperceut l'Amour elle se leva ; s'enfuit dans son antre, s'alla cacher à l'endroit le plus profond, telle-ment émeüe qu'elle ne sçavoit à quoy se résoudre. L'estat où elle avoit veu le Dieu, cette posture de suppliant, ce baiser dont la chaleur luy faisoit connoistre que c'estoit un véritable baiser d'amour, et non un baiser de simple galanterie, tout cela l'enhardissoit : mais de se mont[r]er ainsi noire et défigurée à celuy dont elle vouloit regagner le cœur il n'y avoit pas d'apparence*. Cependant l'Amour s'estoit approché de la caverne, et repensant à l'ébène de cette personne qu'il avoit veuë, il croyoit s'estre trompé, et se vouloit quelque mal d'avoir pris une Éthiopienne pour son épouse. Quand il fut dans l'antre : « Belle More, luy cria-t-il, vous ne s[ç]avez guère ce que je suis, de me fuir ainsi : ma rencontre ne fait pas peur : dites moy ce que vous cherchez dans ces provinces : peu de gens y viennent que pour aymer[250] : si c'est-là ce qui vous ameine, j'ay dequoy vous satisfaire : avez-vous besoin d'un amant* ? je suis le Dieu qui les fais. Quoy vous dédaignez de me répondre ! vous me fuyez !

— Hélas, dit Psiché, je ne vous fuis point ; j'oste seulement de devant vos yeux un objet que j'appréhende que vous ne fuyiez vous mesme. »

Cette voix si douce, si agréable, et autresfois familière au fils de Vénus, fut aussi-tôt reconnuë de luy. Il courut au coin où s'estoit réfugiée son épouse. « Quoy c'est vous ! dit-il, quoy ma chère Psiché c'est vous ! » Aussi-tost il se jetta aux pieds de la Belle. « J'ay failly, continua-t-il en les embrassant : mon caprice est cause qu'une personne innocente, qu'une personne qui estoit née pour ne connoistre que les plaisirs a soufert des peines que les coupables ne souffrent point : et je n'ay pas renversé le Ciel et la Terre pour l'empescher ! je n'ay pas ramené le Chaos au monde[251] ! je ne me suis pas donné la mort tout Dieu que je suis ! Ah Psiché que vous avez de sujets de me détester ! Il faut que je meure, et que j'en trouve les moyens, quelque impossible que soit la chose. »

Psiché chercha une de ses mains pour la luy baiser. L'Amour s'en douta, et se relevant : « Ah, s'écria-t-il, que vous ajoustez de douceur à vos autres charmes ! Je sçais les sentimens que vous avez eus ; toute la nature me les a dits : il ne vous est pas échapé un seul mot de plainte contre ce Monstre qui estoit indigne de vostre amour. » Et comme elle luy avoit trouvé la main : « Non poursuivit-il, ne m'accordez point de telles faveurs ; je n'en suis pas digne : je ne demande pour toute grâce que quelque punition que vous m'imposiez vous-mesme. Ma Psiché, ma chère Psiché, dites-moy, à quoy me condamnez vous ?

— Je vous condamne à estre aymé de vostre Psiché éternellement, dit nostre Héroïne ; car que vous l'aymiez, elle auroit tort de vous en prier : elle n'est plus belle. »

Ces paroles furent prononcées avec un ton de voix

si touchant que l'Amour ne pût retenir ses larmes. Il noya de pleurs l'une des mains de Psiché, et pressant cette main entre les siennes, il se teut long-temps, et par ce silence il s'exprima mieux que s'il eust parlé : les torrens de larmes firent ce que ceux de paroles n'auroient sçeu faire[252]. Psiché charmée de cette éloquence, y répondit comme une personne qui en sçavoit tous les traits. Et considérez, je vous prie, ce que c'est d'aymer ; le couple d'amans le mieux d'accord, et le plus passionné qu'il y eust au monde employoit l'occasion à verser des pleurs et à pousser des soûpirs : Amans heureux, il n'y [a] que vous qui conno[i]ssiez le plaisir.

A cette exclamation Poliphile tout transporté laissa tomber l'écrit qu'il tenoit, et Acante se souvenant de quelque chose fit un soûpir. Gélaste leur dit avec un souris moqueur : «Courage Messieurs les amans*, voilà qui est bien, et vous faites vostre devoir. Ô les gens heureux, et trois fois heureux que vous estes ! moy misérable je ne sçaurois soûpirer après le plaisir de verser des pleurs.» Puis ramassant le papier de Poliphile : «Tenez, luy dit-il, voilà vostre écrit, achevez Psiché et remettez-vous.» Poliphile reprit son cahier, et continua ainsi.

Cette conversation de larmes devint à la fin conversation de baisers ; je passe légèrement cet endroit. L'Amour pria son épouse de sortir de l'antre ; afin qu'il apprist le changement qui estoit survenu en son visage, et pour y apporter remède s'il se pouvoit. Psiché luy dit en riant : «Vous m'avez refusé, s'il vous en souvient, la satisfaction de vous voir lors que je vous l'ay demandée[253], je vous pourrois rendre la pareille à bien meilleur droit, et avec bien plus de raison que vous n'en aviez ; mais j'ayme mieux me détruire dans vostre esprit que de ne pas vous complaire*. Aussi bien faut-il que vous cherchiez un remède à la passion qui vous occupe : elle vous met mal avec vostre mère et vous fait abandonner le soin des mortels et la conduite de vostre empire. » En disant ces mots elle luy donna la main, pour le mener hors de l'antre.

L'Amour se plaignit de la pensée qu'elle avoit, et luy jura par le Styx qu'il l'aimeroit éternellement, blanche ou noire, belle ou non belle ; car ce n'estoit pas seulement son corps qui le rendoit amoureux, c'estoit son esprit et son âme pardessus tout[254]. Quand ils furent sortis de l'antre, et que l'Amour eut jetté les yeux sur son épouse, il recula trois ou quatre pas tout surpris et tout étonné. « Je vous l'avois bien promis, luy dit-elle, que cette veuë seroit un remède pour vostre amour : je ne m'en plains pas, et n'y trouve point d'injustice. La pluspart des femmes prennent le Ciel à témoin quand cela arrive : elles disent qu'on doit les aymer pour elles, et non pas pour le plaisir de les voir : qu'elles n'ont point d'obligation* à ceux qui cherchent seulement à se satisfaire : que cette sorte de passion qui n'a pour objet que ce qui touche les sens, ne doit point entrer dans une belle âme, et est indigne qu'on y réponde : c'est aymer comme ayment les animaux ; au lieu qu'il faudroit aymer comme les esprits détachez des corps. Les vrais amans*, les amans* qui méritent que l'on les ayme, se mettent le plus qu'ils peuvent dans cet estat : ils s'affranchissent de la tyrannie du temps ; ils se rendent indépendans du hazard et de la malignité des astres ; tandis que les autres sont toûjours en transe, soit pour le caprice de la fortune, soit pour celuy des saisons. Quand ils n'auroient rien à craindre de ce costé-là, les années leur font une guerre continuelle : il n'y a pas un moment au jour qui ne détruise quelque chose de leur plaisir : c'est une nécessité qu'il aille toûjours en diminuant ; et d'autres raisons très-belles et très-peu persuasives. Je n'en veux opposer qu'une à ces femmes. Leur beauté et leur jeunesse ont fait naistre la passion que l'on a pour elles, il est naturel que le contraire l'anéantisse[255]. Je ne vous demande donc plus d'amour ;

ayez seulement de l'amitié ; ou si je n'en suis pas digne, quelque peu de compassion. Il est de la qualité d'un Dieu comme vous d'avoir pour esclaves des personnes de mon sexe : faites-moy la grâce que j'en sois une. »

L'Amour trouva sa femme plus belle après ce discours qu'il ne l'avoit encore trouvée. Il se jetta à son col : « Vous ne m'avez, luy repartit-il, demandé que de l'amitié, je vous promets de l'amour. Et consolez-vous ; il vous reste plus de beauté que n'en ont toutes les mortelles ensemble. Il est vray que vostre visage a changé de teint ; mais il n'a nullement changé de traits : et ne contez-vous pour rien le reste du corps ? Qu'avez-vous perdu de lys et d'albastre à comparaison de ce qui vous en est demeuré ? Allons voir Vénus. Cet avantage qu'elle vient de remporter, quoy qu'il soit petit, la rendra contente, et nous réconciliera les uns et les autres : sinon j'auray recours à Jupiter, et je le prieray de vous rendre vostre vray teint. Si cela dépendoit de moy, vous seriez déjà ce que vous estiez, lors que vous me rendistes amoureux : ce seroit icy le plus beau moment de vos jours : mais un Dieu ne sçauroit défaire ce qu'un autre Dieu a fait. Il n'y a que Jupiter à qui ce privilège soit accordé. S'il ne vous rend tous vos lys, sans qu'il y en ait un seul de perdu, je feray périr la race des animaux et des hommes ; que feront les Dieux après cela ? Pour les roses, c'est mon affaire ; et pour l'embonpoint*, la joye le ramènera. Ce n'est pas encore assez, je veux que l'Olympe vous reconnoisse pour mon épouse. »

Psiché se fust jettée à ses pieds, si elle n'eust sceu comme* on doit agir avec l'Amour. Elle se contenta donc de luy dire en rougissant : « Si je pouvois estre vostre femme sans estre blanche ; cela seroit bien plus court et bien plus certain.

— Ce poinct là vous est assuré, repartit l'Amour ; je l'ay juré par le Styx ; mais je veux que vous soyez blanche. Allons nous présenter à Vénus. »

Psiché se laissa conduire ; bien qu'elle eust beaucoup de répugnance à se montrer, et peu d'espérance de réüssir. La soûmission aux volontez de son époux luy fermoit les yeux : elle se seroit résoluë pour luy complaire* à des choses plus difficiles. Pendant le chemin elle luy conta les principales avantures de son voyage ; la merveille de cette Tour qui luy avoit donné des adresses* ; l'Achéron, le Styx, l'asne boîteux, le labyrinthe, et les trois gueules de son portier ; les fantosmes qu'elle avoit veus, la Cour de Pluton et de Proserpine ; enfin son retour, et sa curiosité qu'elle-mesme jugeoit très-digne d'estre punie.

Elle achevoit son récit quand ils arrivèrent à ce Chasteau qui estoit à my chemin de Paphos et d'Amatonte[256]. Vénus se promenoit dans le Parc. On luy alla dire de la part d'Amour qu'il avoit une Affriquaine assez bien faite à luy présenter : elle en pourroit faire une quatrième Grâce, non seulement brune comme les autres, mais toute noire. Cythérée resvoit alors à sa jalousie ; à la passion dont son fils estoit malade, et qui tout considéré n'estoit pas un crime ; aux peines à quoy elle avoit condamné la pauvre Psiché, peines très cruelles, et qui luy faisoient à elle même pitié. Outre cela l'absence de son ennemie avoit laissé refroidir sa colère, de fa[ç]on que rien ne l'empeschoit plus de se rendre à la raison. Elle estoit dans le moment le plus favorable qu'on eust pû choisir pour accommoder les choses. Cependant toute la Cour de Vénus estoit accourue pour voir ce miracle, cette nouvelle façon de More : c'estoit à qui la regarderoit de plus près. Quelque étonnement que sa veuë causast, on y prenoit du plaisir ; et on auroit bien donné demy douzaine de blanches pour cette noire. Au reste soit que la couleur eust changé son air, soit qu'il y eust de l'enchantement, personne ne se souvint d'avoir rien veu qui luy ressemblast. Les Jeux et les Ris firent connoissance avec elle d'abord, sans se la remettre, admirant les grâces de sa personne, sa taille, ses traits, et disant tout haut que la couleur n'y faisoit rien. Néantmoins ce visage d'Éthiopienne enté sur un corps de Greque sembloit quelque chose de fort estrange. Toute cette Cour la consideroit comme un très-beau monstre et très-digne d'estre aymé. Les uns assuroient qu'elle estoit fille d'un blanc et d'une noire, les autres d'un noir et d'une blanche.

Quand elle fut à quatre pas de Vénus elle mit un genouil en terre : « Charmante Reyne de la beauté, luy dit-elle, c'est vostre esclave qui revient des lieux où vous l'avez envoyée. » Tout le monde la reconnût aussi-tost. On demeura fort surpris. Les Jeux et les Ris, qui sont un peuple assez étourdi, eurent de la discrétion* cette fois-là, et dissimulèrent leur joye de peur d'irriter Vénus contre leur nouvelle maistresse. Vous ne sçauriez croire combien elle estoit aymée dans cette Cour. La pluspart des gens avoient résolu de se cantonner* à moins que Cythérée ne la traitast mieux. Psiché remarqua fort bien les mouvemens que sa présence excitoit dans le fond des cœurs, et qui paroissoient mesme sur les visages ; mais elle n'en témoigna rien, et continua de cette sorte : « Proserpine m'a donné charge de vous faire ses complimens, et de vous asseurer de la continuation de son amitié. Elle m'a mis entre les mains une boëte que j'ay ouverte, bien que vous m'eussiez défendu de l'ouvrir. Je n'oserois vous prier de me pardonner, et me viens soûmettre à la peine que ma curiosité a méritée. »

Vénus jettant les yeux sur Psiché ne sentit pas tout le plaisir et la joye que sa jalousie luy avoit promise. Un mouvement de compassion l'empescha de joüir de sa vengeance et de la victoire qu'elle remportoit ; si bien que passant d'une extrémité en une autre, à la manière des femmes, elle se mit à pleurer, releva elle-mesme nostre Héroïne, puis l'embrassa : « Je me rends, dit-elle, Psiché ; oubliez le mal que je vous ay fait. Si c'est effacer les sujets de haine que vous avez contre moy, et vous faire une satisfaction assez grande, que de vous recevoir pour ma fille, je veux bien que vous la soyez. Monstrez vous meilleure que Vénus, aussi bien que vous estes déjà plus belle ; ne soyez pas si vindicative que je l'ay esté, et allez changer d'habit. Toutesfois, ajousta-t-elle, vous avez besoin de repos. » Puis se tournant[a] vers les Grâces : « Mettez-la au bain qu'on a préparé pour moy, et faites-la reposer en suite ; je l'iray voir en son lit. »

La Déesse n'y manqua pas ; et voulut que nostre Héroïne couchast avec elle cette nuit-là ; non pour l'oster à son fils ; mais on résolut de célébrer un nouvel hymen, et d'attendre que nostre Belle eust repris son teint. Vénus consentit qu'il luy fust rendu ; mesme qu'un brevet de Déesse[257] lui fust donné, si tout cela se pouvoit obtenir de Jupiter. L'Amour ne perd point de temps, et pendant que sa mère estoit en belle humeur[258], il s'en va trouver le Roy des Dieux. Jupiter qui avoit appris l'histoire de ses amours, luy en demanda des nouvelles ; comme* il se portoit de sa bruslure ; pour quoy il abandonnoit les affaires de son Estat. L'Amour répondit succinctement à ces questions, et vint au sujet qui l'amenoit.

« Mon fils[259], luy dit Jupiter en l'embrassant, vous ne trouverez plus d'Éthiopienne chez vostre mère : le teint de Psiché est aussi blanc que jamais il fut : j'ay fait ce miracle dès le moment que vous m'avez témoigné le souhaiter. Quant à l'autre poinct ; le rang que vous demandez pour vostre épouse n'est pas une chose si aisée à accorder qu'il vous semble[260]. Nous n'avons parmy nous que trop de Déesses. C'est une nécessité qu'il y ayt du bruit où il y a tant de femmes. La beauté de vostre épouse estant telle que vous dites, ce sera des sujets de jalousie et de querelles, lesquelles je ne viendray jamais à bout d'appaiser. Il ne faudra plus que je songe à mon office de foudroyant[261] ; j'en

a. Var. B.L. : « (...) vous avez besoin de repos » : se tournant alors vers les Grâces.

auray assez de celuy de médiateur pour le reste de mes jours. Mais ce n'est pas ce qui m'arreste le plus. Dès que Psiché sera Déesse il luy faudra des Temples aussi bien qu'aux autres. L'augmentation de ce culte nous diminuera nostre portion. Déjà nous nous morfondons sur nos autels, tant ils sont froids et mal encensez. Cette qualité de Dieu deviendra à la fin si commune que les mortels ne se mettront plus en peine de l'honorer.

— Que vous importe ? reprit l'Amour. Vostre félicité dépend-elle du culte des hommes ? qu'ils vous négligent, qu'ils vous oublient, ne vivez-vous pas icy heureux et tranquille, dormant les trois quarts du temps, laissant aller les choses du monde comme elles peuvent, tonnant, et greslant lors que la fantaisie vous en vient ? vous sçavez combien quelquefois nous nous ennuyons : jamais la compagnie n'est bonne s'il n'y a des femmes qui soient aymables. Cibelle est vieille ; Junon de mauvaise humeur, Cérès sent sa divinité de Province, et n'a nullement l'air de la Cour ; Minerve est toûjours armée ; Diane nous rompt la teste avec sa trompe ; on pourroit faire quelque chose d'assez bon de ces deux dernières ; mais elles sont si farouches qu'on ne leur oseroit dire un mot de galanterie : Pomone est ennemie de l'oisiveté, et a toûjours les mains rudes ; Flore est agréable, je le confesse ; mais son soin l'attache plus à la terre qu'à ces demeures ; l'Aurore se lève de trop grand matin, on ne sçait ce qu'elle devient tout le reste de la journée : il n'y a que ma mère qui nous réjouïsse, encore a-t-elle toûjours quelque affaire qui la détourne, et demeure une partie de l'année à Paphos, Cythère, ou Amatonte. Comme Psiché n'a aucun domaine, elle ne bougera de l'Olympe. Vous verrez que sa beauté ne sera pas un petit ornement pour vostre Cour. Ne craignez point que les autres ne luy portent envie ; il y a trop d'inégalité entre ses charmes et les leurs. La plus intéressée c'est ma mère, qui y consent. »

Jupiter se rendit à ces raisons, et accorda à l'Amour ce qu'il demandoit. Il témoigna qu'il apportoit son consentement à l'Apothéose, par une petite inclination de teste qui esbransla légèrement l'univers, et le fit trembler seulement une demie heure. Aussi-tost l'Amour fit mettre les Cignes à son char ; descendit en terre ; et trouva sa mère qui elle mesme faisoit office de Grâce autour de Psiché ; non sans luy donner mille loüanges et presque autant de baisers. Toute cette Cour prit le chemin de l'Olympe, les Grâces se promettant bien de danser aux nopces. Je n'en décriray point la cérémonie, non plus que celle de l'Apothéose : je décriray encore moins les plaisirs de nos époux ; il n'y a qu'eux seuls qui pûssent estre capables de les exprimer. Ces plaisirs leur eurent bien-tost donné un doux gage de leur amour, une fille qui attira les Dieux et les hommes dès qu'on la vid. On luy a basti des Temples sous le nom de la Volupté[262].

Ô douce Volupté, sans qui dès nostre enfance
Le vivre et le mourir nous deviendroient égaux ;
Aymant universel de tous les animaux*,
Que tu sçais attirer avecque violence[263] !
    Par toy tout se meut icy bas :
    C'est pour toy, c'est pour tes appas
    Que nous courons après la peine.
    Il n'est soldat, ny Capitaine,
Ny Ministre d'Estat, ny Prince, ny sujet
    Qui ne t'ait pour unique objet.
Nous autres nourrissons[264], si pour fruit de nos veilles
Un bruit délicieux ne charmoit nos oreilles,
Si nous ne nous sentions chatoüillez* de ce son,
    Ferions nous un mot de chanson ?
Ce qu'on appelle gloire en termes magnifiques,
Ce qui servoit de prix dans les jeux olympiques,
N'est que toy proprement divine Volupté.
Et le plaisir des sens n'est-il de rien compté ?
    Pourquoy sont faits les dons de Flore ?

Le Soleil couchant, et l'Aurore ?
Pomone et ses mets délicats ?
Bacchus l'âme des bons repas ?
Les forests, les eaux, les prairies,
Mères des douces rêveries ?
Pourquoy tant de beaux arts qui tous sont tes enfans ?
Mais pourquoy les Cloris[265] aux appas triomphans,
Que pour maintenir ton commerce* ?
J'entends innocemment : sur son propre désir
Quelque rigueur que l'on exerce
Encore y prend-on du plaisir.
Volupté, Volupté, qui fus jadis maistresse
Du plus bel esprit* de la Grèce[266],
Ne me dédaigne pas, vien-t-en loger chez moy ;
Tu n'y seras pas sans employ.
J'ayme le Jeu, l'Amour, les Livres, la Musique,
La Ville et la Campagne, enfin tout[267], il n'est rien
Qui ne me soit souverain bien[268],
Jusqu'au sombre plaisir d'un cœur mélancolique[269].
Vien donc ; et de ce bien, ô douce Volupté,
Veux-tu sçavoir au vray la mesure certaine ?
Il m'en faut tout au moins un siècle bien compté.
Car trente ans, ce n'est pas la peine.

Poliphile cessa de lire. Il n'avoit pas crû pouvoir mieux finir que par l'hymne de la volupté, dont le dessein ne déplût pas tout à fait à ses trois amis. Après quelques courtes réflexions sur les principaux endroits de l'ouvrage : « Ne voyez vous pas, dit Ariste, que ce qui vous a donné le plus de plaisir, ce sont les endroits où Poliphile a tasché d'exciter en vous la compassion ?

— Ce que vous dites est fort vray, repartit Acante ; mais je vous prie de considérer ce gris de lin, ce couleur d'Aurore, cet oranger, et surtout ce pourpre, qui environnent le Roy des Astres. » En effet, il y avoit très long-temps que le soir ne s'estoit trouvé si beau. Le Soleil avoit pris son char le plus éclatant, et ses habits les plus magnifiques.

Il sembloit qu'il se fust paré
Pour plaire aux filles de Nérée[270] *;*
Dans un nuage bigarré
Il se coucha cette soirée.
L'air estoit peint de cent couleurs :
Jamais parterre plein de fleurs
*N'eut tant de sortes de müances**[a].*
Aucune vapeur ne gastoit
Par ses malignes influences
Le plaisir qu'Acante goustoit.

On luy donna le loisir de considérer les dernières
beautez du jour : puis[b] la Lune estant en son plein,
nos Voyageurs et le cocher qui les conduisoit la
voulurent bien pour leur guide[271].

---

a. Var. B.L. : *nüances.*
b. Var. B.L. : et.

Notes

LF abrège La Fontaine. — *Pl. I* et *Pl. II* renvoient aux deux volumes des *Œuvres complètes* dans la Bibliothèque de la Pléiade. — *Fur.* désigne le *Dictionnaire universel* de Furetière. — Les références aux études sur LF signalées ici par le nom de l'auteur apparaissent complètes dans la Bibliographie.

1. Sur l'ensemble de la dédicace, voir Appendices, pp. 255-258.

PRÉFACE

2. *Fable* peut avoir le sens usuel aujourd'hui (petit récit illustrant une moralité) ou désigner, plus généralement, l'intrigue d'un roman, d'une pièce, ou encore un récit mythologique. Quoi qu'il en soit, LF, en présentant *Psyché* comme une *fable*, l'inscrit dans la continuité des six premiers livres des *Fables*, parus l'année précédente (1668) ; ceux-ci, de leur côté, annoncent d'ailleurs *Psyché* (voir livre VI, « Épilogue »). En outre, la Préface de *Psyché* et celle des *Fables* ont plusieurs points communs, dans leur programme et dans leur terminologie. — Si LF désigne ici son récit

comme une *fable*, il le qualifie, dans le paragraphe suivant, de *conte*, comme s'il voulait combiner les deux genres distincts qu'il a illustrés jusque-là.

3. Sur Apulée et *L'Ane d'or*, voir Introduction, pp. 13-14.

4. C'est ce que découvrira M. Jourdain l'année suivante (*Le Bourgeois Gentilhomme*, II, 4). — *Psyché* est la première œuvre importante de LF en prose. Jusque-là, il a écrit surtout des vers réguliers (*Adonis*), puis des poèmes hétérométriques (*Contes, Fables*), pour en arriver, comme ici, au mélange, avec une dominante en prose.

5. LF reprend ici la stratification ternaire, et traditionnelle, des styles : les styles bas (*humilis*), moyen (*mediocris*) et élevé (*sublimis*), dont le choix dépend de la dignité relative de la matière. On trouvera l'un des textes fondateurs de cette théorie dans Quintilien, *Institution oratoire*, XII, 10, 58 *sqq.* Pour un exposé sur les niveaux de style au XVIIᵉ siècle, voir par exemple Bernard Lamy, *La Rhétorique*, livre IV.

6. *Héroïque* désigne la poésie épique et, par extension, les genres les plus élevés, comme la grande poésie amoureuse. Le genre héroïque, dit ailleurs LF, « est assurément le plus beau de tous, le plus fleuri, le plus susceptible d'ornements et de ces figures nobles et hardies qui font une langue à part, une langue assez charmante pour mériter qu'on l'appelle la langue des dieux » (*Adonis*, Avertissement, Pl. II, p. 1). S'il faut néanmoins tempérer le style héroïque, c'est que, comme le remarque LF dans l'Avertissement du *Songe de Vaux*, il n'est plus à la mode (Pl. II, p. 78).

7. La règle d'uniformité est un des grands principes de l'esthétique classique, souvent rattaché à la leçon d'Horace (*Art poétique*, v. 1-13). Il ne faut pas, dit ailleurs LF, « faire rire et pleurer dans une même nouvelle. Cette bigarrure déplaît à Horace sur toutes choses ; il ne veut pas que nos compositions ressemblent aux crotesques, et que nous fassions un ouvrage moitié femme, moitié poisson » (*Contes*, Préface de la Deuxième Partie, Pl. I, p. 387). Voir Collinet, pp. 244-246.

8. Sur le tempérament (mélange), voir Introd., pp. 30-33. Le mélange de thèmes et de tons variés est commun avec *L'Ane d'or* d'Apulée, présenté par son auteur comme une « causerie milésienne » (I, 1), c'est-à-dire un récit de composition libre, divers dans ses thèmes et très libre dans son développement.

226

9. LF remplace ici, audacieusement, la soumission aux règles (leitmotiv de maintes préfaces du XVIIᵉ siècle) par la reconnaissance du goût ; il substitue ainsi un critère culturel et mondain à la contrainte technique et choisit de se fier à l'instinct, ou au bon sens, plutôt qu'à la raison. Même soumission au « goût du lecteur » dans l'Avertissement du *Songe de Vaux* (Pl. II, p. 78), dans les Préfaces des *Contes* (Pl. I, p. 345 et p. 385) et *passim* dans d'autres textes liminaires. — Le projet de plaire est aussi un principe affirmé dans plusieurs Préfaces. Ainsi : « On ne considère en France que ce qui plaît ; c'est la grande règle, et pour ainsi dire la seule » (Préface des *Fables*, Pl. I, p. 11).

10. La poésie galante et enjouée, écrit Mlle de Scudéry, « sera noble, naturelle, aisée, agréable, elle raillera sans malice, elle loüera sans grande exagération, elle blasmera quelquefois sans aigreur, elle sera ingénieusement badine et divertissante. Elle aura tantost de la tendresse, et tantost de l'enjoüement (...) on y meslera l'esprit et l'amour tout ensemble, elle aura un certain air du monde qui la distinguera des autres Poësies » (*Clélie*, IV, pp. 868-869 ; cité dans *Le Songe de Vaux*, éd. E. Titcomb, Genève, Droz, 1967, p. 34).

11. La conception classique des passions est bien résumée dans le *Dictionnaire* de Furetière : « PASSION, en Morale, se dit des différentes agitations de l'âme selon les divers objets qui se présentent à ses sens. Les Philosophes ne s'accordent pas sur le nombre des *passions*. Les *passions* de l'appétit concupiscible, sont la volupté et la douleur, la cupidité et la fuite, l'amour et la haine. Celles de l'appétit irascible sont la colère, l'audace, la crainte, l'espérance, et le désespoir. C'est ainsi qu'on les divise communément. Les Stoïciens en faisoient quatre genres, et se prétendoient estre exempts de toutes *passions*. Voyez l'Abrégé de Gassendi, et sur tout Monsieur Descartes, qui a fait un beau Traité des *Passions* d'une manière physique. Coeffeteau a fait le Tableau des *Passions* ; La Chambre, les Caractères des *Passions* ; le Père Senaut, l'Usage des *Passions*. »

12. « C'est ce qu'on demande aujourd'hui : on veut de la nouveauté et de la gaieté. Je n'appelle pas gaieté ce qui excite le rire, mais un certain charme, un air agréable, qu'on peut donner à toutes sortes de sujets, même les plus sérieux » (Préface des *Fables*, Pl. I, p. 9). — Dans cette même Préface, LF donne cependant les *Fables* comme utiles, se conformant

au principe latin selon lequel il faut à la fois plaire et instruire (*delectare — docere*). On remarquera qu'il ne prétend au contraire, dans *Psyché*, ni enseigner ni édifier, et se réclame du seul plaisir.

13. Après avoir traité du style (*elocutio*), LF en vient à un autre chapitre essentiel de la rhétorique, l'*inventio*, la recherche des matériaux, le choix des thèmes.

14. Dans maintes préfaces et réflexions sur son art, LF reconnaît la part essentielle de l'imitation dans son œuvre ; il cite volontiers les auteurs qu'il imite. Néanmoins, il prend toujours soin de revendiquer pour soi une large part de nouveauté, car « C'est un bétail servile et sot, à mon avis, Que les imitateurs ; on dirait des brebis... » (*Clymène*, Pl. II, p. 34). Dans l'*Épître à Huet*, qui est pourtant un manifeste en faveur des Anciens, il précise : « Mon imitation n'est point un esclavage » (Pl. II, p. 648). Voir aussi la Préface des *Fables* : « Je n'ai entrepris la chose que sur l'exemple, je ne veux pas dire des anciens, qui ne tire point à conséquence pour moi, mais sur celui des modernes » (Pl. I, p. 7). Voir Introd., pp. 18-20 et 34.

15. On trouve cependant dans le récit : « Après le repas une musique de luths et de voix se fit entendre à l'un des coins du platfonds, sans qu'on vist ny chantres ny instrumens » (p. 78).

16. Contre la contrainte des théoriciens qui imposaient les règles au nom de la raison, les écrivains du XVIIᵉ siècle ont souvent revendiqué le critère du plaisir des lecteurs et du succès de l'œuvre. Telle est la position de défense adoptée, contre leurs critiques, par Molière (« Je voudrais bien savoir si la grande règle de toutes les règles n'est pas de plaire », *La Critique de l'École des femmes*, scène VI) ou par Corneille dans la querelle du *Cid*.

17. Sur le traitement du thème du monstre, voir Introd., pp. 23-24.

18. Le prosimètre, qui fait alterner prose et vers, remonte à l'Antiquité (voir Martianus Capella, *Noces de Mercure et Philologie*, et Boèce, *La Consolation de Philosophie*). Plus près de LF, on peut citer les exemples de *L'Astrée*, qui inscrit volontiers des poèmes dans le récit en prose, ainsi que la mode lancée par Sarasin, dans des lettres et dans sa « Pompe funèbre de Voiture ». Devenue assez commune dans les années 60, la pratique a été exploitée à plusieurs reprises par

LF. Voir la *Relation d'un voyage de Paris en Limousin* et *Le Songe de Vaux*.

19. Dans *Le Songe de Vaux*, où il décrit le palais de Nicolas Fouquet, LF anticipe également sur l'état actuel des jardins (voir Avertissement). A la différence de *Psyché*, il utilise alors, pour garantir la vraisemblance du procédé, la fiction du songe. Sur les travaux de Versailles, voir Introd., pp. 6-8 et, sur la vision prospective adoptée par LF, pp. 40-41.

20. Dans l'immédiat, *Psyché* ne fut pas un succès. Après la première édition — et une contrefaçon également datée de 1669 —, il n'y eut pas d'autre édition du vivant de LF.

LIVRE PREMIER

21. Parnasse : « Se dit figurément pour les Poëtes et la Poësie » (*Fur*). Sur les quatre amis, voir Appendice II, pp. 259-261.

22. La métaphore de l'abeille est d'ordinaire appliquée à l'auteur, qui recueille sa matière à diverses sources puis en compose une matière homogène (voir Sénèque, *Lettres à Lucilius*, 84). LF se l'applique à lui-même :

> Je m'avoue, il est vrai, s'il faut parler ainsi,
> Papillon du Parnasse, et semblable aux abeilles
> A qui le bon Platon compare nos merveilles.
> Je suis chose légère, et vole à tout sujet ;
> Je vais de fleur en fleur, et d'objet en objet.

(Deuxième *Discours à Mme de La Sablière*, Pl. II, p. 645).

Pour Platon, voir *Ion*, 534 b.

23. Fidélité aux Anciens, intérêt pour les Modernes : cette position est celle de LF lui-même. Voir note 14.

24. Poliphile : signifie en grec « qui aime beaucoup de choses ». L'orthographe à l'italienne semble cependant indiquer que le nom est emprunté au *Songe de Poliphile* de Francesco Colonna. Sur les rapports du récit avec *Le Songe de Poliphile*, voir Charpentier et Introd., p. 19.

25. L'acanthe (parfois orthographié sans *h* au XVIIᵉ siècle) est une plante à longue feuille, très découpée, qui aurait servi de modèle pour les ornements du chapiteau corinthien. Pour un personnage qui, on le verra, aime la nature et les jardins,

le nom est approprié. Au reste, il a souvent été utilisé dans la littérature pastorale et, à plusieurs reprises, par LF lui-même, comme figure de soi (voir par exemple *Clymène, Le Songe de Vaux*). Voir J. D. Hubert, « La Fontaine et Pellisson ou le mystère des deux Acante », dans *RHLF* 66 (1966), pp. 223-237.

26. Le récit de LF est une combinaison de plusieurs schémas narratifs. Si on reconnaît sans peine, à l'arrière-plan, le *Décaméron* de Boccace comme l'un des modèles les plus anciens (voir Introd., p. 32), la littérature de l'époque présente différentes possibilités que LF n'a pas manqué d'exploiter. On retiendra surtout le genre de la « promenade », illustré entre autres par Mlle de Scudéry (*La Promenade de Versailles*, 1669) et Gabriel Guéret (*La Promenade de Saint-Cloud*, 1669), et celui des « entretiens », qui fournit le modèle du débat central. Le grand parangon est ici le *Livre du Courtisan* (1528) de Baldassare Castiglione, dont la leçon sur la « grâce » (livre I, chap. 24 *sqq.*), par ailleurs, trouve un écho certain dans *Psyché*. Parmi les avatars du livre de Castiglione au XVIIᵉ siècle, on retiendra les *Conversations* de Méré (1668-1669) ou encore les *Entretiens d'Ariste et d'Eugène* de Bouhours (1671).

27. Ariste : dérivé du grec *aristos*, « le meilleur ». Or tous les poéticiens sont d'accord pour considérer la tragédie, que défend Ariste, comme le genre le plus noble. — Gélaste : du mot grec signifiant « rire ».

28. Sur le chantier de Versailles, voir Introd., pp. 6-8.

29. La Ménagerie est l'une des premières réalisations du parc de Versailles. Outre les enclos, les cages et les bassins, on avait construit un pavillon où les promeneurs pouvaient se reposer et manger tout en regardant les animaux.

30. Complété d'un nom, *couleur* pouvait être masculin. On trouve à la fin du récit, dans une autre description aux coloris nuancés, « ce couleur d'Aurore » (p. 220).

31. Commencée dès 1662, l'Orangerie fut excavée dans le flanc sud de l'esplanade du château. Elle accueillait les courtisans pendant les mois d'été. Elle fut considérablement agrandie vingt ans plus tard.

32. Les orangers de Versailles provenaient du château de Vaux, enlevés à Nicolas Fouquet au moment de sa chute. Il est possible que LF rende ainsi un hommage indirect à son ancien protecteur. Voir Introd., p. 11.

33. Il faut peut-être comprendre que ce poème, célébrant les orangers qui jadis appartenaient à Fouquet, avait figuré dans *Le Songe de Vaux*, où on trouve, comme ici (v. 7), une Aminte. Cette hypothèse confirme l'affinité d'Acante avec LF lui-même (voir note 25). Ce même poème sera republié en 1671 dans le *Recueil de poésies chrétiennes et diverses*.

34. Figure type de la littérature pastorale et galante, le nom étant emprunté à l'*Aminta* du Tasse. Comme P. Clarac l'a signalé (Pl. II, p. 818), ce nom apparaît à plusieurs reprises dans l'œuvre de LF (*Adonis*, version de 1669, v. 15-28, *Le Songe de Vaux, Élégie I*), sans qu'on puisse déterminer s'il s'agit là d'un « nom de Parnasse » dont la/les clef(s) nous manque(nt) ou d'une pure fiction.

35. Les Hespérides, nymphes du Couchant, veillent sur le jardin des dieux et ses pommes d'or.

36. Sur les jeux de Scipion Émilien et de son ami Laelius, voir Cicéron, *De oratore*, II, 6.

37. Un brachmane, hindou, pour expliquer un tissu chinois, l'association est étrange. Le correcteur de la B. L. a d'abord remplacé *brachmane* par *prêtre chinois*, mais a finalement restitué la première version. — De sa mère Anne d'Autriche et de Mazarin, le jeune Louis XIV avait hérité le goût des curiosités, des objets rares et précieux.

38. « *Grotte*, se dit aussi des petits bastiments artificiels qu'on fait dans les jardins, qui imitent les grottes naturelles, qu'on orne de coquillages, et où on fait plusieurs jets d'eau » (*Fur.*). La Grotte de Thétis, bâtiment carré effectivement construit de toutes pièces, a été édifiée en 1664-1665. Elle sera détruite vingt ans plus tard, pour permettre l'agrandissement du château. La chapelle occupe aujourd'hui sa place.

La description qui suit peut être comparée à plusieurs documents d'époque : Mlle de Scudéry, *La Promenade de Versailles*, 1669 (Slatkine Reprints, 1979) ; Félibien, *Description de la Grotte de Versailles*, 1679 (très belles gravures) ; Charles Perrault, *Mémoires de ma vie*, éd. P. Bonnefon, Paris, Renouard, 1909, pp. 108-110. Voir aussi P. de Nolhac et L. Lange, de même que Introd., p. 8.

39. Grâce à un réservoir sur le toit du bâtiment, la Grotte était arrosée de jets d'eau (voir le poème) qui donnaient l'impression d'une demeure sous-marine. — Thétis (Téthys) est la déesse de la mer qui, dans la mythologie de Versailles, accueille le Roi-Soleil pendant la nuit.

40. Dieu du jour, Soleil, Apollon, Phœbus, c'est toujours le même dieu, emblème du Roi-Soleil. Voir Introd., pp. 8-9. — LF décrit ici les bas-reliefs, qui dominent les trois portes et cachent le réservoir, du Flamand Gérard van Opstal : au centre, la descente du char du soleil dans la mer et, de part et d'autre, des Tritons, des Zéphyrs, des Amours.

41. Ville de Chypre avec un temple de Vénus ; il s'agit ici des Amours.

42. L'intérieur de la Grotte annonce le « style rocaille » qui s'épanouira sous Louis XV. Le décor sous-marin est simulé par un revêtement de coquillages (« trésors d'Amphitrite »), de coraux, de nacres, de cailloux et marbres colorés.

43. L'adjectif *grotesque* (ou *crotesque*) trouve son origine dans les « grottes » (souterrains), découvertes à Rome à la fin du XVe siècle, dont l'ornementation exubérante allait déterminer le style des grotesques, très répandu à la Renaissance. A travers ce mot, LF rattache la décoration fantasque de la Grotte de Thétis à un style et une mode bien précis.

44. Un dieu fluvial, avec son attribut habituel, l'urne.

45. Le « Dieu de la Thrace », c'est Mars et les « maistres du Parnasse », ce sont les poètes épiques, les thuriféraires officiels, dont LF a soin de se distinguer.

46. Si la Grotte a été démolie en 1684, le groupe d'*Apollon et les Néréides*, par Girardon et Regnaudin, ainsi que les deux groupes des Tritons abreuvant les chevaux du Soleil peuvent être vus, aujourd'hui encore, dans le Bosquet des Bains d'Apollon.

47. Doris, Chloé, Mélicerte, Delphire, Climène : LF emprunte des noms de convention, d'origine antique, à la littérature galante, pour désigner ici des Néréides (divinités marines).

48. Comme pour le reste de la Grotte, LF décrit assez fidèlement le groupe. Il omet cependant une sixième Néréide et s'amuse à romancer la scène.

49. Les « mouvemens », ce sont les sentiments ou les passions. LF reprend ici un lieu commun du parallèle classique entre les arts : la poésie fait parler les images et donne une âme aux personnages peints ou sculptés. Cela n'empêchait pas les partisans des arts visuels de revendiquer les mêmes qualités.

50. Atis (d'ordinaire orthographié *Acis*) est l'amant de Galatée, l'un et l'autre divinités marines. — Les deux statues,

du Romain Tubi, sont maintenant dans le Bosquet des Dômes. — LF a rédigé un livret d'opéra, inachevé, sur les amours d'Acis et de Galatée.

51. Philomèle fut changée en rossignol. Voir Ovide, *Métamorphoses*, VI, 412-674 ; voir aussi *Fables*, III, 15. — Dans sa description de la Grotte (voir note 38), Félibien précise qu'il y avait dans la Grotte des « oiseaux de divers coquillages, mais figurez sur le naturel », et que ceux-ci, par une « industrie admirable » (pp. 9 et 12), semblaient mêler leur chant à la musique d'un orgue hydraulique.

52. La musique est un autre hommage à Apollon, patron des Muses et dieu musicien. Félibien (voir note 38) écrit : « Il semble qu'on voye une image parfaite du concert de tous les Élémens, et qu'on ait trouvé l'art de faire entendre dans ce lieu-là cette Harmonie de l'Univers, que les Poëtes ont représentée par la Lyre d'Apollon, comme celuy qui règle les Saisons, et qui tempère les Élémens » (p. 12).

53. Et plaît aux auditeurs d'autant plus qu'il les étourdit.

54. LF s'abandonne ici à la fascination du mouvement et des formes changeantes, trace du goût baroque dans le Versailles de Louis XIV.

55. Il y avait assez de touristes allemands, à Versailles, pour engager l'imprimeur de la *Description de la Grotte de Versailles* de Félibien (voir note 38) à en donner, dans le même volume, une traduction allemande.

56. Cet « exorde » qui, comme au début de certaines fables, semble énoncer le sujet du récit, désigne Cupidon comme le protagoniste. Sur l'Amour blessé à ses propres armes, voir Introd., pp. 17-18.

57. Dans l'une des interprétations allégoriques du mythe, le père de Psyché est Apollon lui-même et sa mère, Entéléchie (voir Martianus Capella, *De Nuptiis ...*, et Boccace, *De Genealogia deorum*). Mais LF n'exploite pas ce lien possible entre l'histoire de Psyché et le Roi-Soleil.

58. Comme souvent, LF désavoue les clichés de la poésie précieuse.

59. Vénus, qui avait un temple sur l'île de Cythère (d'où son nom de Cythérée), ainsi qu'à Paphos et Amathonte.

60. Alla si loin.

61. Il faut la lui donner, puisque après tout elle seule...

62. LF s'éloigne ici de la règle d'uniformité énoncée dans la Préface. Voir aussi un autre morceau d'apparat, la des-

cription des enfers, explicitement distingué du contexte : « J'ay besoin d'un stile extraordinaire pour vous les décrire » (p. 201).

63. Palémon et Glaucus, dieux marins.

64. Chargé de donner la pomme d'or à la plus belle, Pâris, sur le mont Ida, préféra Vénus, qui lui avait dévoilé tous ses charmes, à Minerve et à Junon.

65. On trouvera un développement de cette comparaison traditionnelle dans les *Réflexions diverses* (VI) de La Rochefoucauld (« De l'amour et de la mer »).

66. *Amours* peut désigner « tous les petits agrémens qui naissent de la beauté » (*Fur.*). A côté des « Amours », on trouvera souvent les « Ris », les « Jeux » ou les « Grâces », auxquels Furetière attribue à peu de chose près le même sens. Tous ensemble, ils figurent les différents aspects de la « vénusté » qui, plus bas, sera désignée par le mot même *Vénus*, employé au sens de « grâce, charme ». Sur « la grâce plus belle encor que la beauté » (*Adonis*, v. 78), voir plus bas l'épisode de Myrtis et Mégano (pp. 178-182), ainsi que l'Introduction, pp. 37-38.

67. Amour, tyran des hommes : l'idée est déjà dans Euripide (voir *Hippolyte*, 538).

68. Selon la tradition, l'oracle est énigmatique. Il présente ici un double sens, selon qu'on le lit au propre (l'époux est un monstre), comme font les personnages de l'histoire, ou au figuré (le monstre est l'Amour), comme fait le lecteur avisé. Sur cette double lecture, voir la Préface, pp. 55-56 et l'Introduction, pp. 23-24.

69. LF signale ici son accord avec la philosophie épicurienne de Lucrèce (voir *De Natura rerum*, I, 62-135), illustrée au XVIIe siècle par les penseurs libertins.

70. De nombreux tableaux, à l'époque classique, représentaient Andromède exposée sur un rocher et menacée par un dragon. Il se peut que LF trouve dans l'iconographie de ce mythe quelques-uns des éléments pittoresques de sa description.

71. Ce thème de l'éloquence du silence, la plus apte à rendre l'intensité des émotions sublimes, revient à plusieurs reprises. Dans la scène de retrouvailles, Amour « se teut long-temps, et par ce silence il s'exprima mieux que s'il eust parlé » (p. 212). Sur la rhétorique du silence et la prétérition, voir Introd., pp. 39-40.

234

72. *Son sang* : sa progéniture, sa fille.

73. LF domestique et actualise le mythe antique de multiples manières (voir Introd., pp. 17-20). Le glissement des archétypes mythiques aux thèmes plus familiers du conte de fées favorise ce transfert.

74. Les miroirs étaient alors à la mode, et prodigués dans les demeures princières (ainsi la Galerie des Glaces de Versailles). Grâce à la création de manufactures par Colbert, la France commence, dès 1665, à supplanter Venise dans la fabrication des glaces.

75. Par le charme de leur musique, Orphée et Amphion exercent un pouvoir magique. Le premier attire et apaise les animaux, le second amène, au son de sa lyre, les blocs dont on construit les murs de Thèbes.

76. Lorsqu'il prétend plus bas suivre le texte d'un manuscrit trouvé (p. 90), Poliphile utilise une autre fiction d'authentification.

77. La douceur des larmes, le plaisir dérivé des souffrances de la passion : on retrouvera abondamment ce thème dans le débat central. Voir aussi *Adonis* : « Les plaisirs qu'il attend sont accrus par ses peines » (Pl. II, p. 7).

78. LF partage avec beaucoup de ses contemporains le goût des descriptions d'architecture, communes dans le roman et dans la poésie héroïque. Voir ici même Versailles et, plus bas, le temple de Vénus, de même que *Le Songe de Vaux* et, pour la description du château de Richelieu, la *Relation d'un voyage de Paris en Limousin*. Parmi les modèles probablement les plus présents à la mémoire de LF, on citera, outre *Le Songe de Poliphile*, le palais d'Apollidon dans *Amadis de Gaule*, II, 1. Sur l'*ekphrasis*, voir Introd., pp. 33-34.

79. La superposition des trois ordres, d'habitude séparés, est comme la métaphore réflexive du « tempérament » opéré par LF entre les styles de l'histoire, du roman et de la poésie (voir Préface, p. 53).

80. Armide : magicienne dans la *Jérusalem délivrée* du Tasse ; Angélique : héroïne du *Roland furieux* de l'Arioste. Ces deux épopées romanesques, qui ont fécondé l'imaginaire de l'âge classique, comptent parmi les modèles les plus actifs de *Psyché*.

81. Élevé par des bergers, Pâris gardait les troupeaux.

82. Avant d'être transformée en araignée, Arachné excellait dans l'art de la tapisserie.

83. Les trois Grâces : Euphrosyne, Thalie et Aglaé.

84. Minerve, protectrice des fileuses, des tisserands, des brodeuses.

85. Sur l'esthétique de la variété, voir Introd., pp. 26-29.

86. Le mot, emprunté à l'espagnol et d'origine arabe, est attesté en français dès 1646. — LF parsème son récit d'anachronismes, comme pour légitimer une lecture contemporaine et encourager la transposition du milieu fabuleux à celui de Versailles. Voir aussi note 105.

87. Comme ruse narrative et comme ressort de l'amour (« du moment que vous n'aurez plus rien à souhaiter vous vous ennuyerez », dit Cupidon à Psyché, p. 92), ce principe est essentiel dans tout le récit. Voir Introd., p. 39.

88. *Le Songe de Poliphile* contient une description de dessins sur la puissance de l'Amour (trad. Jean Martin, Paris, J. Kerver, 1546, f. 54-63), dont LF semble ici s'inspirer.

89. LF se souvient sans doute d'Ovide, *Métamorphoses*, I, 5-20.

90. Sur Amour ordonnateur du chaos, voir Hésiode, *Théogonie*, 116 ; Platon, *Le Banquet*, 178 a-b ; Ficin, commentaire sur *Le Banquet*, Premier discours, chap. 3.

91. Le thème du cyclope amoureux se trouve chez Théocrite (*Idylles*, XI) et Ovide (*Métamorphoses*, XIII, 750-897). Le dénouement semble être de LF. Cette allusion à l'histoire de Polyphème fait écho à l'évocation de Galatée et Atis (Acis) dans la description de la Grotte de Thétis (voir note 50). On peut voir là un indice qui permet le rapprochement entre les deux couples, Apollon (Louis XIV) — Thétis, d'une part, Cupidon — Psyché, de l'autre (voir note 98). L'association entre l'histoire de Galatée et celle de Psyché n'est pas propre à la littérature. On la trouve également en peinture, chez Jules Romain, dans le cycle de Psyché du Palazzo del Te (Mantoue). Il s'agit là sans doute d'un procédé comparable, qui consiste à expliciter un aspect thématique (la monstruosité de l'amour et sa sublimation) par la mise en abîme d'un récit parallèle.

92. Enchanteur dans *Amadis de Gaule* ; sur son palais magique, voir livre II, chap. 1. Sur Armide, voir note 80.

93. Enchanteresse dans la comédie de Calderon, *El Jardin de Falerina*.

94. Le palais de Nicolas Fouquet, protecteur et ami de LF, à Vaux-le-Vicomte, est décrit dans *Le Songe de Vaux* (encore inédit au moment de la rédaction de *Psyché*). Il y a quelque audace à évoquer cette demeure, qui avait soulevé la jalousie du roi, après la fameuse fête d'août 1661. Ainsi s'explique peut-être la correction de la B. L. — Liancourt : dans l'Oise. LF connaissait peut-être ce château pour avoir fréquenté le duc de Liancourt. Description par le poète Cotin (*Œuvres galantes*, 1663, pp. 113-123). Les Naïades sont les divinités des sources et des fleuves.

95. Le château de Rueil, entre Paris et Saint-Germain ; légué par Richelieu à sa nièce, la duchesse d'Aiguillon, il était fameux pour ses grottes, ses cascades et ses jets d'eau.

96. Nymphes des forêts.

97. Annonce de la scène de l'« antre effroyable » de la deuxième partie (pp. 208-209). — La grotte est, dans l'imaginaire du XVIIe siècle, un lieu privilégié de l'amour. LF le redit dans *Adonis* :

> Et vous, antres cachés, favorables retraites,
> Où nos cœurs ont goûté des douceurs si secrètes,
> Grottes, qui tant de fois avez vu mon amant
> Me raconter des yeux son fidèle tourment,
> Lieux amis du repos, demeures solitaires,
> Qui d'un trésor si rare étiez dépositaires,
> Déserts, rendez-le-moi...   (Pl. II, pp. 18-19).

Voir aussi « La Fiancée du Roi de Garde », dans *Contes* (Pl. I, p. 449 *sqq*.). — Sur les mérites de la solitude, sous un autre angle, voir plus bas la leçon du vieillard philosophe (pp. 153-154).

98. On a peut-être le droit de reconnaître, dans des scènes comme celle-ci, des allusions aux amours de Louis XIV avec Mlle de La Vallière ou la marquise de Montespan. C'est à Versailles que le jeune roi abrita ses amours d'abord secrètes ; c'est pour Mlle de La Vallière qu'il entreprit les embellissements du parc. Le couple d'Amour et Psyché serait-il une clef pour Louis XIV et sa jeune maîtresse ? Le palais et les jardins de Cupidon seraient-ils un hommage aux travaux de Versailles ?

99. Lieu commun d'époque. Voir par exemple La Rochefoucauld, *Maximes*, 113 : « Il y a de bons mariages, mais il n'y en a point de délicieux. » Même idée récurrente dans

L'Astrée, dans *La Princesse de Clèves*. Une fois de plus, le thème du désir domine le récit.

100. Sur la déconstruction du mythe et l'incompréhension d'un Charles Perrault, voir Introd., p. 17-20.

101. Poliphile n'a pas trouvé les explications qui suivent dans Apulée. La fiction du manuscrit trouvé est un lieu commun de la littérature narrative que le XVIIIᵉ siècle exploitera beaucoup. Voir note 76.

102. Ce « secret », que LF situe au cœur de la thématique et de la poétique du récit (voir Introd., pp. 23 et 38-42), était devenu, depuis le XVIᵉ siècle, un lieu commun des « livres de sagesse » (voir par exemple Jean Baudoin, *Recueil d'emblèmes divers*, Paris, Jacques Villery, 1639, Discours XV, « Qu'on se degouste des Voluptez avec le temps »). Le thème est récurrent chez LF, surtout dans les *Contes*.

103. Au milieu de la première partie de son récit, Poliphile introduit un rappel du cadre de la narration — la Grotte de Thétis où, pendant la nuit, se repose le soleil. On remarquera que, plutôt que de célébrer le soleil (et le Roi-Soleil) dans toute sa gloire, LF insiste malicieusement sur le coucher.

104. Grand thème des *Métamorphoses* d'Ovide, l'une des œuvres classiques les plus lues aux XVIᵉ et XVIIᵉ siècles.

105. Allusion aux comédies-ballets alors à la mode, et autre glissement du monde grec à celui de Versailles. Voir note 86. Sur le brouillage dans la temporalité de l'histoire, voir Introd., p. 41.

106. Sur ce manuscrit, voir p. 90 et note 76.

107. Psyché l'apprendra quand elle descendra aux enfers (voir p. 201). Le serment par le Styx lie les dieux eux-mêmes.

108. L'Empire de Flore : les fleurs. — Les deux Arabies : les Anciens divisaient l'Arabie en trois parties, l'Arabie Pétrée, l'Arabie Déserte, l'Arabie Heureuse. — Les lieux où naît le baume : selon la légende, l'Égypte et la Judée.

109. La règle veut que le dénouement d'une comédie corresponde à un ou plusieurs mariage(s).

110. Psyché laisse entendre que les termes de l'oracle (p. 73) doivent être interprétés au sens figuré. Voir note 68.

111. Assimilée tantôt à Diane, tantôt à Junon, Lucine préside aux accouchements.

112. Allusion possible aux bâtards royaux, à rapprocher des nombreuses notations plaisantes et discrètement critiques sur le roi et la cour.

113. L'apparente bizarrerie de cette phrase est expliquée deux pages plus bas : « une douce haleine est venuë nous enlever, sans que le Zéphire ait paru ».

114. Jeune homme d'une grande beauté ; Vénus en fut amoureuse ; il mourut jeune, tué par un sanglier. Voir le long poème de LF, *Adonis*.

115. L'analyse des passions occupe une place importante dans le récit (voir les explications de la Préface sur la peur et le débat d'Ariste et Gélaste sur le rire et la pitié). Aristote (*Rhétorique*), le Pseudo-Longin (*Traité du Sublime*) et la plupart des rhétoriques classiques accordent une grande importance aux passions. Voir Collinet, pp. 264-284, Introd., p. 21 et note 11.

116. *Je devais* suivi d'un infinitif peut avoir le sens d'un conditionnel (*j'aurais dû*).

117. Ovide, *Métamorphoses*, XI, 592 *sqq.* Le thème du sommeil est récurrent dans *Psyché*. Pour l'importance que LF lui attribue, voir en particulier p. 111 et p. 146.

118. L'apparence efféminée que LF donne à Cupidon est attestée dans la tradition iconographique plutôt que dans la filière mythologique ou littéraire. Plusieurs peintres maniéristes jouent sur l'ambiguïté sexuelle de l'Amour. Voir par exemple les tableaux de Perino del Vaga, G. Vasari, Maestro Ligure et B. Spranger.

119. A rapprocher de la description de Psyché endormie (pp. 209-210) et de celle d'Aminte endormie, dans *Le Songe de Vaux* (Pl. II, p. 109). Voir aussi *Clymène* (Pl. II, pp. 43-46). La « vénusté » qui s'exprime ici trouve son pendant dans la peinture, comme dans la *Vénus* de Dresde de Poussin. Sur le bel ou la belle endormi(e) et les images de la grâce, voir Lafond et Introd., p. 36.

120. Le débat qui s'engage ici, sur les mérites respectifs de la tragédie et de la comédie, reprend des idées très répandues parmi les théoriciens du XVIIᵉ siècle. Les sources principales sont Aristote, Horace et leurs commentateurs, ainsi que des critiques français et italiens de la Renaissance, comme Scaliger et Castelvetro. — Peut-être LF doit-il l'idée de cette discussion à *La Critique de l'École des femmes* de Molière (1663). La situation est semblable. Uranie et Dorante défendent la comédie, et particulièrement *L'École des femmes*, contre les autres personnages, qui la condamnent. Il est vrai que l'opposition théorique tragédie/comédie n'est qu'esquis-

sée, au profit de la discussion sur la pièce de Molière. LF reprendrait le même débat en l'élargissant.

121. La fameuse définition de la tragédie, dans la *Poétique* d'Aristote : une action qui « suscitant pitié et crainte, opère la purgation (*catharsis*) propre à pareilles émotions » (1449 b) avait entraîné au XVIIe siècle de nombreuses discussions sur la pitié et son rapport à la *catharsis* tragique.

122. Sur le « tempérament » et l'art de l'équilibrage de Poliphile, voir Introd., pp. 30-33.

123. « Rire est le propre de l'homme », dit Rabelais (« Aux Lecteurs », en tête de *Gargantua*). Cette idée, mille fois modulée, remonte à Aristote, *Les Parties des animaux*, 673 a.

124. Phormion : parasite dans la comédie de Térence qui porte son nom. — Priam : allusion aux nombreuses tragédies fondées sur les malheurs de Priam et de sa famille pendant et après la guerre de Troie (par exemple *Hécube, Les Troyennes, Andromaque* d'Euripide).

125. Personnages de *L'Astrée* (1607-1627) d'Honoré d'Urfé, roman pastoral qui fut un best-seller pendant le XVIIe siècle, façonna la sensibilité de la société cultivée et inspira de nombreuses œuvres littéraires. LF lui doit beaucoup, dans *Psyché* et ailleurs. Il écrit, à propos d'Honoré d'Urfé : « Étant petit garçon je lisais son roman, Et je le lis encore ayant la barbe grise » (*Ballade*, Pl. II, p. 585). Il en tira même le sujet d'une tragédie en trois actes (1691), *Astrée*. — Sylvandre est un personnage sérieux et sentimental, adepte de l'amour unique et absolu ; Hylas est au contraire le type de l'amant insouciant et inconstant.

126. Céladon, l'amant parfait, délicat et fidèle, est le protagoniste de *L'Astrée*, alors qu'Hylas est une figure secondaire.

127. Grec *kômè*, le bourg. On retient plutôt, pour l'étymologie de « comédie », *kômos*, fête avec chants et danse en l'honneur de Dionysos, et *aeidô*, chanter.

128. L'ambiguïté du mot est générale au XVIIe siècle, et jusque dans *Psyché*. La distinction observée ici n'empêche pas Poliphile de parler de « ce bel art que nous appellons Comédie » et de citer comme exemples Ménandre, un comique, et Sophocle, un tragique (p. 94).

129. Il se peut que LF se souvienne d'un passage du *Philèbe*, 48 a-50 e, qui analyse les plaisirs propres de la tragédie et de la comédie et les passions qu'elles mettent en

jeu. — On notera, dans la suite du dialogue, les nombreuses références à Platon. C'était l'une des lectures privilégiées de LF. Devenu vieux, raconte Louis Racine, « il ne parloit point, ou vouloit toujours parler de Platon, dont il avoit fait une étude particulière dans la traduction latine » (dans Jean Racine, *Œuvres*, éd. P. Mesnard, Paris, Hachette, 1885-1888, 8 vol. ; t. 1, p. 334).

130. Voir plus haut, note 123.

131. Le cheval Aethon, qui pleure de grosses larmes aux funérailles de son maître Pallas (*Énéide*, XI, 89-91).

132. Voir *Banquet*, 203 b-c. Le débat rejoint ici le thème central du manque et du désir dans l'ensemble de *Psyché*. Voir Introd., pp. 38-40. On notera que LF adopte ici une autre filiation : Cupidon fils de la Pauvreté, et non de Vénus. Sur cette contradiction, typique de la liberté du poète, voir Appendice III, pp. 262-266.

133. Térence, auteur latin de comédies, l'un des auteurs favoris de LF, dont il a adapté *L'Eunuque*.

134. Les Comédiens Italiens, qui partagent alors la salle du Palais-Royal avec la troupe de Molière.

135. Platon, *Ion*, 533 d-e, utilise la métaphore de la chaîne magnétique à propos de la transmission de l'inspiration. — L'*Andromaque* de Racine a été jouée pour la première fois le 17 novembre 1667, à l'époque même où LF rédigeait *Psyché*.

136. Le passage auquel se réfère Ariste appartient à un dialogue probablement apocryphe, *Minos*, 321 a. Le « mot dont se sert Platon » est l'adjectif *psychagogicos*, puissant sur les âmes. Le substantif *psychagogia* (conduite des âmes) se trouve dans *Phèdre* 261 a et 271 c. Mercure est le dieu « psychopompe », qui conduit les âmes aux enfers.

137. L'une des trois Érinyes, vengeresse du meurtre.

138. *Iliade*, XXIV, 507-512.

139. *Iliade*, XXIV, 524-526.

140. Si vous doutez qu'il en soit ainsi.

141. *Iliade*, I, 599.

142. *République*, 389 a.

143. Un spectacle théâtral complet se composait souvent, au XVIIe siècle, d'une tragédie suivie d'une comédie.

144. Voir p. 124, où l'auteur de tragédies est présenté par Ariste comme un « Poëte se rendant maistre de tout un peuple ».

145. Le terrible : la terreur. Se trouve ainsi complétée, après le développement sur la pitié, la définition de la tragédie par Aristote. Voir note 121.

146. Interprétation originale de la *catharsis* aristotélicienne (voir Aristote, *Poétique*, 1449 b). Voir note 121.

147. Si vous doutez qu'on fait... Voir note 140.

148. La traduction, par Boileau, du *Traité du Sublime* du Pseudo-Longin (IIIᵉ siècle après J.-C.) ne paraîtra qu'en 1674. LF aura donc lu ce texte en grec ou dans une traduction latine. Voir surtout, pour comparer à ce passage, le chapitre 1.

149. Collinet (p. 258) montre bien que « dans son ordre, qui est celui de la poésie, la grâce équivaut à ce que le sublime est dans le sien, qui est celui de l'éloquence ». L'un et l'autre relèvent de l'irrationnel, du je ne sais quoi. — Pour l'opposition beauté/grâce, voir plus bas l'épisode de Myrtis et Mégano, pp. 178-182. Voir aussi Introd., pp. 37-38.

150. Les amis sont ici face au parc, sur l'esplanade qui domine l'axe est-ouest (Allée royale ou Axe du Soleil), dans la direction duquel ils vont poursuivre leur visite.

151. La deuxième partie de la visite est centrée surtout, on va le voir, sur la symbolique de la naissance et du lever du soleil. Elle commence néanmoins sur une évocation du soir, comme pour enchaîner avec le décor nocturne de la Grotte de Thétis. — Sur le Roi-Soleil et les figures du soleil dans le parc, voir Introd., p. 8.

152. Les neuf Muses.

153. Trois jeunes filles gracieuses, divinités des saisons et, parfois, des heures du jour. Entre autres rôles, elles dételent les chevaux du char du Soleil.

154. Dans les jardins enchantés où Armide retient Renaud (Tasse, *Jérusalem délivrée*, XVI). Voir note 80.

155. Le premier bassin est celui de Latone. Il illustre un épisode lié à la naissance d'Apollon. Les deux jumeaux que Latone (en grec Léto) a mis au monde, Apollon et Diane, ont été engendrés par Jupiter. Pour cette raison, elle doit fuir la colère de Junon, jalouse des infidélités de son mari. Après avoir accouché clandestinement à Délos, Latone se réfugie en Lycie. Des paysans l'empêchent d'accéder à un étang où elle veut laver ses enfants. Le bassin représente la transformation de ces paysans en grenouilles (voir Ovide, *Métamorphoses*, VI, 313-381). — La statue de Latone était tournée

vers le château, comme pour en appeler au Roi, garant de la justice.

156. Le Bassin de Latone, réalisé par les frères Marsy, sera mis en place deux ans après la rédaction de *Psyché*. Une gravure de Le Pautre illustre la disposition décrite ici. Celle-ci sera transformée en 1680, au profit de la forme en pyramide qu'on voit aujourd'hui.

157. Des statues de dieux termes, « sans pieds », entouraient effectivement le bassin.

158. Ces deux petits bassins, de part et d'autre de celui de Latone, ont disparu aujourd'hui. Une gravure de Pérelle les montre dans l'état où les décrit LF, entourés de lézards et de tortues qui crachent de l'eau.

159. Les amis s'engagent maintenant dans l'allée dite du « Tapis vert », qui les conduit vers « deux mers », c'est-à-dire le Bassin d'Apollon et, au-delà, le Grand Canal.

160. LF rappelle ici le programme des architectes du parc : après le repos nocturne du dieu-soleil dans le palais sous-marin de Thétis, il sort maintenant des eaux, dans le Bassin d'Apollon.

161. L'arc-en-ciel, comparé au voile d'Iris, messagère des dieux.

162. Le groupe qu'on voit aujourd'hui dans le Bassin d'Apollon, sculpté par Tubi, est différent ; il ne sera achevé que quelques années après la rédaction de *Psyché*. L'ensemble décrit n'a pas été réalisé, semble-t-il.

163. Le Nôtre, dessinateur des jardins de Vaux, puis de Versailles. Les plans du parc montrent bien le départ en étoile des différentes allées qui, de ce point, rayonnent dans toutes les directions.

164. Sur Galatée, voir notes 50 et 91. — On remarquera que la description est ici beaucoup plus vague et conventionnelle. Le Grand Canal a été commencé en 1668 et il est dépourvu d'œuvres d'art, laissant ainsi peu de matière à LF.

165. Nous avons gardé l'orthographe de l'édition originale, qu'on trouve également dans Furetière, pour désigner le « bassin d'une fontaine de figure ronde ».

166. Le responsable des travaux de Versailles était alors Colbert. Mais Colbert est l'ennemi de Fouquet. Ainsi s'explique peut-être la discrétion de LF.

167. Pour une fête ou une autre, on construit dans le parc des édifices provisoires. Il s'agit probablement ici de la salle

de bal, prolongée par une galerie de verdure, que Le Vau avait créée à l'occasion de la fête donnée le 18 juillet 1668, pour célébrer la paix d'Aix-la-Chapelle. Le *George Dandin* de Molière a été représenté pour la première fois lors de cette fête.

168. Il existe plusieurs relations de cette fête. Citons le *Livret* distribué aux spectateurs, *Le Grand Divertissement royal de Versailles*, reproduit dans Molière, *Œuvres complètes*, éd. G. Couton, Paris, Gallimard, Pléiade, 2 vol., 1971 ; t. 2, pp. 451-461 ; et, rédigée par Félibien, la *Relation de la fête de Versailles du dix-huitième juillet mil six cent soixante-huit*, reproduite dans Molière, *Œuvres*, Paris, Hachette, 12 vol. ; t. 6, 1881, pp. 614-640.

LIVRE SECOND

169. Les Grecs pensaient que l'âme de ceux qui n'avaient pas été ensevelis errait malheureuse sur la terre ou à l'entrée des enfers.

170. Les Parques ou les Furies. LF se souvient peut-être de l'*Andromaque* de Racine : « Eh bien ! filles d'enfer, vos mains sont-elles prêtes ? » (V, 5 ; v. 1637).

171. Cupidon, dont la mère avait l'un de ses grands temples dans l'île de Chypre.

172. Cymodocé : nymphe de la mer ; Naïs : nymphe des fontaines et des fleuves.

173. L'épisode du vieillard (absent dans Apulée) a sans doute été inspiré par un passage, très ressemblant, de la *Jérusalem délivrée* du Tasse (VII, str. 1-22). Une autre source est possible, quoique le rapprochement soit moins précis : voir Honoré d'Urfé, *L'Astrée*, éd. H. Vaganay, Lyon, Masson, 1925-1928, 5 vol. ; t. IV, pp. 431-435.

174. La douceur même.

175. La situation, dans l'*Iliade* (III, 154-160), est un peu différente : les vieux Troyens souhaitent qu'Hélène s'en aille (tout en admirant sa beauté) et ne se préparent pas à la guerre.

176. Le toscan est l'un des cinq ordres de l'architecture classique, le plus simple, le moins orné.

177. On reconnaît, comme l'un des modèles qui entrent

dans la composition de cet épisode, le mythe de l'âge d'or et de l'innocence primitive.

178. L'expression fait du Vieillard un directeur de conscience ou un confesseur. Il se pourrait que le rejet de toute casuistique à propos du suicide (« un détour que vostre propre conscience doit condamner ») donne au personnage une inflexion janséniste. LF avait de la sympathie pour les Solitaires de Port-Royal. — Deux autres modèles se reconnaissent également dans la figure du Vieillard : le sage ermite, qui se consacre à la méditation dans le désert, et Socrate, par le conseil qui suit : « Vous pourrez vous y appliquer à la connoissance de vous-mesme. »

179. LF touche ici à un thème essentiel de la culture de l'époque, qui déborde largement les cercles jansénistes : l'attrait de la solitude (le « désert ») pour échapper aux mensonges de la vie dans le monde. La défense de la solitude fournit sa conclusion au recueil des *Fables* : voir « Le Juge arbitre, l'Hospitalier et le Solitaire » (XII, 24). Voir aussi « Le Songe d'un habitant du Mogol » (XI, 4).

180. Depuis la *Consolation de Philosophie* de Boèce, l'apparition de la Philosophie comme figure allégorique est un *topos* de la littérature morale.

181. De Sénèque à Pétrarque, de Montaigne à Rousseau, l'idéal de la retraite studieuse et introspective est un des grands lieux communs de la littérature morale.

182. Régner sur soi-même : idéal stoïcien ; jouir de soi : idéal épicurien. Cet équilibrage est typique de l'éclectisme de LF et fonde, effectivement, sa morale.

183. Le roman d'Honoré d'Urfé était si répandu que, par antonomase, il donne un nom commun : manuel de vie amoureuse. Voir note 125.

184. Autre son de cloche dans « La Coupe enchantée » : « Point de ces livres qu'une fille Ne lit qu'avec danger, et qui gâtent l'esprit » (*Contes*, Pl. I, p. 497). — L'éducation des femmes est alors une question d'actualité, notamment autour des précieuses et de leurs revendications. Le passage que voici pourrait faire écho à *L'École des femmes* de Molière (1662). Sur la question, voir par exemple Pierre-Daniel Huet, *Traité de l'origine des romans*, éd. F. Gégou, Paris, Nizet, 1971, pp. 139-145.

185. L'amour et même la langue de l'amour seraient donc des connaissances innées, de ces principes élémentaires

auxquels les penseurs du XVIIᵉ siècle se sont beaucoup intéressés.

186. L'ataraxie stoïcienne est dénoncée ici comme insensibilité, refus de la vie.

187. Antanaclase sur les deux sens d'*ennui* : les *tourments* d'amour ne *lassent* jamais. Psyché reprend ici à son compte la leçon de Cupidon : « Du moment que vous n'aurez plus rien à souhaiter vous vous ennuyerez » (p. 92).

188. Il n'en aurait pas été autrement.

189. Io est l'une des maîtresses de Jupiter, qui l'a transformée en génisse. Elle suscite la jalousie de Junon qui la soumet à la garde d'Argus, puis la fait poursuivre par un taon qui la rend furieuse (Ovide, *Métamorphoses*, I, 568-746). — L'expression « quelle mouche le pique ? » est dans l'usage au XVIIᵉ siècle ; LF crée un effet burlesque en l'appliquant à une figure mythologique.

190. Les mémoires relèvent de l'histoire. Poliphile recourt ici à une ruse souvent utilisée à l'époque pour donner à la fiction l'apparence du vrai.

191. LF signale ainsi que l'épisode du vieillard n'a pas été une digression et que, contrairement à une mode très répandue dans les romans des générations précédentes, il évite de s'écarter de l'action principale.

192. L'édition originale donne : « (Comme c'est la chose qui la touche) », que nous avons corrigé.

193. Pourquoi des oisons ? A défaut d'une réponse dans la mythologie, on peut supposer que LF joue sur le sens du mot : « petite oie » désigne aussi les accessoires qui aident à relever la toilette.

194. Vent du sud-est, ou vent en général.

195. Elle eut la chance d'avoir des charmes à engranger pour parer au passage du temps et à la douleur, et qu'il lui en reste encore pour elle.

196. Allusion au mythe d'Astrée, fille de Zeus et de Thémis, qui répandait les sentiments de justice et de vertu parmi les hommes au temps de l'âge d'or. Le monde ayant dégénéré, elle regagna le ciel (voir Ovide, *Métamorphoses*, I, 150, et Virgile, *Géorgiques*, II, 473-474).

197. Allusion à un proverbe selon lequel les plaisirs d'amour sont amplifiés par le vin et la bonne chère. Il est cité, entre autres, par Rabelais : « Que Vénus se morfond sans la compaignie de Cérès et Bacchus » (*Tiers Livre*,

chap. 31). L'idée est antique (voir Térence, *L'Eunuque*, 732, et Cicéron, *De Natura deorum*, II, 23, 60) et a été souvent reprise aux XVIe et XVIIe siècles, notamment dans la tradition emblématique. Même idée chez LF dans « Le Tableau » (*Nouveaux Contes*) : « Bacchus avec Cérès, de qui la compagnie Met Vénus en train bien souvent » (Pl. I, p. 614).

198. Si on veut bien faire.

199. Cette description correspond à l'une des planches que LF a pu voir dans *Le Songe de Poliphile* (trad. Jean Martin, Paris, J. Kerver, 1546, f. 85r).

200. Comme avec l'oracle du début (p. 73), LF atténue fortement l'obscurité de la prédiction, du moins pour le lecteur, et lui offre une annonce du dénouement.

201. Le substantif *personne*, au pluriel, est souvent repris, dans la langue classique, par un pronom masculin.

202. Les tourterelles, de même que les cygnes, sont consacrées à Vénus.

203. Sur l'épisode de Myrtis et Mégano, voir Introd., p. 38 et Lafond.

204. Grâce, charme, agrément (par métonymie).

205. Les différents noms, calqués sur le grec, sont chargés de sens : Philocharès = celui qui aime la grâce ; Myrtis = le myrte, plante consacrée à Vénus ; Mégano = la grande (« Celle-cy estoit fort grande », dit le texte ; la grandeur était pour les Grecs signe de beauté) ; Aphrodisée = tout ce qui a rapport à Aphrodite (Vénus) ; Anaphrodite = qui est contraire à l'amour, qui n'a pas de « Vénus », de grâce.

206. Dans *La Vie d'Ésope*, LF raconte que Rhodopé, une courtisane rencontrée en Égypte, « des libéralités de ses amants fit élever une des trois pyramides qui subsistent encore » (Pl. I, p. 27).

207. C'est là un principe essentiel de l'esthétique de LF. Ainsi : « Le secret de plaire ne consiste pas toujours en l'ajustement, ni même en la régularité ; il faut du piquant et de l'agréable, si l'on veut toucher. Combien voyons-nous de ces beautés régulières qui ne touchent point, et dont personne n'est amoureux ? » (*Contes*, Préface de la Deuxième Partie ; Pl. I, p. 385). Voir plus haut, p. 129 et notes 9 et 16.

208. Voir note 204.

209. A sa naissance ou en voyage, Vénus est traditionnellement représentée dans une coquille et sur la mer. Voir plus haut, p. 70.

210. Avec Raphaël, Corrège, Mignard, la grâce (« Vénus ») a été surtout l'affaire de la peinture. LF signale discrètement la nouveauté de sa tentative : appliquer l'esthétique de la grâce à la littérature.

211. Du grec *kallos* = beauté et *nikè* = victoire.

212. Je n'en aurais jamais fini de vous détailler...

213. Jacques Amyot (1513-1593) qui, par ses traductions de Plutarque et de Longus, influença fortement la prose littéraire française.

214. Praxitèle (IVe siècle avant J.-C.) a sculpté plusieurs Vénus, dont la plus fameuse, entièrement nue, est la *Vénus de Cnide*, connue aujourd'hui par maintes répliques. Phryné, nommée plus haut (p. 82), lui aurait servi de modèle.

215. On peut reconnaître dans cette audience de Vénus une satire des mœurs de la Cour.

216. D'avoir livré l'esclave que je suis...

217. J'aurais dû. Voir note 116.

218. Les Furies.

219. L'une des trois Parques, divinités du Destin ; ici, personnification de la mort.

220. Tu aurais dû. Voir note 116.

221. A une époque où on aime les jeux sur l'étymologie et l'onomastique, on a le droit de voir ici une antonomase. LF a alors quarante-huit ans ; en poète, il demande à une figure de style la signature qui le rajeunit.

222. L'eau miraculeuse garantit la jeunesse perpétuelle, donc l'immortalité. Le motif du bien précieux protégé par un dragon remonte au mythe grec (la Toison d'or, les pommes des Hespérides...) et apparaît dans maints contes et légendes.

223. Cérès parcourut le monde entier à la recherche de sa fille Proserpine, enlevée par Pluton, le roi des enfers.

224. Dans Apulée, Psyché est enceinte, donnant ainsi un motif supplémentaire à la haine de Vénus, qui craint de devenir grand-mère. LF renonce à faire de Psyché une femme enceinte, mais garde le trait d'esprit.

225. Peuple africain, au sud de la Numidie.

226. LF désigne ainsi les fourmis parce qu'elles sont noires ou parce qu'elles abondent en Afrique (« il y a dans Angola un si grand nombre de fourmis, et si grosses, qu'on a trouvé des squelettes de vaches qui en ont esté mangées en une nuict » *Fur.*).

227. LF s'est opposé vigoureusement à la théorie carté-sienne des animaux-machines (voir « Discours à Madame de La Sablière », dans *Fables*, IX). Mais le terme *machine* ne désigne sans doute ici que l'artifice, la machination (peut-être avec une allusion métaphorique aux machines de théâtre), sans référence à la thèse de Descartes.

228. Voir « La Cigale et la Fourmi » (*Fables*, I, 1), parue une année avant *Psyché*.

229. Junon se venge des maîtresses de Jupiter, son infidèle époux. Sur Io, voir note 189.

230. La descente aux enfers — mort symbolique et voyage initiatique — est un thème fréquent de la littérature clas-sique, notamment dans la tradition épique. On peut citer : Homère, *Odyssée*, XI ; Virgile, *Énéide*, VI ; Dante, *L'Enfer* ; Tasse, *Jérusalem délivrée*, IV, et, bien sûr, les différentes versions de la quête d'Orphée. Contrairement à ce que laisse entendre une phrase ambiguë de la Préface, à propos des « Épisodes de moy », il y a également une descente aux enfers dans Apulée. Dans les pages qui suivent, LF conta-mine des éléments empruntés à différentes sources.

231. Une fois de plus, LF (souvent à la suite d'Apulée) contamine un thème classique, comme la descente aux enfers, avec un motif folklorique, comme la tour qui parle. De nombreux thèmes, dans cette deuxième partie, relèvent de la tradition populaire et sont communs avec les contes de fées. Ainsi la belle-mère jalouse ou la patronne inhumaine, les épreuves pour expier une faute, les animaux ou les objets secourables et doués de parole... Voir Swahn.

232. Cerbère.

233. Des objets aussi beaux que Psyché. Dans un récit où le roi Louis XIV et ses richesses jouent un si grand rôle, cette présence d'un roi aux enfers peut surprendre. Voir Introd., pp. 10-11.

234. Les trois Parques, qui filent la trame de la vie des hommes.

235. Voir Virgile, *Géorgiques*, IV, 467-506, et Ovide, *Métamorphoses*, X, 1-85.

236. Géryon : géant à trois têtes et trois troncs ; Tityos : autre géant, dont deux serpents, aux enfers, dévorent le foie, qui renaît sans cesse.

237. Salmonée est le type de l'orgueil et de la démesure.

Il voulut, par défi, imiter Jupiter en fabriquant un tonnerre artificiel. Il mourut foudroyé, ainsi que son peuple.

238. Les Danaïdes.

239. Ixion était attaché à une roue enflammée tournant éternellement. Prométhée était enchaîné à un rocher et un vautour lui dévorait le foie.

240. Après avoir glissé, parmi les damnés traditionnels des enfers, les deux sœurs de Psyché, LF introduit une nouvelle catégorie de suppliciés : les ennemis de l'amour, distingués en plusieurs types, empruntés à la comédie ou à la littérature romanesque du XVII⁰ siècle. — L'idée de réserver aux enfers une place à ceux qui ont refusé l'amour provient peut-être du *Songe de Poliphile* (trad. Jean Martin, Paris, J. Kerver, 1546, f. 88-89) ou de l'Arioste, *Roland furieux*, XXXIV. C'est également le thème du *Ballo dell'Ingrate* de Monteverdi.

241. Ici comme souvent, LF attaque l'insensibilité des Précieuses, dont le refus de l'amour est contre-nature.

242. LF semble désigner ceux qui, mensongèrement, se vantent d'avoir reçu des hommages amoureux.

243. Les Champs Élysées sont le séjour, bienheureux, des âmes des morts qui furent vertueux pendant leur vie.

244. Les poètes.

245. Jupiter.

246. *More* ou *Maure* désigne les Arabes d'Afrique du Nord et, par extension, l'ensemble des peuples noirs. — La figure de la « belle More », issue du Cantique des Cantiques, est fréquente dans la poésie du XVII⁰ siècle. Voir les poèmes réunis par Albert-Marie Schmidt dans son anthologie, *L'Amour noir*, Monaco, Éd. du Rocher, 1959, pp. 85-97. — On admirera comment LF inverse la situation narcissique de la première partie. Dans Apulée, c'est le sommeil qui sort de la boîte.

247. Les Anciens donnaient généralement le nom d'Éthiopiens à tous les peuples noirs connus.

248. Voir note 119.

249. On trouverait cela dans *L'Astrée*, dans le roman pastoral ou galant.

250. Si ce n'est pour aimer.

251. Voir plus haut le poème, pp. 83-84 et note 90.

252. Sur la rhétorique du silence, voir note 71. L'élo-

quence des larmes annonce Rousseau et la comédie larmoyante du XVIIIᵉ siècle.

253. Référence à la scène inverse de celle-ci, pp. 88-89.

254. Voir Introd., pp. 16-17.

255. En l'espace d'une page, LF explicite le modèle platonicien de l'amour des âmes (serment de Cupidon), puis, au nom de la nature, le fait récuser par Psyché. Voir Introd., pp. 18-19.

256. Voir p. 184.

257. Brevet : lettre contenant un privilège accordé par le roi. LF crée ici le comique en appliquant au mythe une expression teintée de société de cour.

258. L'expression rappelle, sans doute à dessein, des titres d'œuvres burlesques, comme l'*Ovide en belle humeur* de Dassoucy (1650). Si le burlesque est une tentation qui traverse discrètement l'ensemble du récit, il colore plus nettement les dernières pages, avec des dieux qui ressemblent à ceux de Lucien ou d'Offenbach.

259. Cupidon serait plutôt le petit-fils de Jupiter, parfois donné comme le père de Vénus. Le père de Cupidon n'est en général pas identifié. Voir cependant note 132.

260. Allusion possible à Mlle de La Vallière qui, peu après avoir mis au monde Mlle de Blois, bâtarde de Louis XIV, reçut un brevet de duchesse.

261. Jupiter manifeste son pouvoir en brandissant la foudre.

262. Il existe dans le panthéon romain une déesse Volupté, incarnation du plaisir sensuel. Elle avait un temple à Rome. Voir Cicéron, *De Natura deorum*, II, 23, 61.

263. On peut reconnaître dans cet hymne à la Volupté un souvenir du *Philèbe* de Platon, mais aussi du fameux prologue du *De Natura rerum* de Lucrèce. Selon Collinet (p. 283), *Psyché* doit son charme le plus subtil à cette indécision entre « l'idéalisme platonicien et l'épicurisme de Lucrèce ». Voir aussi Introd., pp. 18-19.

264. Les nourrissons des Muses sont les poètes.

265. Nom mythologique et romanesque, type de la jeune fille désirable.

266. Il s'agit d'Épicure, à qui LF applique plaisamment l'épithète alors à la mode de « bel esprit » : qui se distingue du commun par la politesse de ses discours. — Il se peut que LF se soit familiarisé avec l'épicurisme par l'intermé-

diaire de Gassendi (voir F. Gohin, *La Fontaine, Études et recherches*, Paris, Garnier, 1937, chap. 4).

267. On se rappelle Poliphile, qui « aimoit toutes choses » (p. 60). Cette apologie de la variété — le mélange dans l'uniformité — est fondamentale chez LF. Sur l'éclectisme du poète, voir Introd., pp. 30-33 et note 22.

268. LF utilise ici une expression technique qui, dans la philosophie grecque, désigne le Bien par excellence, par rapport auquel tous les autres biens ne sont que des moyens. C'est aussi, selon Aristote, le but de toute activité dans le monde.

269. Dans la Préface des *Contes*, LF parle d'une « douce mélancolie, où les romans les plus chastes et les plus modestes sont très capables de nous plonger, et qui est une grande préparation pour l'amour » (Pl. I, p. 347).

270. Le texte se referme sur lui-même : dans la Grotte de Thétis qui, au début du récit, évoquait déjà le coucher du soleil, Apollon était entouré de Néréides. Voir p. 65.

271. Le soleil, figure du roi, s'est retiré. Le dernier mot de LF sera pour la lune, emblème de la féminité triomphante ou symbole, en tout cas, de qualités qui ne sont pas celles qu'affiche Louis XIV ! Voir Introd., p. 11.

Appendices

I

La Dédicace

Marie-Anne Mancini (1649-1714), la plus jeune des nièces de Mazarin, est la dernière à rejoindre la tribu de son oncle à la fin de l'année 1655. Très vite, elle attire l'attention de la Cour par sa grâce et la vivacité de son esprit, et, partant, celle du gazetier Loret qui consigne l'événement dans les vers de sa *Muse historique* (26 janvier 1656), vers qui promettent déjà à la jeune fille un avenir de « Reine des cœurs » :

> Marie-Anne de Mancini
> Fillette d'esprit infini,
> Cette nièce, jeune et jolie,
> Qui vint l'autre jour d'Italie
> Et qui des plus grands de la Cour
> Est le cœur, la joie et l'amour.

En 1662, elle épouse Godefroy-Maurice de la Tour d'Auvergne, duc de Bouillon (1641-1721).

Descendant de Bernard II, Seigneur de la Tour, qui s'était distingué aux côtés de Saint Louis et petit-fils d'Henri, maréchal de France sous Henri IV, Godefroy-Maurice est le neveu du grand Turenne (1611-1675), également maréchal de France et général des camps et armées depuis 1660. Sa carrière militaire, malgré les espérances flatteuses exprimées par La Fontaine, sera brève. Après avoir combattu les Turcs (1664) et participé, pendant la guerre de Dévolution, à la campagne de Franche-Comté (1668), il abandonnera le métier des armes peu après le début de la guerre de Hollande (1672-1678).

Le duché de Château-Thierry ainsi que d'autres terres appartenant à la Couronne sont remis par contrat au père du duc en 1651, en échange de la principauté de Sedan. En 1656, Louis XIV confirme cette donation, au profit du jeune Godefroy-Maurice. C'est ainsi que La Fontaine reçut un nouveau maître.

Cette transaction a une autre conséquence pour La Fontaine : le rachat des différentes charges d'officier du Roi qu'il occupe à Château-Thierry. « Les titulaires d'offices étant à la nomination du nouveau duc, ceux qui sont en place seront congédiés dès qu'on leur en aura payé le prix » (R. Duchêne, p. 96). Comme la valeur de ces charges était difficile à évaluer, et que, d'autre part, le duc, comme la majorité des membres de la noblesse, manquait de liquidités, La Fontaine allait attendre son congé une quinzaine d'années. Payé en acomptes, il signera la dernière quittance en janvier 1671.

On peut supposer que parmi les « marques de bienveillance » (p. 50) témoignées au poète, outre celle d'être toujours bien accueilli dans le salon des Bouillon, certaines sont liées à ses charges d'officier, qu'il continue d'exercer pendant toute cette période. Quant aux « grâces » dont le duc comble depuis « longtemps » La Fontaine (p. 49), il s'agit vraisemblablement d'une allusion hyperbolique à son intervention auprès de Colbert pour faire effacer l'amende à laquelle le poète a été condamné dans l'affaire d'usurpation de titre de noblesse (1662 ; voir à ce sujet la lettre adressée par La Fontaine au duc pour solliciter son aide, Pl. II, pp. 569-572).

La dédicace des *Fables*, parues l'année précédente, était adressée au Dauphin. Ces leçons de sagesse, savamment choisies et arrangées, à qui convenait-il mieux de les offrir qu'au premier enfant de France ? Ce dernier institué comme destinataire par excellence des *Fables*, celles-ci s'auréolaient en retour de la dignité de l'illustre personnage, selon les lois implicites de cette pratique en usage depuis la Renaissance (voir Wolfgang Leiner, *Der Widmungsbrief in der französischen Literatur (1580-1700)*, Heidelberg, Carl Winter, 1965). Parallèlement, l'éloge du Dauphin donnait occasion au fabuliste de motiver et de développer son projet esthétique sous le couvert d'un programme pédagogique. Ce n'est pas tout. L'éloge du fils appelait l'éloge du père. La Fontaine en profita pour faire jouer tous les ressorts de la topique encomiastique, espérant ainsi attirer sur lui les faveurs du Roi. Sans succès, comme on sait. L'ancien protégé de Fouquet ne trouvait pas grâce aux yeux de Louis XIV.

On retrouve dans la dédicace de *Psyché* la complexité de celle des *Fables*. En faisant entrer le duc de Bouillon en « société de loüanges » (p. 50) avec sa femme, La Fontaine combine à nouveau deux éloges. Les intentions sont similaires, peut-être même identiques pour certaines.

Le choix de la dédicataire accepte, en effet, plusieurs hypothèses qui d'ailleurs ne s'excluent pas nécessairement. 1) La Fontaine est à prendre à la lettre : livre et dédicace ne sont que de simples marques de reconnaissance pour des bienfaits passés. 2) Selon le code implicite de la pratique des dédicaces, La Fontaine sollicite une gratification de la part des Bouillon.

L'histoire ne dit pas s'il l'a obtenue. 3) Une année après la parution des *Fables*, La Fontaine n'a pas abandonné tout espoir d'obtenir une gratification royale et poursuit ses démarches par des voies moins directes. Le duc, grand chambellan de France depuis 1658, est bien placé pour intercéder en faveur du poète. L'évocation de Versailles dans *Psyché*, l'éloge — même ambigu — de son dieu, Apollon-Louis XIV, donnent appui à cette dernière explication. 4) L'éloge de la duchesse, enfin, donne la « clef esthétique » du livre, pour reprendre l'expression employée par Marc Fumaroli (LF, *Fables*, Paris, Imprimerie Nationale, 1985, note p. 328) à propos du statut de Mme de Montespan et de la fable-épître qui lui est dédiée, en tête du second recueil des *Fables* (1678). Nouvelle Vénus elle-même, Mme de Bouillon fait figure d'emblème de la poétique et de la thématique de la grâce qui sont mises à l'œuvre dans *Psyché*. Ces quelques lignes d'une lettre adressée par La Fontaine à la duchesse, en 1671, semblent le prouver *a posteriori* :

> Ce que je vais ajouter n'est pas moins vrai, et m'a été confirmé par des correspondants que j'ai toujours eus à Paphos, à Cythère, et à Amathonte. Je me doutais bien que cela serait, et m'en étais déjà aperçu la dernière fois que j'eus l'honneur de vous voir.
>
> La mère des Amours et la reine des Grâces,
> C'est Bouillon ; et Vénus lui cède ses emplois.
> Tout ce peuple à l'envi s'empresse sur vos traces,
> Plus nombreux qu'il n'était, et tout fier de vos lois.
>
> (Pl. II, p. 577.)

Références bibliographiques: DERAINE (Émile), « LF et les Bouillon », dans *Annales de la Société historique et archéologique de Château-Thierry*, 1911, pp. 37-50 ; DUCHÊNE (Roger), *LF*, Paris, Fayard, 1990 ; MONGRÉDIEN (Georges), *Recueil des textes et des documents du XVIIe siècle relatifs à LF*, Paris, CNRS, 1973 ; PETIT (Léon), *Marie-Anne Mancini, duchesse de Bouillon*, Paris, Éditions du Cerf-Volant, 1970.

II

Quatre amis

Jean Rousset, dans un de ses articles sur *Psyché*, propose d'éviter « l'inévitable *querelle des quatre amis* » dans la mesure où ce « faux problème (...) n'a d'autre effet que de nous détourner de l'œuvre, de son auteur et de son art » (J. Rousset, 1968, pp. 117-118). L'appel est salutaire, même s'il n'a pas toujours été entendu. Pendant plus d'un siècle et demi, en effet, la critique a été obnubilée par cette question. A la suite de C.A. Walkenaer, qui esquissait, en 1810, un rapprochement entre Poliphile, Acante, Ariste, Gélaste et La Fontaine, Boileau, Racine, Molière, tout le XIXᵉ siècle a été convaincu du bien-fondé de ces identifications, malgré quelques divergences sur les personnes : pour Nisard (1844), Ariste = Boileau, Acante = Racine ; pour Moland (1876), Gélaste = Chapelle, etc. A ces certitudes arbitraires ont succédé les certitudes critiques du positivisme scientifique. Ainsi, à partir d'une analyse approfondie du contexte historique et de l'onomastique dans les œuvres de La Fontaine, un Jean Demeure a pu fonder de nouveaux rapprochements (Acante = La Fontaine, Ariste = Pellisson, Gélaste = Maucroix, Poliphile = ? peut-être Tallemant des Réaux ou Brienne). Plusieurs critiques ont suivi cette même voie, proposant à leur tour d'autres solutions (pour une mise au point sur l'état de la question, voir B. Beugnot et R. Zuber, pp. 110-111). Le sérieux mis à part, le postulat de base restait le même que pour C.A. Walkenaer. Les noms des quatre amis sont des pseudonymes qui cachent une réalité historique.

A cette profusion d'explications, plus savantes les unes que les autres, mais qui n'apportent rien à notre compréhension de l'œuvre, on pourra préférer les lectures plus proches du texte. Jean Rousset, dans l'article cité, prend en considération l'étymologie des noms (voir ici les notes 24, 25 et 27) et la présentation que La Fontaine donne des personnages. Cela l'amène à interpréter les quatre amis comme des personnifications de différents genres littéraires, en réservant un sort particulier à Poliphile. Il reconnaît ainsi « en Gélaste la plaisanterie galante ou la Comédie, en Ariste la pitié sensible ou la Tragédie, en Acante, ami des jardins, des fleurs, des beaux ciels, l'Idylle ou la Pastorale ; et Polyphile, qui aime "toutes choses" et qui est l'auteur, aura pour tâche de tenter la synthèse et la fusion des genres, de combiner en une neuve harmonie ces dispositions composites » (J. Rousset, 1968, p. 118). Jean-Pierre Collinet pense également que La Fontaine n'a pas voulu peindre des personnages historiques. Les quatre amis, selon lui, sont à expliquer en fonction de leurs rôles dans le récit et trouvent leur raison d'être « dans les "passions" qui les animent ou qu'ils sont chargés de représenter » (J.-P. Collinet, p. 267).

Plus récemment (1988), Françoise Charpentier a ouvert une nouvelle voie. Elle suggère que le nom de Poliphile est la clef d'un rapport intertextuel entre *Psyché* et *Le Songe de Poliphile* de Francesco Colonna, qui permettrait à La Fontaine, par l'intermédiaire du récit enchâssé, de rouvrir, « dans l'espace esthétique du parc classique, l'espace du désir » (F. Charpentier, p. 377) défini par le *Songe* de l'auteur italien.

Cette approche montre que les lectures internes au récit ne peuvent pas tout expliquer. Le retour des noms d'une œuvre à une autre (Acante, Ariste et Gélaste constituaient déjà le personnel des fragments du *Songe de Vaux* ; Acante, encore, apparaît dans *Clymène* et dans des textes plus tardifs ; Aminte, évoquée dans le poème que ce dernier récite dans le parc de Versailles, est la destinataire de l'*Adonis* de 1669, paru dans le même volume que *Psyché* ; elle aussi figurait déjà dans *Le Songe de Vaux*), le jeu avec les noms de Parnasse, historiquement attesté, et dont on connaît certaines clefs (Oronte = Fouquet, Sapho = Mlle de Scudéry, Acante = Pellisson et La Fontaine !, etc.), ces faits posent de délicats problèmes. L'erreur ici consiste, comme on l'a dit, à vouloir réduire les œuvres à un simple référent historique, ainsi que l'a fait la critique positiviste, en isolant ces données, dont elles ne font pourtant que jouer. Mais ce serait, sans doute, également une erreur de ne pas en tenir compte.

Ces échos, entre les œuvres, d'une part, entre les œuvres et la réalité, de l'autre, donnent aux personnages une consistance, un corps imaginaire qu'il ne s'agit pas nécessairement d'identifier, mais où l'identification peut venir en aide à l'imagination pour se représenter tel ou tel d'entre eux. L'incertitude de la représentation a pour effet un certain type de plaisir esthétique qui n'est pas des moindres aux yeux de La Fontaine, si on en croit ce qu'il dit à propos de l'Aminte du *Songe de Vaux* :

> Le lecteur, si bon lui semble, peut croire que l'Aminte dont j'y parle représente une personne particulière ; si bon lui semble, que c'est la beauté des femmes en général ; s'il lui plaît même, que c'est celle de toutes sortes d'objets. Ces trois explications sont libres. Ceux qui cherchent en tout du mystère, et qui veulent que cette sorte de poème ait un sens allégorique, ne manqueront pas de recourir aux deux dernières. Quant à moi je ne trouverai pas mauvais qu'on s'imagine que cette Aminte est telle ou telle personne : cela rend la chose plus passionnée, et ne la rend pas moins héroïque. (Pl. II, p. 81.)

Références bibliographiques : BEUGNOT (Bernard), ZUBER (Roger), *Boileau. Visages anciens, visages nouveaux (1665-1970)*, Montréal, Presses de l'Université de Montréal, 1973 ; DEMEURE (Jean), « Les quatre amis de *Psyché* », dans *Mercure de France*, 15 janvier 1928, pp. 331-366.

La Fontaine et Apulée

Dans la Préface de *Psyché*, La Fontaine rappelle à plusieurs reprises ce que son livre doit à Apulée. Dans un premier temps, il feint une dépendance totale, ou presque. Son modèle lui a donné la « matière » et la « conduite » (p. 53), c'est-à-dire le sujet et l'enchaînement des épisodes. Il ne lui restait que la narration à proprement parler et l'élaboration d'un style qui réalise un juste équilibre entre les exigences formelles du fond, les aptitudes de l'auteur et l'attente du destinataire. Le *b a ba* de la technique oratoire, et, mise en pratique, toute la magie de l'art lafontainien. Lorsqu'il aborde le problème de l'invention, La Fontaine reconnaît à nouveau sa dette envers Apulée, mais en invalidant la portée de l'assertion précédente. Si « la conduite et la Fable » empruntées à l'auteur latin restent « le principal, le plus ingénieux, et le meilleur de beaucoup » (p. 54) de ce que l'on trouve dans son récit, La Fontaine avoue qu'il ne s'est pas privé d'y changer « quantité d'endroits, selon la liberté ordinaire qu'[il se] donne » (p. 54) et qu'il y a ajouté un certain nombre d'épisodes. Enfin, passant à la question de la réception, et avant d'inviter son lecteur à juger la valeur de chacun des deux textes de façon indépendante, il coupe court, par une pirouette, à toute comparaison approfondie : « Il seroit long, et mesme inutile, d'examiner les endroits où j'ay quitté mon Original, et pourquoy je l'ay quitté. Ce n'est pas à force de raisonnement qu'on fait entrer le plaisir dans l'âme de ceux qui lisent » (p. *55). Bref, il s'agit de deux œuvres différentes, dont seul le sujet est analogue. Pour les apprécier, on ne gagnerait rien à les confronter. La manœuvre est habile. La Fontaine commence par s'effacer devant son « Original », et finit par revendiquer sa propre originalité.

Cependant, il ne manque pas d'esquisser un parallèle entre son récit et celui d'Apulée. Non seulement il énumère les différents épisodes qu'il a ajoutés à son modèle, mais il insiste, comme on vient de le voir, sur le fait qu'il y a apporté un certain nombre de modifications. Ne pas préciser lesquelles, alléguer qu'il serait vain de développer ce qui motive tous ces changements et inutile d'expliquer leur signification, c'est là une stratégie raffinée, et qui participe de l'esthétique générale de ce roman, pour exciter la curiosité du lecteur et l'inviter à projeter sur les corps de ces deux textes la lumière de la lampe de Psyché.

Les changements apportés par La Fontaine à l'histoire telle qu'elle a été transmise par Apulée sont de différentes sortes. Plusieurs opérations de transformation président en effet à la métamorphose que le poète français fait subir à Psyché. Sans entrer dans le détail, on peut rapidement les passer en revue en s'arrêtant aux modifications les plus significatives.

Premier constat, le conte triple de volume. Conséquence d'un double travail d'adjonction et d'amplification. La Fontaine, comme nous l'avons signalé, établit lui-même une liste des ajouts dans la préface : « l'avanture de la Grotte, le Vieillard et les deux Bergères, le temple de Vénus et son origine, la description des enfers, et tout ce qui arrive à Psyché pendant le voyage qu'elle y fait, et à son retour jusqu'à la conclusion de l'Ouvrage » (p. 54). Cette liste demande quelques précisions. Elle est incomplète, notamment en ce qui concerne le premier livre : sans parler de Versailles, les descriptions des décorations du palais d'Amour, ou l'épisode du théâtre ne se trouvent pas chez Apulée. D'autre part, elle est incorrecte ou du moins trompeuse. L'épisode de Cupidon demandant à Jupiter d'intervenir en sa faveur, à la fin de l'histoire, est bien chez Apulée. Quant à l'amplification, elle est constante. A titre d'exemple, il suffit de comparer les premières lignes de chaque récit :

« Il était, dans certaine ville, un roi et une reine. Ce roi et cette reine avaient trois filles d'une beauté remarquable. » (Apulée, *Les Métamorphoses*, trad. P. Vallette, Paris, Les Belles Lettres, 1940, tome II, IV, 28, 1, pp. 32-33.)

« Lorsque les villes de la Grèce estoient encore soûmises à des Roys, il y en eut un qui régnant avec beaucoup de bon-heur se vid non seulement aymé de son peuple, mais aussi recherché de tous ses voisins. C'estoit à qui gagneroit son amitié ; c'estoit à qui vivroit avec luy dans une parfaite correspondance ; et cela parce qu'il avoit trois filles à marier. Toutes trois estoient plus considérables par leurs attraits que par les Estats de leur Père. » (La Fontaine, p. 68.)

Le résultat de ces deux opérations — adjonction et amplification — est d'autant plus important que La Fontaine supprime certains épisodes particulièrement remarquables, que la peinture avait contribué à fixer comme moments-charnières du récit, par exemple Vénus conduisant Cupidon dans la ville où se trouve Psyché, pour lui montrer l'objet de sa vengeance (IV, 30, 5), Psyché endormie dans le vallon du palais de Cupidon (V, 1, 1), Vénus allant demander assistance à Jupiter pour retrouver Psyché (IV, 6, 1-7, 2), etc.

En plus de cette première série de modifications, le conte est encore altéré par un jeu de substitutions et de déplacements. Ainsi les « voix » d'Apulée (V, 2, 3 et *passim*) deviennent des « Nymphes » (p. 77 et *passim*), le « vallon » où Zéphyr dépose Psyché (IV, 34, 4), le haut d'un rocher (p. 77), l'« épaisse vapeur léthargique » au « sommeil infernal » de la boîte de Proserpine (VI, 21, 1), une « vapeur fuligineuse, une fumée noire et pénétrante » (p. 207). Parallèlement à ces quelques substitutions, deux déplacements, relevés parmi d'autres, sont particulièrement frappants. Le premier concerne l'interdit. Chez Apulée, cet épisode apparaît relativement tard dans l'histoire et il s'y trouve fortement associé à l'intervention des deux sœurs. C'est à l'occasion de leur première visite — les époux se rencontrent depuis longtemps déjà toutes les nuits —, que le mystérieux mari interdit à Psyché de chercher à le voir, si ses sœurs l'y incitent (V, 6, 6). Cette association de l'interdit et des sœurs, qui personnifient l'envie, ouvre la voie à une lecture allégorique. Dans le texte de La Fontaine, par contre, l'interdit est formulé dès la première nuit de noces (p. 79). De ce fait, il joue un rôle central dans la relation amoureuse des deux époux, comme le montreront d'ailleurs les différents dialogues auxquels il donne lieu par la suite. Le deuxième exemple de déplacement regarde l'enfant auquel Psyché donnera naissance. Chez La Fontaine, les deux sœurs, pour effrayer Psyché et la convaincre de tuer son époux, évoquent l'éventualité qu'elle pourrait donner le jour à des monstres, mais il ne sera véritablement question d'enfant qu'à la fin du récit. Dans le texte latin, en revanche, le mari annonce à Psyché qu'elle est enceinte juste avant la deuxième visite des sœurs (V, 11, 6), et il fait dépendre la nature de l'enfant, mortelle ou divine, de la force de Psyché à garder son secret.

Dans la tradition occidentale, le conte de Psyché a donné lieu à deux types d'interprétation. La première, de nature allégorique, repose sur l'autorité de Fulgence et oriente la lecture dans un sens spirituel. La seconde, par contre, insiste sur les aspects érotiques de l'histoire. Cette dernière a son origine dans la peinture, chez des peintres comme Raphaël et surtout Jules Romain. Faut-il préciser que La Fontaine réécrit *Psyché* dans le sens de ce dernier type d'interprétation ? Les quelques exemples des changements apportés au modèle antique

que nous avons présentés montrent assez comment il transforme systématiquement tous les éléments du texte d'Apulée susceptibles de fonder une lecture allégorique et d'assimiler le conte de Psyché à l'histoire des vicissitudes de l'âme en quête de l'amour divin.

St. S.

Répertoire bibliographique
(IIᵉ siècle-fin du XVIIᵉ siècle)

Ce répertoire ne prétend pas être exhaustif.

TEXTES NARRATIFS EN PROSE ET EN VERS

APULÉE, *Asinus aureus*, vers 160, ch. IV, 28 - VI, 24.

Au Moyen Age, l'histoire de Psyché était surtout connue grâce au résumé qui précède l'exégèse de Fulgence (voir *infra*). Le texte d'Apulée a été transmis par un codex du XIᵉ siècle. Ce dernier constitue l'archétype de tous les autres manuscrits et se trouve aujourd'hui à Florence, à la bibliothèque Laurenziana (68,2). A partir du milieu du XVᵉ siècle, une cinquantaine d'éditions du texte latin ont paru jusqu'à la fin du XVIIᵉ siècle. Parmi les plus importantes, on peut retenir l'édition *princeps* et celle publiée par Philippe Beroaldo :

— *Metamorphoseos liber : ac nonnula alia opuscula ejusdem : necnon epitoma Alcinoi in disciplinarum Platonis librum*, Rome, Conrad Sweynheym et Arnold Pannartz, 1469, in-folio.
— *Commentarii a Phil. Beroaldo conditi in Asinum*

aureum L. Apuleii, Bologne, Bened. Hectoris, 1500, in-folio. Nombreuses rééditions.

Traductions des *Métamorphoses* d'Apulée

ITALIE

M.M. BOIARDO, *Apulegio volgare, tradotto per el conte Mattheo Maria Boiardo*, Venise, Nicolao Daristotele et Vincenzo de Polo, 1518, in-8°, fig. Nombreuses rééditions.

A. FIRENZUOLA, *Dell'asino d'oro. Traduzione di Agnelo Firenzuola*, Venise, Gab. Giolito, 1550, in-12, fig. Nombreuses rééditions.

P. VIZANI, *L'Asino d'Oro... Tradotto nuovamente in lingua volgare dal Pompeo Vizani nobile Bolognese. E da lui con chiari argomenti ornato e da motti dishonesti purgato*, Venise, A. Turini, 1612, in-8°, fig. Nombreuses rééditions.

FRANCE

G. MICHEL, *Lucius Apulei' de L'asne doré autrement dit de la couronne de Cérès, contenant maintes belles histoires, delectantes fables, et subtilles inventions de divers propos, speciallement de philosophie. Translaté de latin en langaige François...* (Au recto du dernier f. :) *Cy finit l'exposition spirituelle de Lucius Apuleius de L'asne doré. Translaté de latin en Françoys par Guillaume Michel dict de Tours. L'an mil cinq cens et dix sept*, Paris, veuve Jean Janot, 1522, in-4°, fig.

G. DE LA BOUTHIERE, *Métamorphose, autrement, l'asne d'or de L. Apulée de Madaure Philosophe Platonique. Traduite de Latin en nostre Vulgaire par George de La Bouthiere*, Lyon, Jean de Tournes et Guillaume Gazeau, 1553, in-16, fig. attribuées à Bernard Salomon.

J. Louveau, *Luc Apulée de l'asne doré, contenant onze livres. Traduit en François par Jean Louveau d'Orléans, et mis par chapitres et sommaires, avec une table en fin. Plus y a sus les 4.5.6. livres traitans de l'amour de Cupido et de Psiches, XXXII huictains, mis en leur lieu traduitz sus d'autres qui ont esté trouvez taillez en cuivre en langue italicque*, Lyon, Jean Temporal, 1553, in-16, fig. Plusieurs rééditions.

J. de Montlyard, *Les Métamorphoses, ou l'Asne d'or de L. Apulée, philosophe platonique, illustré de commentaires apposez au bout de chaque livre, par J. de Montlyard*, Paris, Abel Langelier, 1602, in-12.

Idem, Les Métamorphoses, ou l'Asne d'or de L. Apulée, philosophe platonique, Paris, Thiboust, 1623, in-8°, fig. de Crispin de Pas.

Idem. Même titre. *Nouvell. revues, corrigées et mises en meilleur ordre qu'aux précédentes impressions*, Paris, Nic. et J. de la Coste, 1648, in-8°, fig. du même.

Attr. a I. Brugiere de Barante, *Les Amours de Psiché et de Cupidon, avec des remarques*, Paris, Guill. de Luynes, 1692, in-12.

ESPAGNE

D. Lopez, *Libro de lucio apuleyo del Asno de oro. En el ãl trata muchas historias y fabulas alegres : y d' como una moça su amiga : por la tornar aue : como se auia tornar do su señora ã era gran hechızera : erro la buxeta : y torno lo de hombre en asno. Eandãdo hecho asno vido (y) oyo las maldades (y) trayciones ã las malas mugeres hazẽ a sus maridos. Eassi anduuo hasta ã aeabo de un año comio de unas rosas y tornosse hombre : segun ã el largamẽte lo recuẽta eneste libro*, s.l., n.d. (Séville, 1513 ?), in-folio.

J. SIEDER, *Ain schön lieblich auch kurtzweylig gedichte Lucii Apuleii von ainem gulden Esel... Mit schönen figuren zugerichtet, grundtlich verdeutscht durch Herren Johan Sieder, etc.*, Augsbourg, Alexander Weissenhorn, 1538, in-folio, fig. du monogrammiste N.H. et de Hans Schäuffelein.

W. ADDLINGTON, *The XI Bookes of the Golden Asse, conteininge the Metamorphosie of Lucius Apuleius, enterlaced with sondrie pleasaunt and delectable Tales, with an excellent Narration of the Mariage of Cupido and Psiches... Translated out of Latine into Englishe by William Addlington*, Londres, Henry Wykes, 1566, in-4°.

Imitations

CORREGIO (Niccolò da), *Fabula Psiches et Cupidinis Poema* (1491 ?), « romanzo » de 179 huitains paru pour la première fois dans *Opere del Illustre et Excellentissimo Signor Nicolo da Corregia intitulate la Psiche e l'Aurora*, Venise, M. Bono de Monteferrato, 1507, in-8°. La page de titre comporte une gravure représentant Psyché découvrant Cupidon.

MINTURNO (Antonio Sebastiano), « L'Amore innamorato » dans *Rime e prose*, Venise, Rampazetto, 1559, in-8°.

CANTELMO (Giuseppe, duca di Popoli), *La Psiche*, Aquila, G. Cacchio, 1566, in-4°.

GRANUCCI DI LUCCA (Niccolò), *L'Eremita, la Carcere, il Diporto, con novelle ed altre cose*, Lucques, Vicenzo Busdraghi, 1569, in-8°.

UDINE (Ercole), *La Psiche*, Venise, G.B. Ciotti, 1599, in-8°. Ce poème héroïque en huit chants est accompagné d'une allégorie de A. Grillo, qui en explique le sens chrétien.

BRACCIOLINI DELL' API (Francesco), fragment épique de la fin du XVIe siècle, inédit jusqu'au XIXe siècle. Publié pour la première fois par Mario Menghini dans *Scelta di Curiosità Litterarie inedite o rare dal secolo XIII al XVII. Dispensa CCXXXIV*, Bologne, 1889.

MARINO (Giambattista), *La Novelletta*, dans *Adone*, Paris, Oliv. di Varano, 1623, in-folio. Ce chant IV (293 huitains) de l'œuvre de Marino est précédé d'une *Allegoria* par Don Lorenzo Scoto, qui reprend l'interprétation de Fulgence.

LIPPI (Lorenzo), *Il Malmantile Racquistato, poema di Perlone Zipoli*, Finaro, Gio.-Tommaso Rossi, 1676, in-12. Chants IV, 29 *sqq.*, XII, 50 *sqq.*

FRANCE

ANONYME, *L'Adolescence amoureuse de Cupido avec Psyché, oultre le vouloir de la déesse Vénus, sa mère, décrit en prose*, Lyon, Fr. Juste, 1536. Cet ouvrage, qui pourrait n'être qu'une traduction, est introuvable.

LA ROQUE (Siméon-Guillaume de), « Fable de Psiché » dans *Les Amours de Caristée*, Rouen, Raphaël du Petit-Val, 1595, in-12.

JOULET (P.), *Les Amours spirituels de Psiché*, Paris, Abel Langelier, 1600, in-12.

LA SERRE (J. PUGET de), *Les Amours de Cupidon et de Psiché* dans *Les Amours des Dieux, de Cupidon et de Psiché...*, Paris, E. d'Aubin, 1624, in-8°.

LA FONTAINE (Jean de), *Les Amours de Psiché et de Cupidon*, Paris, Claude Barbin, 1669, in-8°.

MAL LARA (Juan de), poème épique en douze chants du milieu du XVIe siècle, inédit. Un manuscrit se trouve à la Bibliothèque nationale de Madrid.

ANGLETERRE

MARMION (Shakerley), *A Morall Poem, intituled The Legend of Cupid and Psyche, etc.*, Londres, N. & I. Okes, 1637, in-4°. Plusieurs rééditions sous des titres différents.

BEAUMONT (Joseph), *Psyche : or, Love's Mystery : in XX canto's : displaying the intercourse betwixt Christ and the Soule*, Londres, John Dawson for George Boddington, 1648, in-folio.

BALLET, THÉATRE, OPÉRA

ITALIE

CARRETTO (Galeotto dal), *Nozze de Psyche et Cupidine celebrate per lo magnifico marchese Galeotto dal Carreto : Poeta in lingua tosca non vulgare*, Milan, Agostino de Vicomercato, 1520, in-8°.

PIDINZUOLO, *Psiche e Cupido* dans *Comedia di Pidinzuolo*, Sienne, M. di B.F. (Michelangelo di Bartolommeo Fiorentino) ad instantia di m. Giovanni di Alixandro Libraro, 1523, in-8°.

STRIGGIO (Alessandro), six intermèdes musicaux représentés à l'occasion des noces de François de Médicis et de Jeanne d'Autriche à Florence en 1565. On trouve un compte rendu de ce spectacle dans Giorgio Vasari, *Les Vies des peintres, sculpteurs et architectes*, Paris, J. Tessier, 1842, tome X, pp. 89-101 (traduction L. Leclanché).

MERCADANTI (Cristoforo), *Psiche, tragicomedia*, Viterbo, 1618, in-12.

FUSCONI (J.B.), *Amore innamorato, favola da rappresentarsi in musica, nel teatro di S. Moise, l'anno 1642...*, Venise, Battista Surian, 1642, in-12. Musique de Francesco Cavalli.

GABRIELLI (D.), *Psiche. Tragicomedia rappresentata in musica*, Mantoue, 1649. Musique de Leardini.

POGGIO (Francesco di), *La Psiche. Dramma musicale*, Lucques, 1654, in-8°. Musique de Tomaso Breni.

MANZINI (L.), *Psiche Desingannata* (1656), drame moral représenté en 1660 ?

SAVARO (Giovanni Francesco), *La Psiche deificata... posta in musica e dedicata da Mauritio Cazzati... cantata nella sala della musica di S. Petronio adi primo di Marzo 1668*, Bologne, per l'herede del Benacci, s.d. (1668 ?), in-8°.

TOTIS (Giuseppe Domenico de), *Psiche o Amore innamorato*, opéra représenté en 1683, à Naples. Musique de Scarlatti.

NORIS (Matteo), *Amore innamorato. Drama per musica. Nel famoso teatro Grimani di S. Gio. Crisostomo*, Venise, Francesco Nicolini, 1686, in-12.

FRANCE

GÉLIOT (Louvan), *Psyché, fable morale en cinq actes, en vers, avec chœurs et un prologue*, Agen, Domaret, 1599, in-16.

GRAMMONT (Scipion de), *Discours du Ballet de la Reyne tiré de la Fable de Psyché*, Paris, Jean Sara, 1619, in-8°. Compte rendu de ce ballet, dont le livret est attribué à François d'Arbaud de Porchères et la musique à Belleville, de la Barre et Guéret.

BENSERADE (Isaac de), *Ballet de Psiché ou de la puissance de l'Amour*, Paris, Robert Ballard, 1656, in-4°.

MOLIÈRE, CORNEILLE, QUINAULT, *Psiché*, tragédie-ballet, Paris, P. Le Monnier, 1671, in-12. Musique de J.B. Lulli. Le programme de *Psyché* a paru d'abord chez Rob. Ballard, à Paris, en 1671, in-4°.

DAVANT (François), *Psyché illuminé* (1673), inédit. Le manuscrit se trouve à la Bibliothèque nationale de Paris.

CORNEILLE (Thomas), FONTENELLE (Bernard de), *Psiché*, tragédie lyrique, Paris, 1678, in-4°. Musique de J.B. Lulli.

ESPAGNE

LOPE DE VEGA (Felix de), *Psiquis y Cupido*, comédie, avant 1604, non publiée.

VALDIVIELSO (José de), *Psiquis y Cupido, Christo y el Alma* (1612) dans *Doze Actos sacramentales y dos comedias divinas*, Tolède, 1622, in-4°.

CALDERON DE LA BARCA, (D. Pedro), *Ni Amŏr se libra de Amor*, comédie (vers 1640) parue dans *Comedias que publica Don Juan Vera Tassis y Villarroel, su mayor*, Madrid, Fr. Sanz, 1685-1691, 9 vol. in-4°.

IDEM, Psiquis y Cupido, auto sacramentale de Madrid (après 1653).

IDEM, Psiquis y Cupido, auto sacramentale de Tolède (après 1653). Ces deux *autos* ont paru dans *Autos sacramentales allegoricos y historiales que saca a luz Don Pedro de Pando y Mier*, Madrid, 1717, 6 vol. in-4°.

SOLIS Y RIBADENEYRA (Antonio de), *Triunfos de Amor y Fortuna. Con Loa, y Entremeses. Fiesta real*, s.l. n.d. (Madrid, 1658 ?) in-4°.

ANGLETERRE

CHETTLE (H.), DAY (J.), DEKKER (Th.), *The Golden Ass and Cupid and Psiches*, vers 1600 (perdu).

HEYWOOD (Thomas), *Loves Maistresse : or, The Queens Masque. A Tragicomedy, in five acts and in verse* (1633), Londres, R. Raworth for J. Crowch, 1636, in-4°.

SHADWELL (Thomas), *Psyche. A tragedy, etc. (in five acts and in verse, partly borrowed from the French of Molière)*, Londres, 1675, in-4°. Musique de Locke. Considéré comme le premier opéra anglais.

AUTRES FORMES POÉTIQUES

FRACASTORI (Jérôme), *De anima* (vers 1530), dans *Opera omnia*, Venise, Junta, 1555, in-4°.

ANONYME, 32 huitains en italien, qui accompagnent une série de 32 gravures exécutées par les élèves de Marc Antonio Raimondi, le Maître au Dé et Agostino Veneziano. Il existe plusieurs tirages de cette série difficiles à localiser, l'un d'entre eux est sorti des ateliers d'Antonio Salamanca. Voir répertoire iconographique.

Trente huitains pour la tappisserye faicte de la fable de Cupido et Psyche, inédit ; un manuscrit se trouve à Chantilly, un autre à la B.N. Les dix premiers huitains sont de Claude Chappuys, les dix suivants sont d'Antoine Héroët et les dix derniers de Mellin de Saint-Gelais. Il s'agit d'une traduction des huitains qui accompagnent la série des 32 gravures sortie de l'école de Marc Antonio Raimondi. Cette série a dû servir de modèle pour les tapisseries, aujourd'hui perdues. Les figures de ces tapisseries et les huitains ont été reproduits sur les verrières exécutées entre 1542 et 1544 pour le château d'Écouen et qui ornent aujourd'hui le château de Chantilly. Ces huitains ont été publiés par Ferdinand Gohin, dans les *Œuvres poétiques* d'Antoine Héroët, Paris, Éd. Cornély, S.T.F.M., 1909.

L'Amour de Cupido et de Psiché mere de Volupté, prinse des cinq et sixiesme livres de la Metamorphose de Lucius Apuleius Philosophe. Nouvellement historiée, et exposée tant en vers Italiens que Françoys, Paris, Jeanne de Marnef, veuve de Denis Janot,

1546, in-8°. Cette édition est due à Jean Maugin. Il reprend les huitains cités plus haut, mais avec des modifications. Il transforme le premier huitain, remplace le dixième et traduit les deux qui manquaient à partir du modèle italien (respectivement les numéros 21, Psyché battue sur ordre de Vénus, et 22, l'épreuve des grains). Ce sont les trente-deux poèmes que l'on trouve dans la traduction de Jean Louveau. Les gravures sur bois, qui sont des copies du modèle italien, sont l'œuvre du monogrammiste à l'F gothique. (Plusieurs rééditions, dont la plus importante est celle parue à Paris, chez Léonard Gaultier, s.l., 1586, in-4°. Les vignettes sont regravées au burin et portent le monogramme de L. Gaultier.)

HEREDIA (Hieronymo de), « Amor enamorado » dans *Guirnalda de Venus casta, y amor enamorando. Prosas y versos*, Barcelone, Iayme Cendrat, 1603, in-8°.

CHIABRIERA (Gabriello), *Alcina prigioniera* dans *Rime del Signor Gabriello Chiabriera, raccolte per Giuseppe Pavoni*, Padoue, Francesco Bolzeta, 1604, in-12.

BRUNI (Ant.), « Amore a Psiche » dans *Epistole Heroiche del Bruni*, Rome, Guglielmo Facciotti, 1627, in-12, II, 4.

EXÉGÈSES, COMPILATIONS, DICTIONNAIRES MYTHOLOGIQUES

CAPELLA (Martianus), *De Nuptiis Philologiae et Mercurii* (Vᵉ siècle), Vicence, H. de Sancta Urso, 1499, in-folio, I, 7.

FULGENCE (F. Planciade), *Enarrationes allegoricae fabularum* (Vᵉ-VIᵉ siècles), Milan, V. Scinzenzeler, 1498, in-folio, III, 6.

BOCCACIO (Giovanni), *Genealogia Deorum Gentilium* (1371), Venise, 1472, in-folio, V, 22.

IDEM, *Généalogie des Dieux*, Paris, Anthoine Verard, 1498, in-folio.

GIRALDI (Lilio-Gregorio), *De Deis Gentium*, Bâle, J. Oporinum, 1548, in-folio.

CONTI (Natale), *Natalis Comitis Mythologiae sive explicationis fabularum libri decem* (1re éd. 1551), Venise (Comin da Trino), 1568, in-4°.

IDEM, *Mythologie ou explication des Fables, œuvre d'éminente Doctrine, et d'agréable lecture. Cy devant traduit par J. de Montlyard. Exactement reveüe en cette dernière édition, et augmentée d'un traité des Muses ; de plusieurs remarques fort curieuses ; de diverses moralitez touchant les principaux Dieux ; et d'un Abbrégé de leurs images, par J. Baudoin*, Paris, Pierre Chevalier, 1627, in-folio. Une édition antérieure de cette traduction, sans le commentaire de Jean Baudoin, a paru en 1597.

CHIFFLET (J.), *Psyche Gemmea* (1666), inédit. Le manuscrit se trouve à Besançon, fonds Chifflet.

SPON (Jacob), *Recherches curieuses d'antiquités*, Lyon, Th. Amaulry, 1683, in-4°.

MORÉRI (Louis), abbé de Saint-Ussan, *Supplément, ou troisième volume du Grand Dictionnaire historique de Louis Moréri*, Paris, D. Thierry, 1689, in-folio.

PERRAULT (Charles), Préface de *La Marquise de Salusses ou la patience de Griselidis, nouvelle* (anonyme), Paris, J.B. Coignard, 1691, in-12.

A la suite de l'édition de Philippe Beroaldo, un certain nombre de textes ont été accompagnés d'explications allégoriques. Pour le détail, voir *supra*.

CHOIX DE QUELQUES RÉCITS APPARTENANT AU MEME CYCLE QUE PSYCHÉ

Partenopeus de Blois, XIIᵉ siècle, publié par G.A. Crapelet, Paris, 1834.

La Naissance du Chevalier au cygne, Le Chevalier au cygne, La fin d'Elias, deuxième moitié du XIIIᵉ siècle. Trois branches du cycle de Godefroy de Bouillon, qui relatent la vie de son mythique grand-père. Publiées par E.J. Mickel et J.A. Nelson, dans *The Old French Crusade Cycle*, tomes I et II, Alabama, University of Alabama Press, 1977 et 1985.

MARIE DE FRANCE, « Bisclavret », publié par J. Rychner dans *Les Lais de Marie de France*, Paris, Champion, 1980.

BASILE (Giov.-Battista), « Il Cadenaccio » dans *Lo Cunto de li cunti, overo lo trattenimiento de Peccerile*, Naples, Ottav. Beltramo, 1637, in-12, II, 19.

AULNOY (Mme d'), « Le Serpentin vert » dans *Contes nouveaux, ou les Fées à la mode, par Madame D****, Paris, Veuve de T. Girard, 1698, 2 vol. in-12.

Les versions littéraires du conte de *La Belle et la Bête* (Mme de Villeneuve, Mme Leprince de Beaumont) datent du XVIIIᵉ siècle.

Répertoire iconographique
(1450-1700)

Ce répertoire ne prétend pas être exhaustif. Nous ne donnons de description détaillée que pour les œuvres que nous avons jugées majeures. Pour davantage de renseignements bibliographiques concernant la plupart des œuvres citées ici, voir A. Pigler, *Barockthemen. Eine Auswahl von Verzeichnissen zur Ikonographie des 17. und 18. Jahrhunderts*, Budapest, 1974, tome II, pp. 16-19.

1. SUITES

Livres illustrés

— Voir le Répertoire bibliographique (p. 267).

Décorations de coffres (Cassoni)

— École florentine, suite (incomplète ? il manquerait les pièces latérales) constituée de deux panneaux, vers 1444, Berlin, Bode Museum. (Panneau I, de gauche à droite : au premier plan, 1. conception de Psyché par Apollon et Entéléchie, 2. hommages rendus à Psyché, ses sœurs derrière elle ; à l'arrière-plan, 3. Vénus ordonne à Cupidon de la venger, 4. le père putatif de Psyché consulte l'oracle d'Apollon ; au centre, 5. Psyché quitte ses parents, 6. Psyché sur le roc escarpé qui surplombe la vallée du palais de Cupidon ; à l'arrière-plan, 7. portée par le souffle de Zéphyr, Psyché descend dans la vallée, 8. Psyché endormie aux abords d'un bois ; au premier plan, 9. Psyché entre dans le palais de Cupidon, 10. le retour des sœurs après la première visite, 11. la deuxième visite des sœurs, 12. Psyché découvre Cupidon endormi, 13. envol de Cupidon avec Psyché accrochée à ses jambes. Panneau II, de gauche à droite : au premier plan, 1. Psyché évanouie, 2. Cupidon, perché sur un cyprès, s'adresse à Psyché ; à l'arrière-plan, 3. Psyché rencontre sa première sœur, 4. Psyché rencontre sa deuxième sœur, 5. Psyché implore Cérès ; au premier plan, 6. Psyché implore Junon ; à l'arrière-plan, 7. Vénus, au ciel, demande l'assistance de Jupiter, 8. Mercure trompette l'avis de recherche de Psyché ; au premier plan, 9. Psyché se rend à Consuetudo (Habitude), la servante de Vénus, 10. Psyché repentante, entourée par Sollicitudo (Inquiétude), Tristities (Tristesse) et Consuetudo, devant Vénus ; à l'arrière-plan, 11. Psyché remet à Vénus la boîte de fard de Proserpine, 12. Cupidon supplie Jupiter ; au premier plan, 13. mariage de Cupidon et Psyché, devant les dieux assemblés.) Voir Vertova, Luisa, « Cupid and Psyche in Renaissance Painting before Raphael », dans *Journal of the Warburg and Courtauld Institutes*, 42 (1979), pp. 104-121, pl. 30-36.

— J. del Sellaio (1441/1442-1493), suite (incomplète ?) constituée de deux panneaux, fin du XVe siècle, panneau I à Cambridge, Fitzwilliam Museum, panneau II à Amsterdam, coll. Proehl. (Panneau I, de gauche à droite : au premier plan, 1. conception de Psyché par Apollon et Entéléchie, 2. Psyché nourrisson soignée par ses deux sœurs, 3. hommages rendus à Psyché devant le palais paternel ; Cupidon, au-dessus, dans les airs, dans la même attitude que les admirateurs de Psyché ; à l'arrière-plan, 4. les parents de Psyché lui annoncent les paroles de l'oracle

(?) ; au centre, au premier plan, 5. Psyché prend congé de sa famille ; à l'arrière-plan, 6. Psyché sur le roc escarpé qui surplombe la vallée du palais de Cupidon, 7. portée par le souffle de Zéphyr, Psyché descend dans la vallée, 8. Psyché endormie devant le palais de Cupidon, 9. Psyché entre dans le palais, 10. derrière le palais, Cupidon en conversation avec Psyché ; au premier plan, 11. le retour des sœurs après la première visite, 12. la deuxième visite des sœurs, 13. Psyché découvre Cupidon endormi, 14. envol de Cupidon, avec Psyché accrochée à ses jambes. Panneau II, de gauche à droite : au premier plan, 1. Cupidon, perché sur un cyprès, s'adresse à Psyché, 2. Psyché se précipite dans le fleuve ; à l'arrière-plan, 3. Pan donne des conseils à Psyché, 4. Psyché implore Cérès ; au premier plan, 5. Psyché se rend à Consuetudo, 6. Psyché, battue par les trois servantes (Consuetudo, Tristities, Sollicitudo), en position de repentante devant Vénus ; au ciel, 7. Cupidon supplie Jupiter ; au premier plan, 8. mariage de Psyché et Cupidon, devant les dieux assemblés.) Voir Vertova, Luisa, *op. cit.*

— *Idem*, suite (incomplète ?), un panneau, fin du XVe siècle, Boston, Museum of Fine Arts. Ce panneau reprend avec des variations le premier panneau de la suite précédente. Voir Vertova, Luisa, *op. cit.*

— Schiavone (A. Meldolla) (1522 ?-1563), suite incomplète, deux panneaux à Kassel, Gemäldegalerie ; quatre autres panneaux, qui pourraient appartenir à la même suite, se trouvent à Venise, Galleria dell'Accademia, mais il n'est pas sûr que les épisodes représentés fassent partie de l'histoire de Psyché.

Fresques

— Raphaël (1483-1520), Rome, Farnésine, suite inachevée, les 12 sujets existants ont été exécutés par les élèves de Raphaël, J. Romain, G.F. Penni et G. da Udine, vers 1518-1520. (10 pendentifs : 1. Vénus demande à Cupidon de la venger de Psyché, 2. Cupidon et les Trois

Grâces, 3. Vénus avec Junon et Cérès, 4. Vénus sur son char gagne l'Olympe, 5. Vénus se plaint à Jupiter, 6. Mercure annonce l'avis de recherche de Psyché, 7. Psyché revient des enfers avec le vase de Proserpine, 8. Psyché présente le vase à Vénus, 9. Cupidon supplie Jupiter, 10. Mercure conduit Psyché vers l'Olympe. Plafond, 2 fresques : 1. l'assemblée des dieux, 2. les noces de Psyché et Cupidon.) Il existe en outre, pour cette suite, toute une série de dessins préparatoires.

— J. Romain (1499-1546), Mantoue, palais du Tè, 1528. (Plafond : I. octogones a) côté ouest : 1 (2). Vénus demande à Cupidon de la venger de Psyché, 2 (1). adoration de Psyché, b) côté nord : 3. les parents de Psyché consultent l'oracle, 4. Zéphyr enlève Psyché, c) côté est : 5 (6). repas de Psyché, 6 (5). Psyché endormie dans la vallée du palais de Cupidon, observée par un satyre, d) côté sud : 7. Psyché donne des bijoux à ses sœurs, 8. Psyché découvre Cupidon endormi. (L'histoire continue dans une série de 12 lunettes, mais en sens inverse par rapport aux octogones). II. lunettes a) côté sud : 1. Vénus punit Cupidon, 2. Vénus avec Junon et Cérès, 3. Psyché implore Cérès, b) côté est : 4. Psyché implore Junon, 5. Vénus se plaint à Jupiter, 6. Mercure héraut, c) côté nord : 7. supplice de Psyché, 8. l'épreuve des grains, 9. l'épreuve des moutons, d) côté ouest : 10. l'épreuve de l'eau du Styx, 11. l'épreuve du vase de Proserpine, 12. Cupidon réveille Psyché de son sommeil léthargique à l'aide d'une de ses flèches, III. carré central : cérémonie du mariage. (L'histoire trouve sa conclusion dans les fresques murales situées sur les côtés ouest et sud. Les parois des côtés nord et est présentent différents épisodes mythologiques). A) paroi ouest : préparation du banquet des noces ; B) paroi sud : le banquet avec Psyché et Cupidon couchés à gauche, Vulcain à droite, Apollon et Bacchus au centre ; C) paroi nord : à gauche, Mars et Vénus au bain ; au centre (dessus de porte), Bacchus et Ariane ; à droite, Vénus empêche Mars d'égorger Adonis ; D) paroi est : à gauche (dessus de porte) : Zeus et Olympias ; au centre, Polyphème, Acis et Galatée ; à droite, Pasiphaé). Voir Signorini, Rodolfo, *La* fabella *di Psiche e altra mitologia secondo l'inter-*

pretazione pittorica di Giulio Romano nel Palazzo del Te a Mantova, Mantoue, Sintesi, 1987.

— Perino del Vaga (P. Buonaccorsi) (1501-1547), Rome, château Saint-Ange, vers 1530. (10 fresques : 1. l'âne Lucius et la captive écoutent la vieille raconter l'histoire de Psyché, 2. (3 épisodes) a) au centre, hommages rendus à Psyché, b) à droite, Vénus demande à Cupidon de la venger de Psyché, c) à gauche, le père de Psyché invoque l'oracle d'Apollon, 3. cortège funèbre, 4. Psyché endormie dans la vallée du palais de Cupidon, 5. repas d'accueil, Psyché et Cupidon assis à une table, servis par des nymphes ; un groupe de musiciens se tient à gauche, 6. (3 épisodes) a) au centre, Psyché contemple Cupidon endormi, b) à droite, Psyché se blesse avec les flèches de Cupidon, c) à gauche, fuite de Cupidon, 7. (2 épisodes) a) à droite, Vénus avec Cérès et Junon, b) Vénus sermonne Cupidon, 8. (2 épisodes) a) supplice de Psyché, battue par les Furies devant Vénus, b) épreuve des grains, 9. (4 épisodes) a) Vénus donne ordre à Psyché de descendre aux enfers chercher le fard de beauté, b) Psyché entre dans la tour, c) Psyché jette la galette dans la gueule de Cerbère, d) Psyché reçoit le vase des mains de Proserpine, 10. noces de Psyché et Cupidon.) Voir Parma Armani, Elena, *Perino del Vaga. L'anello mancante*, Gênes, Sagep, 1986. Reproduction, en plus de quelques fresques, des dessins préparatoires.

— *Idem*, Gênes, palais Doria, voir Parma Armani, Elena, *op. cit.*

— T. Zuccaro (1529-1566), Bracciano, château Orsini, vers 1560.

— B. Poccetti (1548-1612), S. Martino alla Palma, villa Torrigiani.

— G.P. Cavagna (1556-1627), Bergame, casa Morandi.

— L. Cardi Cigoli (1559-1613), Rome, Galleria Capitolina.

— S. Prunati (1652-1728), Cuzzano, palais du comte Allegri.

Tableaux

— Giorgione (1478-1510), perdus, cit. par C. Ridolfi, *Le maraviglie dell'arte*, 1648.
— L. Grimaldi (?-1526), autrefois à Ferrare, château Belriguardo.
— G. da Averara (?-1548), Bergame, casa Morandi.
— P. Giovane (J. Palma) (1544-1628), autrefois au château Mirandola.
— C. Tencalla (1623-1685), plafond et 6 panneaux muraux, Eisenstadt, château Esterházy.
— L. Giordano (1632-1705), Hampton Court, 6 tableaux.
— S. Prunati (1652-1728), Cuzzano, palais Allegri.
— S. Munoz (vers 1654-1690), Madrid.

Gravures

— Maître au Dé (1re moitié du XVIe siècle) et A. Veneziano (vers 1490-ap.1536), 32 gravures d'après des compositions attr. à M. Coxcie ; les numéros 4, 7 et 13 sont de A. Veneziano. (1. l'âne Lucius et la captive écoutent la vieille raconter l'histoire de Psyché, 2. (2 épisodes) a) hommages rendus à Psyché, b) Vénus demande à Cupidon de la venger de Psyché, 3. le mariage des deux sœurs, 4. le père de Psyché invoque l'oracle d'Apollon, 5. cortège funèbre, 6. (3 épisodes) a) Psyché déposée par le Zéphyr dans la vallée du palais de Cupidon, b) Psyché endormie devant le palais, c) Psyché accueillie par les nymphes, 7. le bain de Psyché, 8. repas d'accueil, Psyché et Cupidon servis par des nymphes ; un groupe de musiciens se tient à droite, 9. Psyché et Cupidon couchés dans un lit, 10. la toilette de Psyché, 11. (2 épisodes) a) Zéphyr dépose les sœurs de Psyché dans la vallée, b) Psyché donne des cadeaux à ses sœurs, 12. Psyché convaincue par ses sœurs que son mari est un serpent, 13. (3 épisodes) a) au centre, Psyché contemple Cupidon endormi, b) à droite, Psyché se blesse avec les flèches de Cupidon, c) à gauche, fuite de Cupidon, 14. (3 épisodes) a) Cupidon abandonne Psyché, b) Psyché tente de se suicider, c) Psyché et Pan, 15. Psyché se venge de ses sœurs, 16. Vénus est informée de la blessure de Cupidon, 17. (2 épisodes) a) Vénus avec Cérès et Junon, b) Vénus sermonne Cupidon, 18. (2 épisodes) a) Vénus demande l'aide de Jupiter, b) Mercure annonce l'avis de recherche de Psyché, 19. Psyché implore Cérès, 20. Psyché implore Junon, 21. supplice de Psyché, battue par les Furies devant Vénus, 22. épreuve des grains, 23. épreuve des moutons, 24. (2 épisodes) a) Vénus donne ordre à Psyché de descendre aux enfers chercher le fard de beauté, b) Psyché entre dans la tour, 25. Psyché traverse le Styx dans la barque de Charon, 26. Psyché jette la galette dans la gueule de Cerbère, 27. Psyché reçoit le vase des mains de Proserpine, 28. (3 épisodes) a) Cupidon part à la recherche de Psyché, b) Cupidon réveille Psyché de son sommeil léthargique à l'aide d'une de ses flèches, c) Cupidon redonne le vase fermé à Psyché, 29. (2 épisodes) a) Cupidon supplie Jupiter, b) Mercure annonce l'assemblée des dieux, 30. l'assemblée des dieux, 31. noces de Psyché et Cupidon, 32. Psyché et Cupidon couchés dans un lit.) Cette suite a inspiré de nombreux artistes. En France, elle a été copiée par le monogrammiste à l'F gothique et Léonard Gaultier pour accompagner une série de huitains (voir Répertoire bibliographique) ; elle a servi de modèle pour plusieurs suites de tapisseries et pour les verrières du château d'Écouen, aujourd'hui à Chantilly (voir *infra*).

— C. Alberti (1553-1615), d'après Raphaël (Farnésine), suite des quatre pendentifs du pan gauche. Voir ci-dessus Raphaël, les n°s 2 à 5, et *Raphael invenit. Stampe da Raffaello nelle collezioni dell'Istituto Nazionale per la grafica,* Catalogo di G.B. Pezzini, S. Massari, S. Prosperi Valenti Rodinò, Edizioni Quasar, 1985.

— S. Le Clerc (1637-1714), 4 gravures.

— N. Dorigny (1657-1746), d'après Raphaël (Farnésine), l'ensemble de la suite (1693). Voir *Raphael invenit..., op. cit.*

Vitraux

— 44 verrières, château d'Écouen, auj. au Musée Condé, château de Chantilly, d'après des cartons de J. Le Pot reprenant les compositions attribuées à M. Coxcie et diffusées par les gravures du Maître au Dé et d'A. Veneziano. Huit de ces compositions ont été dédoublées, deux réunies en un seul vitrail, quatre vitraux présentent des compositions différentes comparées aux estampes correspondantes, et deux sujets de vitraux ne se trouvent pas dans la suite de gravures. Voir A. Lenoir, *Musée des Monuments Français. Histoire de la peinture sur verre*, Paris, An XII-1803, pp. 99-130 et pl. 1-45 d'après les gravures de Guyot qui reproduisent les scènes inversées de droite à gauche, et sans les bandeaux décoratifs ; L. Magne, *L'Œuvre des peintres verriers français*, Paris, 1885, pp. 132-161, contient des photographies de ces vitraux après leur restauration en 1880 ; F. Perrot, « Les Vitraux du château d'Écouen. Contribution à l'étude du vitrail civil à la Renaissance », dans *Actes du colloque international sur l'art de Fontainebleau*, études réunies par A. Chastel, Paris, éd. du CNRS, 1975, pp. 175-184.

Tapisseries

— Suite de 26 pièces, atelier de Bruxelles, tissée par François Ier, brûlée en 1797 pour récupérer l'or et l'argent.

— Suite de 6 pièces, atelier des La Planche, auj. Mobilier National. Il existe une variante de cette suite.

— 2 suites de 6 pièces, atelier des La Planche, château de Pau et Mobilier National (autrefois au château de Fontainebleau). Ces deux dernières suites et la précédente présentent beaucoup de points communs avec la série des 32 gravures, voir E. Laszlo, « De la tapisserie française *Psyché* », dans *Ars decorativa*, 2 (1974), pp. 75-88.

— Suite de 8 pièces, manufacture des Gobelins, exécutée entre 1684 et 1690, sous la direction de Charles Le Brun. Les sujets de ces tapisseries imitent librement les compositions de Jules Romain (Palais du Tè). Voir E.A. Standen, « The *Sujets de la Fable*, Gobelins Tapestries », dans *The Art Bulletin*, 46 (1964), pp. 143-157.

2. Sujets isolés

Adoration de Psyché
— A. da Trento (1508 ?-ap.1550), gravure d'après G. Salviati.

Cupidon tire ses flèches sur Psyché
— M. Corneille (1641-1708), 2 dessins, Paris, Louvre.

Cupidon et les Trois Grâces
— M. Raimondi (vers 1480-1534), gravure d'après Raphaël (Farnésine).

Vénus avec Junon et Cérès
— M. Raimondi (vers 1480-1534), gravure d'après Raphaël (Farnésine).

Les parents de Psyché invoquent Apollon
— Le Lorrain (Cl. Gellée) (1600-1682), dessin, tableau (1663), Anglesey Abbey.

La Toilette de Psyché
— A. Alberti da Raffaello (?), dessin, Rome, Cabinet des Estampes.
— G. Bonasone (1500 ?-1580 ?), gravure.

Cupidon et Psyché
— N. dell' Abbate (vers 1512-1571), tableau, R.H. Tannahill Fund.
— B. Spranger (1546-1611), dessin.
— M. Gundelach (1566-1654), tableau, Augsbourg.

Cupidon contemple Psyché endormie
— Padovanino (A. Varotari) (1588-1648), tableau autrefois attr. à Titien.
— A. Bloemart (1564-1651), tableau, Stuttgart.
— J. Matham (1571-1631), gravure d'après A. Bloemart.
— G.J. Caraglio (1500 ?-1570 ?), gravure d'après Perino del Vaga.
— J. Muller (1571-1628), gravure d'après B. Spranger.

Psyché contemple Cupidon endormi
— G.B. Castello (1509-1569), Gênes, palais Tobia Pallavicino, aujourd'hui Chambre de Commerce, fresque du plafond.
— G. Vasari (1511-1574), tableau, Berlin, Bode Museum (?).
— J. Zucchi (vers 1541-?), tableau, Rome, Galerie Borghese.
— A. Carracci (1560-1609), attr., tableau, autrefois à Rome, palais Aldobrandini.
— T. Dubreuil (1561-1602), dessin, Paris, Louvre.
— J. Heintz der Ält. (1564-1609), tableau, Munich, coll. privée.
— C. Caliari (1570-1596), attr., dessin, Munich, Graphische Sammlung.
— A. Janssens (vers 1575-1632), tableau, Hambourg (?).

— P.P. Rubens (1577-1640), tableau (vers 1613-1614), Hambourg.

— L'Orbetto (A. Turchi) (1578-1649), tableau.

— Padovanino (A. Varotari) (1588-1648), attr., tableau, Stuttgart.

— S. Vouet (1590-1649), tableau.

— G. da San Giovanni (G. Mannozzi) (1592-1636), tableau, Florence, Offices.

— Cl. Mellan (1598-1688), gravure d'après S. Vouet.

— Maestro Ligure (1re moitié du XVIIe siècle), tableau, Rome, Galerie Borghese.

— A. Haelwegh (vers 1600-1673), gravure d'après Rubens.

— P. Liberi (1605-1687), tableau, autrefois à Rovigo, palais Campanari.

— C. Cignani (1628-1719), dessin, Bologne, Galerie del Caminetto.

— A. Bellucci (1654-1726), tableau, Munich, Ancienne Pinacothèque.

— A. Molinari (1665-ap.1727), tableau, Dresde.

— G.M. Crespi (1665-1747), tableau, Florence, Offices.

— B. Luti (1666-1724), tableau, Rome, Accademia di San Luca.

— F. Lemoyne (1688-1737), tableau.

Cupidon abandonne Psyché

— P. Giovane (J. Palma) (1544-1628), dessin, Munich, Graphische Sammlung.

— G. da San Giovanni (G. Mannozzi) (1592-1636), Florence, palais Galli (aujourd'hui Bruno), fresque du plafond.

— B. Spranger (1546-1611), tableau, Oldenburg.

— J. Heintz der Ält. (1564-1609), tableau, Nuremberg.

Psyché devant le palais de Cupidon

— Le Lorrain (Cl. Gellée) (1600-1682), dessins, tableau (1664), Londres, National Gallery.

Psyché sauvée de la noyade
— Le Lorrain (Cl. Gellée) (1600-1682), dessins, tableau (1666), Cologne, Wallraff-Richartz-Museum.

Mercure annonçant l'avis de recherche de Psyché
— M. Raimondi (vers 1480-1534), gravure d'après Raphaël (Farnésine).

Vénus donne ordre à Psyché d'aller chercher l'eau de Jouvence
— Maître au Dé (1re moitié du XVIe siècle), gravure.

Psyché puise l'eau à la fontaine de Jouvence
— L. Davent (L. Thiry) (1re moitié du XVIe siècle), gravure d'après J. Romain.

Proserpine donne à Psyché le vase contenant le fard de beauté
— Anonyme, gravure d'après J. Romain.

Retour des enfers
— M. Raimondi (vers 1480-1534), gravure d'après Raphaël (Farnésine).
— M. Corneille (1641-1708), 3 dessins, Paris, Louvre.

Psyché présentant le vase de Proserpine à Vénus
— P.P. Rubens (1577-1640), dessin d'après Raphaël (Farnésine).

Cupidon retrouve Psyché
— A. van Dyck (1599-1641), tableau, Hampton Court.

Cupidon suppliant Jupiter
— M. Raimondi (vers 1480-1534), gravure d'après Raphaël (Farnésine).
— C. Alberti (1553-1615), gravure d'après Raphaël (Farnésine).
— P.P. Rubens (1577-1640), dessin, tableau.

Mercure conduit Psyché vers l'Olympe
   — G.J. Caraglio (1500 ?-1570 ?), gravure d'après Raphaël (Farnésine).
   — P. Bruegel (vers 1525/1530-1569), gravure.
   — G. Diamantini (1660-1722), gravure.

L'assemblée des dieux
   — G.J. Caraglio (1500 ?-1570 ?), gravure d'après Raphaël (Farnésine).

Noces de Psyché et Cupidon
   — École de M. Raimondi, gravure d'après Raphaël (Farnésine).
   — Maître au Dé (1re moitié du XVIe siècle), gravure d'après Raphaël (Farnésine).
   — Schiavone (A. Meldolla) (1522 ?-1563), tableau, Chatsworth, coll. du duc de Devonshire.
   — H. Goltzius (1558-1617), gravure d'après B. Spranger.
   — G. della Porta (?-1577), dessin, New York, Metropolitan.
   — A. Bloemart (1564-1651), tableau, Hampton Court.
   — *Idem*, tableau, Aschaffenburg.
   — F. Stringa (1635-1709), Modène, Palais Ducal, fresque du plafond.

Couple couché
   — J. Francia (?-1557), attr., gravure d'après Raphaël (dessin préparatoire pour la fresque des noces).
   — G. Ghisi (1520-1582), gravure.

Triomphe de Cupidon et Psyché
   — G. Bonasone (1500 ?-1580 ?), gravure.

   Les œuvres de Titien, Corrège, Caravage, Guido Reni, Rembrandt et Mignard citées par H. Régnier, dans la notice qui accompagne son édition de *Psyché* dans la collection des Grands Écrivains de la France, ou par H. Lemaître, semblent être perdues ou faussement attribuées.

Bibliographie

1. Éditions de La Fontaine

Œuvres complètes, Paris, Gallimard, Pléiade, 1954-1958, 2 vol. ; t. I : *Fables, Contes et nouvelles*, éd. par E. Pilon, R. Groos et J. Schiffrin ; t. II : *Œuvres diverses*, éd. par P. Clarac. Pour *Psyché*, voir t. II, pp. 121-259.

Œuvres complètes, éd. J. Marmier, Paris, Le Seuil, L'Intégrale, 1965. Pour *Psyché*, voir pp. 403-454.

Œuvres, éd. H. Régnier, Paris, Hachette, Les Grands Écrivains de la France, 1883-1892, 12 vol. Pour *Psyché*, voir t. VIII.

Fables, édition Marc Fumaroli, Paris, Imprimerie Nationale, 1985.

Les Amours de Psyché et de Cupidon, éd. F. Charpentier, Paris, G.F.-Flammarion, 1990.

2. Versailles

APOSTOLIDÈS (Jean-Marie), *Le Roi-machine. Spectacle et politique au temps de Louis XIV*, Paris, Minuit, 1981.

FÉLIBIEN (André), *Description de la Grotte de Versailles*, Paris, Imprimerie royale, 1679.

LANGE (Liliane), « La Grotte de Thétis et le premier

Versailles de Louis XIV », dans *Art de France*, 1 (1961), pp. 133-148.

NÉRAUDAU (Jean-Pierre), *L'Olympe du Roi-Soleil. Mythologie et idéologie royale au Grand Siècle*, Paris, Les Belles Lettres, 1986.

NOLHAC (Pierre de), *La Création de Versailles*, Versailles, L. Bernard, 1901.

SCUDÉRY (Madeleine de), *La Promenade de Versailles*, Paris, C. Barbin, 1669 (Genève, Slatkine Reprints, 1979).

WALTON (Guy), *Louis XIV's Versailles*, The University of Chicago Press, 1986.

3. Mythe et folklore

APULÉE, *Métamorphoses, IV, 28-VI, 24. (Le conte d'Amour et Psyché)*, éd. P. Grimal, Paris, P.U.F., 1963.

BARCHILON (Jacques), *Le Conte merveilleux français de 1690 à 1790*, Paris, Champion, 1975.

BETTELHEIM (Bruno), *Psychanalyse des contes de fées*, trad. T. Carlier, Paris, Laffont, 1976.

LE MAÎTRE (Henri), *Essai sur le mythe de Psyché dans la littérature française des origines à 1890*, Persan, 1939.

SWAHN (Jan-Oejvind), *The Tale of Cupid and Psyche*, Lund, Hakan Ohlssons, 1955.

4. Études générales sur La Fontaine

CLARAC (Pierre), *La Fontaine par lui-même*, Paris, Le Seuil, Écrivains de toujours, 1961.

COLLINET (Jean-Pierre), *Le Monde littéraire de La Fontaine*, Paris, P.U.F., 1970.

DUCHÊNE (Roger), *La Fontaine*, Paris, Fayard, 1990.

KOHN (Renée), *Le Goût de La Fontaine*, Paris, P.U.F., 1962.

MOURGUES (Odette de), *Ô Muse, fuyante proie... Essai sur la poésie de La Fontaine*, Paris, Corti, 1962.

VALÉRY (Paul), « Au sujet d'*Adonis* », dans *Variété I*, Paris, Gallimard, 1924, pp. 53-88.

WADSWORTH (Philip), *Young La Fontaine. A Study of his Artistic Growth in his Early Poetry and First Fables*, Evanston, Ill., 1952.

5. Études sur *Les Amours de Psyché*

BROWN (Thomas H.), *La Fontaine and Cupid and Psyche Tradition*, Provo, Utah, Brigham Young University Press, Charles E. Merrill Monograph Series, 1968.

CHARPENTIER (Françoise), « De Colonna à La Fontaine : le nom de Poliphile » dans *L'Intelligence du passé : Les faits, l'écriture et le sens*. Mélanges offerts à Jean Lafond, Université de Tours, 1988, pp. 369-378.

DEJEAN (Joan), « La Fontaine's *Psyché*. The Reflecting Pool of Classicism », dans *L'Esprit créateur*, 21, 4 (1981), pp. 99-109.

GRAZIANI GIACCOBI (Françoise), « La Fontaine lecteur de Marino : *Les Amours de Psiché*, œuvre hybride », dans *Revue de Littérature comparée*, 232 (1984), pp. 389-397.

GROSS (Nathan), « Functions of the Framework in La Fontaine's *Psyché* », dans *PMLA*, 84 (1969), pp. 577-586.

LAFOND (Jean), « La Beauté et la Grâce. L'esthétique "platonicienne" des *Amours de Psyché* », dans *Revue d'Histoire littéraire de la France*, 69 (1969), pp. 475-490.

MAULNIER (Thierry), « *Les Amours de Psyché et de Cupidon* », dans *Les Cahiers de la Pléiade* (aut. 1948-hiver 1949), pp. 85-95.

RAYMOND (Marcel), « *Psyché* et l'art de La Fontaine », dans *Génies de France*, Neuchâtel, La Baconnière, 1942, pp. 88-115.

ROUSSET (Jean), « *Psyché* ou le plaisir des larmes »,

dans *L'Intérieur et l'Extérieur*, Paris, Corti, 1968, pp. 115-124.

ROUSSET (Jean), « La Mise en scène d'une lecture : les promeneurs de *Psyché* », dans *Le Lecteur intime*, Paris, Corti, 1986, pp. 73-82.

SPADA (Marcel), « Le Livre sacré de La Fontaine », dans *Fictions d'Éros*, Gand, Annales de l'École des Hautes Études, 1970, pp. 40-63.

Glossaire

Abord (d') : aussitôt
Accompli : parfait
Achever : mettre un comble à
Adresse : moyen ingénieux, ruse
Affaire : avoir affaire de : avoir besoin de
Ainsi : à cette condition, en retour
Aller à : tendre à, aboutir à
Amant : personne qui a déclaré son amour
Animal : être vivant
Apparence : vraisemblance, motif raisonnable, possibilité
Apparent : de haut rang, considérable
Ass(e)urer : mettre en confiance
Atourneuse : « femme qui faisait métier de coiffer, de parer, de louer des pierreries » (Littré)
Audiance : attention prêtée à celui qui parle
Aussi (précédé d'une négation) : non plus
Autoritez : les grands auteurs
Avanture .
   — événement (77, 184)
   — sort (74, 76)
Avanturier : qui recherche la gloire par les armes ; soldat mercenaire ou volontaire.
Avec cela : malgré cela
Ayeule : grand-mère

Bagues : meubles précieux, pierreries
Bale : boulet
Basse-court : cour destinée aux équipages, aux écuries
Billet : mot d'introduction
Bizarre : fantasque, extravagant
Bizarrerie : extravagance, folie
Bord : *à bord* : sur le rivage
Brave : vêtu, paré de beaux habits
Brossailles : broussailles

Cabinet :
— *cabinet du Roi :* lieu le plus retiré dans un appartement royal
— commode, secrétaire, utilisé soit pour conserver des choses précieuses, soit comme ornement
Cantonner (se) : se retrancher, rester à l'écart
Caractère : style
Catadupes : cataractes
Cave : souterrain
Censeur : celui qui critique avec malveillance
Cérémonie : marque de civilité
Chagrin : accès de colère, irritation
Chapeau : couronne
Chatoüiller : plaire, flatter
Chère : *de bonne chère* : qui aime la table et s'y connaît
Chétif : vil, méprisable
Clarière : clairière
Climat : pays, contrée
Cœur : fierté, noblesse des sentiments
Comédie :
— spectacle théâtral, pièce de théâtre (55, 99, 105, 110, 121, 148)
— l'art dramatique (94)
Commander à : dominer
Comme : comment
Commerce : relation
Commode : agréable, aimable

304

Compartiment : mosaïque, dessin compliqué et ordonnancé symétriquement

Complaire à qqn : se conformer à son goût

Compte : *faire son compte que* : tenir pour certain que

Conduite : le plan et la marche d'un ouvrage littéraire

Conférence : entretien

Conscience : faute qui charge la conscience, mauvaise conscience

Considéré (être) : être pris en compte

Contester :
— rivaliser (149)
— disputer, revendiquer (180)

Contraire : *au contraire* : dans le sens contraire

Conversation : compagnie

Converser : vivre avec, fréquenter

Correspondance : harmonie

Corrompre : altérer, déformer

Cotte : *donner la cotte verte* (à une fille) : expression, courante au XVIᵉ siècle, pour dire « renverser une fille sur l'herbe »

Courage : *de bon courage* : de bon cœur

Crier : gronder

Croissance : « on donne ce nom à certaines rocailles, ou à des herbes de mer congelées, dont on fait l'ornement des grottes » (Littré)

Déceler : dénoncer

Déchet : perte, diminution

Déduire : développer, exposer en détail

Défaut : *au défaut de* : à la place de

Degré : escalier

Demoiselle de Numidie : grue

Démon : génie, bon ou mauvais

Désert : lieu solitaire et sauvage

Devant : avant

Devant que : avant que

Diffamé : qui a mauvaise réputation, mal famé

Discrétion : jugement, discernement
Disné : repas du milieu de la journée
Dispute : discussion, débat

École : pensée scolastique, réputée pédante, par opposition à la culture des honnêtes gens
Effet : *en effet* : en réalité
Embonpoint : état de bonne santé, bonne mine
Empescher : gêner, embarrasser
Ennui : chagrin, tourment, désespoir
Entailler : graver
Envier : ne pas accorder, refuser
Envy : *à l'envy de* : en rivalisant avec
Épreindre : presser quelque chose pour en tirer le liquide
Équipage :
— habit, costume (70)
— affaires, objets personnels (103, 152)
— attirail (147, 181)
— ensemble des objets nécessaires à une entreprise (200)
Esprit : *bel esprit* : celui qui se distingue du commun par la politesse de ses discours et de ses ouvrages
Estonnement :
— stupéfaction (73, 143)
— émotion violente (135)
Estonner : effrayer
Étroit : strict

Fable : fiction ; intrigue
Fabuleux : imaginaire, controuvé
Facilitez : concessions, dispositions à accepter
Familier : fréquent
Fantaisie : imagination
Fier : cruel

Fortune :
— hasard
— de bonne fortune : par un heureux hasard

Garde : *n'avoir garde de* : s'abstenir soigneusement de, n'avoir aucunement l'intention de
Génie : disposition naturelle
Gens : *bonnes gens* : personnes sans malice, sans pouvoir, sans capacité, surtout quand elles sont très âgées
Glucomorie : douce folie
Goulette : « petit canal taillé sur des tablettes de pierre ou de marbre, que l'on pose en pente pour le jet des eaux » (*Fur.*)
Gouster : approuver, connaître la valeur de quelque chose

Hazard :
— danger
— *mettre au hazard* : exposer à un péril
Honte : pudeur, timidité

Imagination : invention
Imposer : faire illusion
Impression : empreinte, marque
Incontinent : aussitôt
Inconvénient : *il n'est pas inconvénient* : il n'est pas invraisemblable
Indiscrétion : manque de discernement, de jugement
Insecte : désigne un ensemble d'animaux qu'on divise aujourd'hui en insectes, batraciens et reptiles
Insinuant : séduisant, aimable
Interdire : étonner au point de couper la parole

Joignant : près de
Journalier : inégal, variable
Journée : étape

Laisser : *ne pas laisser de* : ne pas manquer de
Lesse : laisse

Machine : (terme de théâtre) moyen mécanique permettant un changement de décor ou une mise en scène spectaculaire
Main :
— *donner les mains* : consentir
— *faire sa main* : faire un gain, un profit injuste dans quelque commission
Marchander : hésiter
Messéance : inconvenance
Meublé : fourni, orné
Ministre : serviteur, personne chargée d'une fonction
Mollesse : manière de vivre facile, délicate et voluptueuse
Müance : changement ; terme emprunté au lexique musical, qui désigne le passage d'une gamme à une autre

Naïf : naturel, spontané
Naturel : nature particulière
Nombrer : dénombrer

Obligation : *avoir obligation de qqch à qqn* : lui devoir qqch par reconnaissance
Office : service
Officier : serviteur

Papillon : bagatelle
Partie : projet
Partir : *au partir* : au départ
Passion : sentiment, inclination
Pied : *sur le bon pied* : dans une situation avantageuse
Pitoyable :
— qui est naturellement enclin à la pitié (208)
— qui excite la pitié (90, 138, 187)
Plancher : plafond (ou parquet)
Possible (adv.) : peut-être
Pourpris : enclos, domaine
Privativement : exclusivement
Prix : *au prix de* : en comparaison de
Propreté : élégance, raffinement
Protestation : déclaration solennelle
Protester : déclarer solennellement
Prudence : discernement, jugement

Qualifié : de condition noble
Quant-à-moy : quant-à-soi
Quarreau : coussin carré

Récompense : dédommagement, compensation
Récompenser : dédommager
Réduit : petit logement retiré
Régime : manière de vivre
Remander : rappeler
Rencontrer (se) : se produire

Sang : parenté
Science : connaissance, savoir
Scrupule : *faire scrupule de* : hésiter à
Si est-ce que : toujours est-il que
Si faut-il : il faut pourtant
Signaler : rendre célèbre

Sion : verge
Soûmission : marque de respect
Suffumigation : rituel propre au sacrifice païen
Survenant : qui arrive à l'improviste
Suspendu : irrésolu, hésitant

Table : plaque
Tant que : si bien que
Tempérament : juste mélange qui produit l'équilibre ;
    accord, arrangement
Temps : *prendre son temps* : choisir son moment
Tendresse : délicatesse, douceur
Tenir : regarder comme
Toilette : pièce de tissu placée sur une table pour
    recevoir les vêtements et les objets utilisés la nuit
Tout à l'heure : aussitôt, sur-le-champ
Train : équipage, suite
Trait :
    — flèche (67, 69)
    — impulsion (128)
Travail : peine, fatigue du corps
Trompeter : faire annoncer par un crieur public ce
    qu'on recherche

Véritablement : à la vérité
Viandes : aliments, nourriture
Vif : *au vif* : d'après nature, très ressemblant
Voir : fréquenter charnellement
Vouloir : admettre, consentir

Index des noms propres

Les noms qui figurent dans le *Petit Larousse illustré* ne sont pas expliqués ici. Les autres sont éclaircis dans les notes, à la première occurrence du nom.

314

Table

Composition réalisée par C.M.L., Montrouge

IMPRIMÉ EN FRANCE PAR BRODARD ET TAUPIN
Usine de La Flèche (Sarthe).
LIBRAIRIE GÉNÉRALE FRANÇAISE - 6, rue Pierre-Sarrazin - 75006 Paris.

ISBN : 2 - 253 - 05191 - 8   ✥ 30/6702/2